BIBLIOTHEEK BREDA
Centrale Bibliotheek
Molenstraat 6
4811 GS Breda

110654076

Rachel Gibson

De man van mijn dromen...

Karakter Uitgevers B.V.

Oorspronkelijke titel: *Any Man of Mine*
© 2011 by Rachel Gibson
Published by arrangement with Sterling Lord Literistic, Inc.
Vertaling: Frances van Gool
© 2011 Karakter Uitgevers B.V., Uithoorn
Opmaak binnenwerk: ZetSpiegel, Best
Omslagontwerp en artwork: blauwblauw-design | bno

ISBN 978 90 6112 546 4
NUR 340

BIBLIOTHEEK BREDA
Centrale Bibliotheek
Molenstraat 6
4811 GS Breda

Niets uit deze uitgave mag worden openbaar gemaakt en/of verveelvoudigd door middel van druk, fotokopie, microfilm of op welke andere wijze dan ook zonder voorafgaande schriftelijke toestemming van de uitgever.

1

De man van mijn dromen...

is geen topsporter

Sam LeClaire zag er goed uit, al was hij een klootzak. Dat vond iedereen, van sportcommentatoren tot sportmoeders. Het meisje dat in zijn lakens was gewikkeld dacht er ook zo over. Al was ze niet echt een meisje meer. Ze was een vrouw.

'Ik snap niet waarom ik niet mee mag.'

Sam keek op van de blauwgestreepte das die hij aan het knopen was, en keek via de spiegel naar het supermodel in zijn bed. Ze heette voluit Veronica del Toro, maar iedereen kende alleen haar voornaam. Net als bij Tyra en Heidi en Gisele.

'Omdat ik niet wist dat je in de stad was,' legde hij voor de tiende keer uit. 'Zomaar een gast meenemen naar deze trouwerij zou nogal brutaal zijn.' Maar dat was niet de werkelijke reden.

'Maar ik ben Veronica.'

Dat was het dus. De werkelijke reden. Ze was niet alleen brutaal, maar nog arrogant ook. Hij kon ook brutaal en arrogant zijn, maar in weerwil van de verhalen die over hem de ronde deden, wist hij wel hoe hij zich moest gedragen.

'Ik zal niet zo veel eten.'

Zeg maar gerust: helemaal niets. Dat was een van de dingen die hem ergerden aan Veronica. Ze at niets. Ze bestelde van alles te eten, alsof ze berehonger had, maar zat er alleen maar mee te spelen.

Sam schoof de knoop naar boven en hield zijn kin omhoog om een van zijn boordpunten vast te maken. 'Ik heb al een taxi voor je gebeld.' In de spiegel zag hij dat Veronica opstond en op hem af kwam lopen. Ze bewoog zich over zijn vloerbedekking alsof ze op de catwalk liep. Een en al lang been, grote borsten, die amper bewogen als ze liep.

'Wanneer ben je weer terug?' vroeg ze, terwijl ze haar armen om zijn middel sloeg. Ze liet haar kin op zijn schouder rusten en keek hem aan met haar donkerbruine ogen.

'Laat.' Hij hield zijn hoofd schuin de andere kant op om de tweede boordpunt vast te maken. Tegelijkertijd keek hij naar de grote Stanley Cup-kampioensring op zijn dressoir. De wit- en geelgouden ring was bezet met 160 diamanten, smaragden en saffieren, die bovenop het clublogo vormden. Aan de ene kant van het logo stond 'Stanley Cup' en het jaartal gegraveerd, en aan de andere kant zijn naam en rugnummer. Hij had hem tevoorschijn gehaald om aan Veronica te laten zien, maar was niet van plan hem aan te doen. Zelfs als hij een man was die sieraden droeg – en dat was hij niet – dan zou de enorme ring de ringvinger aan zijn rechterhand tot aan de knokkel omvatten, en dat was te veel van het goede. Zelfs als je een man was die daarvan hield.

'Hoe laat?'

Via de spiegel keek hij naar de klok op zijn nachtkastje. Het was al halfzeven en de bruiloft begon om zeven uur. Hij had eigenlijk helemaal geen tijd voor Veronica. Maar ze was niet zo vaak in de stad, en ze had hem een vluggertje beloofd. Hij had beter moeten weten. Veronica kon nooit iets snel doen. 'Heel erg laat. Wanneer moet je weer weg?'

'Morgenochtend.' Ze zuchtte en gleed met haar handen via zijn overhemd naar zijn gespierde borstkas. 'Ik kan hier op je wachten.'

Hij draaide zich om en haar handen verplaatsten zich naar beneden. 'Ik weet niet wanneer ik terugkom. Het kan wel een tijdje duren.' Al twijfelde hij daaraan, omdat het nog maar vijf dagen was voor de openingswedstrijd van het seizoen. Hij streek haar zwarte lokken achter haar schouder. 'Bel me maar als je weer in Seattle bent.'

'Dat kan nog maanden duren en dan ben je alweer de hele tijd onderweg om ijshockey te spelen.' Ze liet haar handen vallen en liep weer naar het bed.

Hij bestudeerde haar magere billen, terwijl ze in haar stringetje stapte. Er waren veel leuke dingen aan Veronica. Haar gezicht. Haar lichaam. Het feit dat ze oppervlakkig was en er geen moeilijke gedachten schuilgingen in haar mooie koppetje. Er was niets mis met oppervlakkigheid en het uit de weg gaan van diepzinnige gedachten. Dat maakte het leven makkelijker. 'We kunnen elkaar altijd een keer onderweg ontmoeten.'

'Dat kan.' Ze pakte een rood T-shirt en trok het over haar hoofd voordat ze een spijkerbroek aantrok. 'Maar tegen die tijd ben je al gehavend.'

Hij grinnikte. 'Klopt.' Hij pakte zijn nette jasje en liet zijn armen erin glijden. Het vorige seizoen had hij haar ontmoet toen hij in Pittsburgh moest spelen. Op die avond, tegen de Penguins, had hij een goal gemaakt, vier minuten op de bank doorgebracht vanwege een dubbele fout en zijn eerste harde tik op zijn oog van het seizoen gekregen. Misschien zou ze hem dit jaar ook al geen geluk brengen. Hij pakte zijn portemonnee en schoof deze in de achterzak van zijn kaki broek.

'Het vorige seizoen was je hele gezicht een puinhoop,' zei Veronica, terwijl ze haar voeten in pumps met vijftien centimeter hoge hakken stak.

Zo erg was het nou ook weer niet geweest. Maar een paar

hechtingen en blauwe plekken. Hij had er wel eens erger uitgezien in zijn zestienjarige carrière in de NHL.

'Je zou fotomodel moeten worden.'

'Nee, dank je.' Een paar jaar geleden had hij een ondergoedreclame gedaan, voor Diesel, en hij had het verschrikkelijk saai gevonden. Hij had bijna de hele dag met zijn witte onderbroek op een stoel doorgebracht, terwijl de crew alles klaarzette voor de shoot. Het resultaat was te zien geweest op enorme billboards en in tijdschriften. Het leek wel of alles er gewoon uit viel en ook alsof hij enorm groot geschapen was. De mannen in het team hadden hem er eindeloos mee gepest en zijn moeder durfde bijna haar kerk niet meer in. Daarna had hij besloten het modellenwerk over te laten aan kerels die dat soort aandacht heerlijk vonden. Kerels zoals Beckham bijvoorbeeld.

Veronica en hij verlieten samen de slaapkamer van zijn appartement. In het open interieur met de grote ramen vormden de leren meubels donkere schaduwen, terwijl de ondergaande zon vage patronen wierp op de houten vloer.

Sam hield de deur open voor Veronica, liep er vervolgens zelf doorheen en sloot hem af. Ze liepen de gang door en zijn gedachten gingen naar de wedstrijd die ze in minder dan een week tegen San José moesten spelen. De San José Sharks waren vorig jaar tijdens de eerste ronde van de play-offs al uitgeschakeld. Maar dat wilde niet automatisch zeggen dat de Chinooks de eerste wedstrijd van het seizoen zouden winnen. Helemaal niet zelfs. De Sharks zouden extra gretig zijn en sommigen van de Chinooks hadden iets te hard gefeest tijdens de zomerstop. Sam had ook wat feestjes afgelopen, maar hij was niet veel aangekomen en zijn lever deed het nog uitstekend. Johan en Logan daarentegen hadden allebei vijf kilo extra om hun middel mee te torsen. En Vlad was aan het drinken geslagen als een matroos met verlof. De organisatie had zojuist bepaald dat Walker Brooks de aanvoerder zou zijn. Dat was geen schokkend bericht. Walker was de afgelopen jaren al viceaanvoerder geweest.

'Ik ben dol op bruiloften,' zuchtte Veronica toen ze naar de lift liepen.

Iedereen had gedacht dat het Alexander Devereaux zou worden, maar daarover was niets gezegd. Ze hadden zelfs geprobeerd om Sam viceaanvoerder te maken, maar die had daar een stokje voor gestoken. Sam was niet de meest verantwoordelijke persoon, en dat vond hij prima.

De deuren van de lift gingen open en ze stapten naar binnen. 'Jij niet?'

'Wat?' Hij drukte op de knop naar de lobby.

'Of jij niet dol bent op bruiloften.'

'Niet speciaal.' Bruiloften waren ongeveer net zo leuk als op de strafbank zitten.

Ze zwegen terwijl de lift naar beneden afdaalde. Sam legde zijn hand op Veronica's onderrug terwijl ze door de lobby liepen. De twee zware schuifdeuren van rvs en glas gingen open en daar stond een taxi te wachten.

Hij gaf haar een kus ten afscheid. 'Bel me als je weer in de stad bent. Ik zie je graag weer,' zei hij terwijl hij de deur van de taxi achter haar dichtdeed.

De skyline van de stad aan de westkust van de VS ging verscholen onder laaghangende bewolking. Sam begaf zich naar de hoek van de straat en liep de twee blokken richting Fourth Avenue, waar de Rainier Club was gelegen. Stadsgeluiden echoden tegen de hoogbouw in het centrum van Seattle en hij bestudeerde al lopende zijn spiegelbeeld in de etalageruiten om hem heen. Een briesje tilde een van zijn revers op en woei een blonde lok over zijn voorhoofd. Hij ging met zijn hand langs zijn blazer en knoopte hem dicht. Het was fris in de avondlucht.

Hij had al zijn aandacht nodig om te manoeuvreren over het drukke trottoir en kreeg na een paar honderd meter de oude, exclusieve Rainier Club in beeld, met de statige bakstenen gevel en het keurige gazon ervoor. Het geheel straalde oud geld uit. Terwijl hij verder liep, voelde hij dat hij werd nagekeken. Een aantal mensen riep zelfs zijn naam. Hij stak zijn hand op bij wijze van groet, maar bleef doorlopen. Dat mensen hem voortdurend herkenden was nieuw voor hem. Natuurlijk had hij fans. Vele zelfs. Mensen die zijn loopbaan volgden en shirts droegen met zijn naam erop. Sinds ze afgelopen juli de Stanley Cup hadden gewonnen, was hij nog bekender geworden, en dat vond hij prima. Fans wilden gewoon een handdruk of een handtekening en dat was juist leuk.

Halverwege het blok stak hij over. Het leven had Sam goed bedeeld. In het afgelopen seizoen hadden de Seattle Chinooks de Stanley Cup gewonnen en zijn naam was nu voor altijd verbonden met deze prijs, die de belangrijkste was in de ijshockeywereld. Bij de herinnering aan de ereronde die hij had geschaatst met de Cup boven zijn hoofd verscheen er weer een glimlach om zijn mond.

Het ging geweldig goed met zijn loopbaan. Met bloed, zweet en hard werken had hij alle doelen bereikt die hij had willen bereiken. Hij had meer geld dan hij ooit gedacht had te zullen verdienen in zijn leven. En hij vond het heerlijk het uit te geven aan mooie huizen, dure pakken, voortreffelijke vrouwen en nog voortreffelijker wijnen.

Nu was hij aangekomen bij de zwarte baldakijn van de Rainier Club. De conciërge groette hem. Ook met zijn privéleven was niets mis. Hij had geen speciale vrouw in zijn leven of zo, maar dat vond hij prima. De vrouwen waren dol op hem en hij was dol op hen. Misschien af en toe iets té.

Binnen in de exclusieve club was het zo benauwd, dat hij zin kreeg zijn schoenen uit te trekken. Net als toen hij een kind was en zijn moeder nieuwe vloerbedekking had laten leggen. Een paar van zijn teamgenoten stonden er onder aan de trap wat ongemakkelijk bij, ook al staken ze strak in het pak en waren ze zongebruind. Binnen een paar maanden zouden sommigen van hen een blauw oog hebben en hier en daar een hechting.

'Leuk dat je er bent,' zei aanvaller Daniel Holstrom toen hij op ze af liep.

Hij hoorde harpmuziek, boven aan de trap. Sam schoof zijn manchet omhoog en keek op zijn TAG Heuer. 'Nog tien minuten. Waar wachten jullie op?'

'Vlad en Logan zijn er nog niet,' antwoordde goalkeeper Marty Darche.

'Is Savage er wel?' vroeg Sam, duidend op de bruidegom en tevens de vorige aanvoerder van de Chinooks, Ty Savage.

'Ik heb hem tien minuten geleden nog gezien,' zei Daniel. 'Voor het eerst dat ik hem zag transpireren zonder dat hij op het ijs staat. Hij is vast bang dat de bruid bij haar positieven komt en gevlucht is naar Canada.'

Marty liet zijn stem wat dalen. 'Er zijn boven maar liefst vier playmates.'

Dat was niet opzienbarend, aangezien de bruid niet alleen eigenaar was van de Seattle Chinooks, maar ook Playmate van het Jaar was geweest. 'Zal wel een goed feestje worden dan,' zei Sam lachend, toen hij vanuit een ooghoek een glanzende paardenstaart met koperkleurig haar en een perfect profiel zag. Hij draaide zich om en de lach bevroor op zijn gezicht. Alles in hem werd stil, terwijl hij met zijn blik de vrouw met de paardenstaart volgde, die de hal overstak en naar de entree liep. Ze had een headset op en praatte in het microfoontje voor haar mond. Ze droeg een zwart truitje en aan haar heup hing een zender. Sam fronste zijn wenkbrauwen en hij voelde de spanning opkomen in zijn buik. Als er één vrouw op de aarde was die niet dol op hem was, sterker nog: die hem háátte, dan was het wel de vrouw die nu door de voordeur verdween.

Daniel legde een hand op zijn schouder. 'Hé, Sam, is dat niet jouw vrouw?'

'Heb jij een vrouw?' Marty draaide zich om.

'Ex-vrouw.' Hij voelde het maagzuur zich een weg naar boven banen.

'Ik wist niet dat je ooit getrouwd bent geweest.'

Daniel lachte, alsof hij dat ontzettend grappig vond.

Sam wierp Daniel een vernietigende blik toe. Maar hierom moest de man van de rechtervleugel alleen maar harder lachen. Al opende hij tenminste niet zijn snuit om allerlei nare details te verkondigen over Sams reis naar Las Vegas en de kitscherige trouwerij die daar had plaatsgevonden.

Hij keek nog een paar seconden naar de hoofdingang van de club, voor ze de trap op gingen. Ze heette Autumn, en ze was even grillig als het seizoen waarnaar ze genoemd was. De ene dag kon ze aangenaam warm zijn, de volgende zo koud dat je ballen eraf vroren.

Ze kwamen aan op de eerste verdieping, waar de harpiste zat die de zachte klanken produceerde. Sam hield niet van verrassingen. Hij hield er niet van als er iets onverwachts gebeurde. Hij vond het prettiger te weten uit welke hoek de klappen zouden vallen, zodat hij zich kon voorbereiden.

Hij liep een gangetje door, waar hier en daar wat gasten stonden. Hij had er niet op gerekend Autumn die avond te zullen zien, maar bedacht dat het niet erg verbazingwekkend was. Ze was tenslotte een weddingplanner, of, zoals ze zelf zei, een 'event manager'. Maar wat was het verschil eigenlijk? Bruiloft of evenement; het draaide allemaal om hetzelfde. Maar typisch Autumn dat ze daar zo'n heisa van maakte.

'Wilt u het gastenboek tekenen?' vroeg een vrouw achter een ronde tafel. Sam was niet het soort man die iets tekende zonder zijn advocaat te consulteren, maar de vrouw met de grote bruine ogen glimlachte hem toe en dus liep hij op haar af. Ze droeg iets roods, wat strak om haar boezem spande, en had een glinsterend diadeem in haar donkere lokken.

Sam hield erg van strakke, glinsterende zaken en daarom glimlachte hij terug. 'Tuurlijk.' Ze gaf hem een pen waaraan een idioot grote witte veer was bevestigd. 'Leuk diadeem.'

Ze tastte in haar haren en leek te blozen, alsof ze niet gewend was complimentjes in ontvangst te nemen. 'Steek je soms de draak met me?'

'Nee hoor. Het staat je goed.'

'Dank je.'

Hij boog zich voorover en veegde met zijn das over het witte tafellaken. 'Ben je familie van de bruid of van de bruidegom?'

'Van geen van beiden. Ik werk voor Haven Event Management.'

Zijn gezicht verstrakte. Dat betekende dat ze voor Autumn werkte. Autumn Haven. Waar haar roepnaam haar goed paste, was haar achternaam totaal in tegenspraak met het gevoel dat ze bij hem opriep. Ze was in geen geval zijn veilige haven.

'Werk ze,' zei Sam en hij gaf de pen terug. Hij liep verder naar de grote zaal, waar iemand hem zijn plaats wees, vrij dicht bij het altaar. Hij moest over een rode loper die was bezaaid met witte rozenblaadjes. De meeste stoelen waren al bezet, met een verzameling ijshockeyers en hun vrouwen of vriendinnen. Hij zag de tweeling Ross, Bo en Chelsea, gezeten tussen de voormalige aanvoerder, Mark Bressler, en de assistent van de bruid, Jules Garcia. De zussen werkten in allerlei hoedanigheden voor de organisatie en stonden bekend als de onderbaas en de zetbaas, vanwege hun pittige karakters.

Hij zat naast collega Frankie Kawczynski. Voor in de zaal stond een man in een blauw pak met een bijbel in zijn handen voor een enorme open haard die was versierd met een slinger van rode rozen en witte bloemen. De man was vast een priester, of een ambtenaar of zoiets. Hij was in elk geval zeker geen Elvis-imitator, zoals bij zijn eigen fophuwelijk.

'Ha, Sam. Zijn Daniel en Marty nog steeds beneden?'

'Ja.' Sam keek op zijn horloge. Ze zouden nu vaart moeten maken, anders werden ze ingehaald door de bruid. Dit was zo'n gebeurtenis waar het hele team op tijd moest zijn; de trouwerij verpesten van Faith Duffy, eigenaresse van de Seattle Chinooks, was geen optie. Als dat wel zo was, dan had hij hier niet gezeten, in zijn mooie pak en turend op zijn horloge, wachtend tot de plechtigheid zou beginnen. Hij zag er nu al tegen op zijn ex-vrouw tegen te komen.

De bescheiden harpmuziek ging over in een of ander huwelijksdeuntje en Sam keek over zijn schouder naar de vrouw die de zaal binnen kwam. Ze was de moeder van de bruid. Normaal gesproken droeg ze kleding die strak om haar volle lichaam zat en sieraden die je van verre tegemoet fonkelden. Maar nu droeg ze een eenvoudig rood jurkje en had ze als accessoires alleen een klein boeketje en haar witte schoothondje bij zich. Voor de gelegenheid droeg het dier een strik om zijn nek, die mooi kleurde bij zijn gelakte nageltjes.

Ty Savage en zijn vader, Pavel, liepen achter de moeder van de bruid naar binnen. Zowel vader als zoon waren een legende op het ijs en iedereen die een beetje geïnteresseerd was in de sport kende de naam Savage. Sam was opgegroeid met beelden van Pavel Savage, die nog ijshockey speelde in de tijd voordat men helmen moest dragen en er regels waren om het vechten tegen te gaan. Daarna had hij zowel met als tegen Ty gespeeld, die zonder enige twijfel de beste sportman was die ooit een paar ijshockeyschaatsen had ondergebonden. Beide mannen droegen een zwarte smoking en heel even kreeg Sam een flashback van zijn eigen trouwen. In plaats van een smoking had hij destijds een T-shirt van Chers Believe-tour gedragen en een spijkerbroek. Hij wist niet waarvoor hij zich meer schaamde, voor die trouwerij of voor dat shirt.

Ty en Pavel namen plaats naast de moeder van de bruid, vlak voor de open haard. Ty zag er rustig uit. Niet nerveus of doodsbenauwd. Sam nam aan dat hij zich tijdens zijn eigen bruiloft ook redelijk kalm had gedragen. Hij was natuurlijk wel stomdronken geweest. Dat was tenminste de enige verklaring die hij kon bedenken voor die stommiteit. Bang was hij echter pas de volgende ochtend geworden. Maar hij dacht het liefst helemaal niet terug aan zijn huwelijk, dat was gesloten onder de invloed van te veel drank. Daarom stopte hij de gedachte weg, achter slot en grendel. Daar waar hij meer onplezierige herinneringen en ongewenste gevoelens bewaarde.

Nu klonk de Bruiloftsmars door de speakers en iedereen ging staan. De bruid schreed in haar eentje de zaal binnen. Faith Duffy was een van de mooiste vrouwen op de hele wereld. Lang, blond en met een prachtig gezicht, net een barbiepop. Perfecte borsten. Ze was Playmate van het Jaar geweest en de meeste aanwezige mannen hadden haar met alleen maar nietjes in de buik gezien.

Ze droeg een strakke witte jurk die haar van haar nek tot haar knieën omsloot. Door de sluier op Faiths hoofd heen ving hij een glimp op van Autumn, die voorzichtig de ruimte binnensloop. De laatste keer dat hij haar had gezien, had ze hem onvolwassen en zelfzuchtig genoemd. Ze had gezegd dat hij een onverantwoordelijke hond was en daarna had ze hem toegevoegd dat hij net als een hond altijd toegaf aan zijn natuurlijke driften. Maar dat was natuurlijk niet waar. Hij gaf niet altijd toe. Dus had hij zijn geduld met haar verloren en haar een bekrompen, frigide feeks genoemd. En dat was wél waar, maar dat was niet het ergste geweest. Nee, het ergste was de blik in de ogen van hun zoon Conner, die ineens boven de bank uitstaken. De doodsangst straalde uit de blauwe kijkers van het driejarige jongetje. Na die avond besloten ze gezamenlijk dat het beter was als ze zich niet meer tegelijkertijd in één ruimte zouden bevinden. Dit was voor het eerst dat hij in hetzelfde gebouw was als Autumn in… hoeveel jaar? Twee misschien?

Twintig maanden, twee weken en drie dagen. Zo lang was het geleden dat Autumn de pech had gehad zich in dezelfde ruimte te bevinden als de grootste eikel op aarde. Nou, misschien niet op aarde, maar toch minstens aan de westkust van Amerika. En daar woonden een boel eikels.

Ze stond achter in de Cutter Room van de Rainier Club, met

haar blik gericht op de bruid, die haar boeket met witte pioenrozen, hortensia's en dieprode rozen net aan haar moeder overhandigde. Faith ging tegenover de bruidegom staan en deze pakte haar hand vast. Daarna bracht hij haar hand omhoog en kuste haar vingers, iets wat niet in het script stond. Autumn had in de afgelopen jaren veel bruiloften gepland. Zoveel dat ze goed kon inschatten of het paar het lang met elkaar zou uithouden of niet. Dat kon ze zien aan de manier waarop ze over elkaar spraken en elkaar aanraakten. En aan de wijze waarop ze omgingen met de stress van het organiseren van een huwelijk. Zo wist ze dat Ty en Faith een lang en gelukkig huwelijk zouden beleven.

Toen iedereen weer zat en de plechtigheid begon, daalde Autumns blik af naar het beginnende buikje van de bruid. Een paar weken geleden had ze een telefoontje gekregen van de bruid, met het verzoek de champagne op de tafel van de bruid en bruidegom te vervangen door cider. Met drie maanden was de zwangerschap nog amper zichtbaar. De bruid was een van die gelukkigen die ervan gingen stralen.

Dat had Autumn niet. Zij kreeg haar spijkerbroek al niet meer dicht in de derde maand en ze was al kotsmisselijk voordat ze überhaupt wist dat ze zwanger was. En anders dan bij Faith Duffy was er geen man in haar leven geweest die haar vingers kuste, laat staan een die haar zich geliefd en veilig deed voelen. In plaats daarvan was ze alleen geweest en ziek en bezig met een scheiding.

Zonder bewust naar Sam te kijken, wist ze precies waar hij zat. Ze voelde dat hij zijn brede schouders spande in zijn dure jasje en herkende de glinsteringen van de kroonluchter in zijn blonde haar. Toen ze de ruimte binnen was geslopen, had ze niet eens hoeven zoeken om te weten dat hij op de vierde rij zat. Dat wist ze gewoon. Er kwam een spanningshoofdpijn opzetten in haar slapen. Maar helaas was er geen medicijn voorhanden om Sam LeClaire te doen verdwijnen.

Ze tikte met haar vinger op de map die ze bij zich had. Ze had natuurlijk geweten dat Sam er zou zijn. Ze had ervoor gezorgd dat de uitnodigingen werden verstuurd en alle r.s.v.p.'s waren ontvangen. Ze had samen met de bruid gekeken naar de placering voor het diner en had Sam, samen met drie andere ongebonden teamgenoten – en een stel rondborstige playmates – aan tafel 7 geplaatst.

Ze beet op haar onderlip. Dat vond hij vast geweldig.

Autumns oortje zoemde en ze draaide het volume omlaag want Faith en Ty spraken net hun beloftes uit. De ceremonie was kort maar krachtig en toen de bruidegom zijn bruid beetpakte, wachtte Autumn af. Al had ze nog zoveel bruiloften georganiseerd de afgelopen jaren, al wist ze van tevoren of een huwelijk kans van slagen had, toch bleef ze wachten op dé kus. Ze was niet zo'n romantische vrouw, maar dat wilde ze wel meemaken. Dát korte magische moment, vlak voor de kus die het huwelijk tussen man en vrouw zou bezegelen.

De lippen van Ty en Faith raakten elkaar en Autumn voelde een klein vlindertje in haar buik. Ze smolt. Ze kende de statistieken, wist hoe haar eigen scheiding haar had getraumatiseerd, hoorde het cynische stemmetje in haar hoofd hard lachen, maar toch smolt ze gewoon bij het idee van 'en ze leefden nog lang en gelukkig'.

Na al die tijd.

Autumn wierp een vluchtige blik op Sams blonde achterhoofd. De hoofdpijn klopte achter haar slapen en deed haar rechteroog tranen. Ze verliet de zaal. Ze had Sam heel lang gehaat, met een verzengende passie. Maar zo'n alles verterende haat kostte haar te veel energie. Na die laatste ruzie had ze dus besloten om haar boosheid te laten varen. Was het niet voor haar zoon, dan toch voor haar eigen gezondheid. Dus liet ze ook haar haat varen. Dat betekende tevens dat ze haar favoriete fantasie moest opgeven. Die ene waarin haar voet, zijn ballen en een enorme vuistslag tegen zijn knappe kaak een hoofdrol speelden.

Ze had nooit gefantaseerd over Sams dood, of verschrikkelijke verminkingen. Geen fantasie gehad waarin Sam werd overreden door een stoomwals of enorme truck met oplegger. Nee, zo gewelddadig was ze niet. Conner had een vader nodig, ook al was het een eikel. Dus had ze niet verder gefantaseerd dan dat ze haar voet in zijn kruis zou planten. Ze was gewoon geen gewelddadig persoon.

Haar haat laten varen was niet makkelijk geweest. Vooral als hij plannen had met Conner en deze vervolgens afblies. Of als het zijn weekend was en hij onverwachts wegging met vrienden en zo Conner verdrietig maakte. Ze had er hard aan moeten werken om haar woede te verdrijven en was nogal succesvol geweest in het wegdrukken van haar gevoelens. Maar ja, ze had Sam al zo lang niet gezien; in geen twintig maanden, twee weken en drie dagen. En nu bevond hij zich hier, in levenden lijve.

Autumn liep de gang in, het applaus achter zich latend, op weg naar de Cascadezaal. Daar liep ze tussen de twintig ronde tafels door, gedekt met witte tafellakens en rode servetten op Wedgwood-servies. Het licht van de kandelaren met de sierlijke kaarsen glinsterde in de kristallen glazen en het zilveren bestek.

De eerste keer dat ze Faith ontmoette, had de aanstaande bruid duidelijk gemaakt dat ze van klassieke elegantie hield. Ze wilde graag mooie bloemen, schitterend gedekte tafels en heerlijk eten voor haar gasten. Dat Faith geen themabruiloft wilde, was geen probleem, en ze was al snel Autumns favoriete bruid geworden.

Een bruid met goede smaak en een goed gevulde beurs. De enige moeilijkheid was het gebrek aan tijd geweest. Meestal namen de voorbereidingen voor trouwerijen zo'n acht maanden in beslag. Faith wilde alles geregeld hebben in drie maanden. Nu ze om zich heen de tafelstukken zag met de verschillende rozen en pioenen en witte kamperfoelie, was Autumn er trots op dat zij dat met haar medewerkers voor elkaar had gekregen. Het enige wat nog ontbrak om het een perfect huwelijk te maken, was Faiths toestemming om hun trouwfoto's op de voorpagina's van alle kranten te laten publiceren. Het huwelijk van Ty Savage, die was gestopt met ijshockey om te kunnen trouwen met een ex-playmate die inmiddels eigenaar was van zijn hockeyteam, was groot nieuws. Vooral binnen de sportwereld. Het zou precies de gratis reclame zijn waar Autumn van kon profiteren. Het soort reclame dat haar zaak net een extra zetje kon geven. Een buitenkansje. Maar Faith wilde helemaal geen publiciteit. Ze wilde haar huwelijk juist privé houden. Geen foto's naar buiten brengen.

Autumn sprak in het microfoontje voor haar mond om een seintje te geven. Het bedienend personeel van de cateraar, gekleed in smoking, kwam in rijen de trap af, vanuit de keuken, die een verdieping hoger lag. Allen met bladen vol flûtes met Moët et Chandon en lekkere hapjes. Ze liepen de gang in en mengden zich onder de bruiloftsgasten.

Door de open deur zag Autumn dat de fotograaf en zijn assistent op zoek waren naar veelzeggende en onthullende plaatjes. Fletcher Corbin was lang en mager, met een even mager paardenstaartje. Hij was een van de beste fotografen en Autumn huurde hem altijd in, als hij tenminste een gaatje had en het bruidspaar het kon betalen. Ze werkte graag met hem, omdat ze hem niet hoefde te vertellen wat voor foto's hij moest maken. Dat maakte het prettig werken met Fletcher, en overigens ook met de andere freelancers van deze klus. Zij wisten waar ze mee bezig waren, pasten zich aan en voegden zich naar de wensen van het bruidspaar.

Dat stond inmiddels in het midden van de grote zaal en werd omringd door hun gasten. Autumn schoof de mouw van haar keurige zwarte truitje opzij. Ze had het gevonden in een van haar favoriete vintage boetiekjes, in het hart van Seattle. De pailletten om de boord gaven het net iets extra's. Voor veertig dollar was het een koopje geweest. Ze keek op de wijzerplaat van het horloge aan de binnenkant van haar pols. Ze droeg de wijzerplaat als ze aan het werk was naar binnen om ervoor te zorgen dat het glas niet beschadigd raakte. Dit horloge, met zijn grote wijzerplaat en brede band, had ze nu een jaar of vijf, om meer dan één praktische reden.

Ze liepen vijf minuten achter op schema. Niet slecht, maar ze wist uit ervaring dat het zomaar tien minuten konden worden. En werden het er twintig, dan zou ze problemen krijgen met de keuken.

Ze drukte op de knop van de zender aan haar heup en liep naar de andere kant van de zaal. Ze schoof haar map onder een arm en keek naar de fles perencider in de ijsemmer op de buffettafel.

'Zeg het maar,' zei haar assistente, Shiloh Turner, door de headset.

'Waar zit je?' Ze haalde de goudkleurige folie van de flessenhals en pakte hem vast.

'In de Cutterzaal.'

'Zijn er nog achterblijvers?'

'De getuige van de bruid en die van de bruidegom staan te flirten bij de schouw. Het ziet er niet naar uit dat ze haast hebben.'

Al vanaf de dag dat de moeder van de bruid erop had gestaan dat haar kleine pesthondje bij de ceremonie aanwezig zou zijn, wist ze dat die vrouw voor problemen zou zorgen. Gisteravond, toen ze repetitie hadden, kwam de moeder opdraven in een knalroze stretchjurk en torenhoge hakken, wat Autumns vermoedens bevestigde. 'Geef ze nog een paar minuten en zorg er dan voor dat ze hiernaartoe komen.' Ze duwde tegen de kurk tot deze met een zacht geluid uit de hals kwam.

Sissend kwamen er kleine belletjes vrij toen ze de cider in twee kristallen flûtes schonk. Er was nog zoveel te doen; in haar gedachten liep ze haar lijstje af. Er kwam ontzettend veel kijken bij een trouwerij, zelfs als het een bescheiden bruiloft was. Alles moest perfect getimed worden. De kleinste kink in de kabel kon een bruiloftsfeest verpesten.

Diep in gedachten zette Autumn de fles terug in de ijsemmer en pakte de twee glazen. Ze draaide zich om en kwam bijna in botsing met een brede borstkas, gehuld in een wit overhemd, blauwgestreepte das en donkerblauw jasje. Haar leren map viel op de grond toen ze haar blik oprichtte. Deze ging via de dasknoop, de brede kaaklijn en zachte lippen en de iets gebogen neus tot hij belandde bij de twee hemelsblauwe ogen.

Van dichtbij was Sam nog knapper dan van een afstand. Net zo knap als toen Autumn hem voor het eerst zag, in een drukke club in Las Vegas. Een lange, blonde, blauwogige god, die rechtstreeks uit de hemel scheen te zijn gevallen. De neus, het litteken op zijn hoge jukbeenderen en de ondeugende glimlach hadden haar moeten waarschuwen dat hij geen engeltje was.

Ze kreeg een raar gevoel in haar buik, maar gelukkig had dat niets te maken met boosheid. Ook hoefde ze de neiging om hem een trap in zijn ballen te geven niet te onderdrukken. Ze mocht dan een hekel hebben aan Sam, hij had haar wel het mooiste gegeven van haar hele leven. Ze wist niet wat ze zonder Conner zou moeten. Daar kon ze niet eens over nadenken. Dat was de enige, maar dan ook de enige reden dat ze een glimlach op haar gezicht plakte. Dezelfde glimlach die ze bewaarde voor bruidjes die witte tijgers op hun bruiloft wilden, of in een roze draagstoel naar het altaar wilden worden gedragen. Ze zou aardig blijven, koste wat het kost.

En dat zou zomaar heel veel kunnen zijn.

2

De man van mijn dromen...

is geen egoïst

Sam draaide zich om. Het was zo lang geleden dat hij Autumns mooie mond had zien glimlachen, dat hij zich niet kon voorstellen dat ze naar hem lachte.

Maar er was niemand anders in de ruimte. Hij keerde zich weer om en hield zijn hoofd schuin om haar gemoedstoestand in te schatten. 'Dag Autumn.'

Haar glimlach werd minder breed. 'Sam.'

'Dat is lang geleden.'

'Ongeveer twee jaar.'

Hij keek in haar donkergroene ogen, om haar stemming te peilen. 'Iets langer, denk ik.' Hij zag geen voortekenen van een woedeaanval en dus geen reden zijn kruis te beschermen. Goddank. 'Ik zag je daarnet al en wilde even hallo zeggen, zodat je weet dat ik er ook ben.' Hij wilde even met haar praten, om te polsen hoe ze zich voelde zodat eventuele problemen vermeden konden worden.

'Ik weet het, je staat op de gastenlijst.'

'O ja, natuurlijk.' Hij boog zich voorover en raapte haar

map op. 'Heb je een borrel ingeschonken voor jezelf?' zei hij grappend toen hij de fles zag.

'Het is cider en het is niet voor mij.'

Geen van de gasten die hij kende was bij zijn weten geheelonthouder. 'Waar is Conner nu?'

'Die is bij Vince.'

Vince. De mannelijke versie van Autumn. Maar dan groter en gemener. En opgeleid als marinier. Sam had een bloedhekel aan Autumns broer. 'Hoe gaat het met je?'

'Goed.' Ze keek naar het grote zilverkleurige horloge om haar pols, met de wijzerplaat naar onderen. Hij vroeg zich af of zijn naam daar nog steeds stond getatoeëerd. 'Ik zou graag even met je bijkletsen, maar ik ben aan het werk.' Ze zei het met een lach, maar Sam was niet gek. Ze tilde haar arm iets op en hij schoof de map eronder. 'Dank je. Veel plezier vanavond.' Ze liep weg en verliet de ruimte. Sam draaide zich om en keek haar na. Dat ging niet slecht. Lang niet slecht, al vertrouwde hij haar voor geen cent. Ze zou hem zomaar op een onbewaakt ogenblik kunnen aanvallen. Of een laxeermiddel door zijn soep roeren. Of arsenicum. Of allebei, dan voelde hij zich ellendig én hij ging dood.

Zijn blik dwaalde af van haar rode paardenstaart naar haar slanke rug en de ronde vormen van haar heupen. De twee klepjes op de achterzakken van haar broek trokken zijn aandacht naar haar ronde billen. Autumn was een mooie vrouw. Daarover bestond geen twijfel, al was ze niet beeldschoon te noemen. Ze had ronde vormen op de juiste plaatsen, was slank en had mooie borsten. Hij vond het niet slecht van zichzelf dat hij zo dacht. Hij had haar naakt gezien en haar lichaam was niet buitengewoon. Ze was niet eens zijn type. Hij hield van lange, magere vrouwen met grote borsten. Had zich altijd aangetrokken gevoeld tot vrouwen die net iets té waren. Waarom had deze gewone vrouw hem dan zo bijzonder aangetrokken, die paar dagen in Las Vegas?

Sam verliet de zaal en toostte een beetje achteraf van de overige gasten met zijn champagne op het bruidspaar. Hij kon zijn fascinatie voor Autumn wijten aan de stad. Niets was waarachtig in Vegas. Hij kon het ook wijten aan de drank. Die had rijkelijk gevloeid. Hij kon het wijten aan het jaargetijde. Het was juni, dan werd hij altijd een beetje gek. Maar hij wist niet zeker of het met een van die dingen te maken had.

Hij verving zijn lege glas door een vol glas champagne toen er een dienblad langskwam. Het enige wat wel zeker was, was dat hij in een bar een roodharige vrouw had ontmoet, met wie hij een paar dagen later trouwde. De ochtend daarna had hij haar in het Caesars Palace achtergelaten alsof ze een gebruikte badhanddoek was. Hij begreep wel waarom Autumn hem haatte. Dat begreep hij heel goed en hij nam het haar niet kwalijk. Hij had zich toen niet van zijn beste kant laten zien. Het ergste was dat het ook niet eens zijn slechtste kant was geweest.

In de menigte rondom Ty en Faith zag hij kort een rode paardenstaart. De gasten maakten plaats en hij zag dat het bruidspaar twee glazen cider kregen aangereikt. Er kon maar één reden zijn waarom Ty en Faith geen champagne dronken op hun eigen bruiloft. En dat was niet omdat ze ineens geheelonthouder waren.

Autumn verdween weer uit beeld. Hij kon zich voorstellen dat Ty en Faith blij en gelukkig zouden zijn met een kind. Zo zagen ze er ook uit.

Sam nam een slok champagne. Zes jaar geleden was hij niet bepaald blij en gelukkig geweest toen hij had gehoord dat hij vader zou worden. Maar vanaf het moment dat hij zijn zoon had vastgehouden, was dat anders geweest.

'Hé Sam.'

Hij keek achterom en zag de nieuwste assistent-coach van het team: Mark Bressler. 'Hammer.' Amper een jaar geleden was Mark nog een van de sterren van het ijshockey en de aanvoerder van de Chinooks. Maar de afgelopen winter was hij gewond geraakt in een vreselijk auto-ongeluk, en was zijn carrière ten einde gekomen, waardoor Ty Savage aanvoerder was geworden. 'Het schijnt dat de aanvoerder onze geldschieter met kind heeft geschopt.' Hij wees met zijn glas naar het gelukkige paar. 'Dat moet een nieuwtje zijn in het ijshockey.'

'Jezus, LeClaire. Let op je woorden.'

'Mijn taalgebruik?' Hij had toch niet gevloekt?

'In het gezelschap van vrouwen.'

Hij had alleen 'met kind geschopt' gezegd. Sinds wanneer was dat vloeken, en het ijdel gebruiken van Jezus' naam niet? En sinds wanneer trok Bressler zich daar wat van aan? Ineens zag Sam de blonde vrouw aan Marks zij, met Bresslers hand op haar rug. Aha. 'Hoi Zetbaas.'

'Hoi Sam,' zei Chelsea terug, met haar blik op de bruid. 'Is Faith in verwachting? Weet je het zeker?'

Hij haalde zijn schouder op. 'Kan geen andere reden bedenken waarom Ty en zij die vieze cider anders zouden drinken, in plaats van het echte werk.'

'O mijn god!' Chelseas blauwe ogen werden nog groter en ze duwde haar haren achter haar oren. 'Nu weet ik iets wat mijn zus nog niet weet.'

De ring aan haar linkervinger fonkelde hem tegemoet. 'Dat is een behoorlijke ring!'

Met een lach hield ze haar hand omhoog. 'Zag je hem dan?'

'Daar kun je moeilijk omheen.' Hij wist zeker dat het stuk chagrijn naast haar de gulle gever was. 'Schatje, als dit betekent dat je bezet bent, breek je mijn hart.'

Ze grijnsde. 'Sorry.'

Hij nam haar hand in de zijne en bestudeerde de enorme diamant. 'Is dat een echte of ben je afgescheept met een of andere zirkoon?'

'Tuurlijk is-ie echt, eikel.'

'Let op je woorden,' zei hij tegen Mark, en hij liet Chelseas hand zakken. 'In het gezelschap van vrouwen.' Hij keek om zich heen, op zoek naar Chelseas tweelingzus. 'Is je zus er nog? Die is niet zo leuk als jij, maar...'

'Die is ook al bezet.'

'Verdomme.' Hij lachte en stak zijn hand uit naar zijn vroegere teamgenoot en vriend. 'Gefeliciteerd, je mag jezelf gelukkig prijzen.'

Mark schudde Sams uitgestoken hand. Hij sloeg zijn arm om zijn verloofde heen en trok haar tegen zich aan. 'En of ik mezelf gelukkig mag prijzen.' Chelsea keek naar hem op en Mark en zij glimlachten naar elkaar, alsof ze een grap hadden gemaakt die hij niet begreep. Alsof ze verliefd waren.

Sam nam snel een slok. Zo had hij nog nooit naar iemand gekeken; hij vond het aanstellerig en irritant. Hij had nooit gedacht dat hij Hammer aanstellerig of irritant zou vinden. Hij zei: 'Tot gauw,' en ging ervandoor, voordat ze elkaar gingen zoenen of zo.

Hij baande zich een weg door de menigte tot hij bij het bruidspaar aanbelandde. 'Gefeliciteerd Ty.' Hij schudde de bruidegom de hand. Hij wist niet of het al algemeen bekend was dat Faith in verwachting was, dus daarover hield hij zijn mond.

'Dankjewel.'

'Sam.' De bruid liep op hem af en omhelsde hem stevig. Ze was beeldschoon en zacht en rook heerlijk. Ze zou een geweldige echtgenote zijn voor Ty. Voor alle mannen, trouwens. Alle mannen, behalve Sam. Voor Sam hoefde dat trouwen niet zo nodig.

'Je ziet er schitterend uit,' zei hij, en hij keek haar vorsend aan.

'Dank je.' Ze glimlachte. 'En denk nu niet dat ik vergeten ben waarover we het in St. Paul hebben gehad.'

Hadden ze daar ergens over gesproken? Kennelijk had hij het netjes gehouden; ze glimlachte.

'Ik kon je niet uitnodigen voor een feestje in de Playboy Mansion, maar ik heb voor vanavond wel een paar playmates uitgenodigd.'

O, dat gesprek. Ze had hem beloofd dat ze een uitnodiging zou regelen voor het team als ze de Stanley Cup zouden winnen. 'Dat heb ik gehoord.'

'Dat verbaast me niks.' Ze lachte. 'Ik heb de weddingplanner gevraagd ervoor te zorgen dat je aan hun tafel zat.'

Normaal gesproken zou hij dat geweldig nieuws vinden. Hij trok zijn mondhoeken omhoog in een glimlach. 'Geweldig. Dankjewel.'

'Ik hoop dat het voldoende is om het goed te maken.'

'Nu staan we quitte.' Hij deed een stap naar achteren om plaats te maken voor de manager van het team, Darby Hogue, en zijn vrouw, die het bruidspaar ook wilden feliciteren.

Sam nam nog een slok en zag over de rand van zijn glas meteen de playmates staan. Die zag je niet snel over het hoofd: vier meisjes met enorme haardossen en nog grotere borsten. Blake, André en Vlad hingen om hen heen. Het was vier tegen drie. Misschien moest hij de jongens een handje gaan helpen. Hij liet zijn glas zakken, maar ondernam nog geen actie.

Autumn. Hij kon niet echt het enthousiasme opbrengen om te gaan flirten met vrouwen in te korte rokjes en te diep uitgesneden bloesjes. Niet in de buurt van de moeder van zijn kind, die op zoek was naar een excuus om hem nog meer te haten dan ze al deed. Als dat tenminste mogelijk was.

Daarom begon hij maar een praatje met Walker en Smithie en hun eega's. Hij glimlachte en knikte terwijl de vrouwen herinneringen ophaalden aan hun eigen bruiloften, en vervolgens aan de geboortes van hun kinderen. Goddank onderbrak Walker zijn vrouw op het moment dat ze aan een verhaal over zindelijkheid wilde beginnen.

'Wist je dat de directie Richardson van de hand wil doen voor een ander?' vroeg Walker.

Ja, dat had hij ook gehoord. Hij mocht Richardson wel. Hij was een solide vleugelspeler, en nu Ty ermee ophield, hadden ze een multi-inzetbare speler nodig. Eentje die zowel penalty's kon nemen als de zijkanten kon bespelen. 'Weet je wie het wordt?'

'Bergen schijnt een optie te zijn.'

'Uit het noorden?' Het enige wat hij wist was dat Bergen geblesseerd was.

'En toen,' hoorde hij Walkers vrouw lachend zeggen, 'riep hij: "Heb in potje poept, mammie".'

Gadver. 'Aju,' zei Sam en hij zette koers naar de playmates. Het kon hem niets meer schelen wat Autumn van hem dacht. Ze was toch een zeikwijf, en wat kon er nou mis zijn met een beetje flirten met vier mooie vrouwen?

Autumn zat gehurkt tussen bruid en bruidegom de rest van het schema door te nemen. Autumn hield van lijstjes, zowel in haar werk als privé. Van de huwelijken die ze organiseerde kende ze de lijstjes uit haar hoofd. Toch had ze deze altijd bij zich in haar leren map.

Het was na achten en het buffet en de receptie waren bijna voorbij. Faith zag er uitgeput uit, maar ze hoefde alleen nog maar de taart aan te snijden en een dansje te maken, dan kon haar bruidegom haar naar huis brengen.

Zelf was Autumn waarschijnlijk pas thuis rond middernacht. Als ze geluk had.

'Dank je,' zei Faith. 'Het loopt allemaal op rolletjes dankzij jou.'

'En op tijd,' voegde Ty eraan toe. Hij had zijn wens van een bescheiden bruiloft niet onder stoelen of banken gestoken, maar net als de meeste bruidegoms was hij gezwicht voor de wensen van de bruid.

'Geen dank.' Ze keek op haar horloge. 'Over ongeveer vijf minuten zal Shiloh iedereen vragen naar jullie toe te komen in de Rainier Room.'

'Kan dat nu al?' vroeg Ty, maar het was eerder een eis dan een vraag.

'Niet iedereen is klaar met eten,' protesteerde Faith.

'Kan me niet schelen. Jij bent moe.'

'Je kunt niet verwachten dat iedereen nu al weggaat.'

'Zeg maar dat de bar geopend is,' zei Ty tegen Autumn. 'Dan zullen ze over elkaar struikelen om het gratis op een zuipen te kunnen zetten.'

Autumn stond lachend op. Ze riep haar assistente op en zei haar dat ze zo meteen iedereen kon uitnodigen naar de andere zaal te gaan en dan moest zeggen dat daar de bar open was. Toen ze zich van het bruidspaar verwijderde, viel haar blik op Sam. Hij was bezig met een charmeoffensief bij de playmates, die dicht om hem heen stonden te kirren en naar hem opkeken alsof hij een god was.

Er was een tijd dat de aanblik van Sam samen met een stel mooie vrouwen haar diep zou hebben geraakt. Dan was ze het liefst ineengedoken in een hoekje gaan zitten. Maar die tijd was gelukkig allang voorbij. Hij kon doen wat hij wilde. Zolang hij het maar niet deed waar haar zoon bij was. Wat hij natuurlijk wel deed, want hij liep altijd zijn lul achterna.

Ze verliet net de zaal toen Shiloh de microfoon pakte en haar mededeling deed. Ze liep haar lijstje voor de zoveelste keer na. Het was tijd om de taart aan te snijden, de band kon beginnen en de barkeepers stonden klaar om de drank in te gaan schenken. Ze had nog even tijd voor zichzelf. Daarom dook ze de dames-wc in.

Terwijl ze haar handen waste wierp ze een blik op haar gezicht in de spiegel. Toen ze een puber was, haatte ze haar rode haar en groene ogen. Zoveel kleur vond ze te veel van het goede voor haar bleke huid. Maar nu was ze er wel tevreden over. Ze was over haar gevoelens heen gegroeid, en was trots op de vrouw die ze was geworden. Dertig jaar oud, met een eigen zaak als event manager, waarmee ze haar rekeningen kon betalen en haar zoon kon helpen opgroeien. De alimentatie die ze van Sam kreeg was meer dan genoeg. Ze had er haar huis mee kunnen betalen, en haar wagenpark, en kon er zelfs van op vakantie. Tegelijkertijd wist ze dat ze, als de nood aan de man kwam, ook in haar eentje voor Conners onderhoud kon zorgen.

Ze droogde haar handen af en deed de deur open. De economische recessie had invloed op haar bedrijf en daarom had ze het uitgebreid met meer evenementen dan alleen bruiloften. Op dit moment was ze bezig met het plannen van een Willy Wonka-feestje voor twintig kinderen van tien, volgende maand. Daar alles voor regelen was een uitdaging en ook leuk, maar niet zo leuk als een huwelijk. Van het plannen van huwelijken hield ze toch het meest, wat gek was, gezien haar eigen verleden.

Ze bewoog zich vlot door de groepjes bruiloftsgasten, die op weg waren naar de Rainier Room, aan de andere kant van de gang. Er waren vanavond veel mooie en rijke gasten. Niet verkeerd. Autumn verdiende haar geld met het plannen voor mooie en rijke gasten, maar ook voor minder rijke mensen. Ze vond het allemaal even leuk. En ze wist uit ervaring dat rijkdom niet voor makkelijke klanten zorgde. Of voor rekeningen die op tijd werden betaald.

Toen ze langs Sam liep, maakte hij zich los van het groepje teamgenoten dat met de playmates stond te praten.

'Autumn, heb je een minuutje?'

Ze bleef een paar meter van hem af staan. 'Nee, dertig seconden.' Ze hadden tenslotte een zoon samen. Ze kon zich niet voorstellen waar ze verder over konden praten. 'Wat is er?'

Hij deed zijn mond open om haar vraag te beantwoorden, maar toen ging de telefoon aan haar riem. Ze stak haar vinger op. Door de *Popeye*-ringtone wist ze dat het haar broer Vince was. En Vince zou alleen bellen als er een probleem was.

'Carly belde net,' vertelde hij. 'Ze is ziek en kan niet op Conner passen. En ik moet over een halfuur op mijn werk zijn.'

Het was te vroeg voor Autumn om weg te gaan. Ze liep naar een rustiger gedeelte van de gang en zei: 'Ik bel Tara wel.'

'Heb ik al gedaan. Ze neemt niet op.'

Autumn ging in gedachten een lijstje opties af. 'Ik bel zijn crèche, misschien kunnen zij hem overnemen... Shit, die zijn natuurlijk dicht.'

'En Dina dan?'

'Dina is verhuisd.'

'Dan moet ik me maar ziek melden.'

'Nee.' Vince had deze baan pas een week. 'Ik bedenk wel iets.' Ze sloot haar ogen en schudde haar hoofd. Oppasproblemen waren een probleem voor elke alleenstaande moeder. En de vreemde werktijden die zij als weddingplanner had, maakten die problemen extra lastig. 'Ik weet het even niet. Dan breng je Conner maar hier, en moet een van mijn medewerkers hem maar een paar uur zoet houden.'

'Ik regel het wel.'

Autumn keek over haar schouder. Ze was Sam helemaal vergeten. 'Wacht even.' Ze liet haar telefoon zakken. 'Wat zeg je?'

'Ik regel het wel, met Conner.'

'Maar je hebt gedronken.'

Hij fronste. 'Ik vraag of Natalie hem oppikt.'

Natalie. Zijn 'persoonlijke assistente'. Autumn had helemaal niets tegen Sams nieuwste 'assistente', maar ze vond het wel belachelijk dat Sam zijn vriendinnetjes zo noemde. Ze schudde haar hoofd. 'Ik weet het niet.'

'Is dit nou iets waarover we moeilijk moeten doen?'

Ze kon twee dingen doen. Conner kon ofwel worden opgehaald door de 'assistente' en dan een nachtje logeren op een plek die hij kende, of een tijdje rondhangen bij de Rainier Club, tot ze hem mee naar huis kon nemen. Zo op het eerste gezicht leek het voor de hand liggend, al vond ze het fijner als Conner thuis sliep. Ze sliep zelf beter als hij veilig in zijn eigen bed lag, in zijn eigen slaapkamer tegenover de hare.

'Laat maar.' Hij schudde zijn hoofd en draaide zich al om.

Maar als je een goede ouder wilde zijn, dan dacht je niet alleen aan jezelf. Ze pakte snel zijn arm. 'Wacht even.' Zijn blauwe ogen keken in de hare, en door zijn jasje heen voelde ze zijn lichaamswarmte tegen haar handpalm. Zijn biceps spande zich onder haar aanraking. Een tijd geleden zou zich nu een aangename warmte hebben verspreid door haar hele lichaam. Maar tegenwoordig was ze immuun voor zijn aantrekkingskracht en ze hield de telefoon weer tegen haar oor. 'Sam laat hem ophalen.'

'Wat doet die idioot daar?'

Ze beet op haar wang om niet in lachen uit te barsten. 'Hij is bruiloftsgast.'

'Doe de groeten aan Vince,' zei Sam, terwijl hij in zijn eigen zak op zoek ging naar zijn telefoon. Hij drukte wat toetsen in tot hij verbinding had. 'Hoi Nat. Ik weet dat je vanavond vrij hebt, maar zou jij Conner voor me kunnen ophalen?' Er verscheen een glimlach op zijn gezicht en Autumn kreeg een teken dat het in orde was. 'Ja, breng hem maar gewoon naar mijn huis. Ik ben er over een paar uurtjes.'

Autumn hing op en deed de telefoon weer in zijn hoes aan haar riem. 'Dank je, Sam.'

'Wat?'

Ze keek op en zag de glimlach op Sams gezicht. 'Je hoorde me wel.'

Hij lachte. 'En of ik je hoorde. Het is alleen lang geleden dat je iets aardigs tegen me zei.'

Bij Sam ging het niet zozeer om wat hij zei, maar om de manier waarop. De charme droop ervanaf. Gelukkig was ze ook daar immuun voor, anders zou ze zich nog vergissen en denken dat hij gewoon een aardige vent was. 'Ik vraag wel of Vince hem morgenochtend komt ophalen.'

De glimlach verdween van zijn gezicht. 'Vince is een idioot.'

Wat zoiets was als de pot die de ketel verweet dat hij zwart was.

‘Ik vraag wel of Nat hem thuisbrengt.’ Er kwamen een paar van Sams ijshockeymaten de gang in lopen. Met knappe, rijke vrouwen aan hun zij. Dit was Sams leven. Mooie vrouwen in designerkleding. Uitnodigingen voor huwelijksfeesten in de Rainier Club. Aanbeden worden door fans.

‘Nogmaals bedankt,’ zei ze en ze liep verder. Ze was met hem getrouwd geweest en ze had zijn zoon gebaard, maar ze had hem nooit echt gekend. Ze zou ook nooit in zijn flitsende bestaan passen. Zij ging niet winkelen bij Neiman Marcus of Nordstrom of Saks. Zij ging liever naar een tweedehands winkel, voor vintage kleding. Of, als ze iets nieuws kocht, naar de Gap of de Target.

Ze was bij de Rainier Room aanbeland en begaf zich naar de met rood marsepein versierde taart van vier verdiepingen. Zij leidde haar eigen leven en behalve zijn bemoeienissen met de opvoeding van Conner had ze niets te maken met dat van Sam LeClaire.

3

De man van mijn dromen...

houdt van kinderen

Om iets na middernacht reed Autumn haar Subaru Outback de garage binnen. Ze was in de Rainier Club gebleven tot de laatste toeleverancier was vertrokken en daarna had ze de band nog betaald.

Ze pakte haar tas van de bestuurdersstoel en liep naar haar voordeur. Ze had haar drive-inwoning in Kirkland een jaar geleden gekocht omdat het lag aan een rustig, doodlopend straatje en het een grote omheinde achtertuin had, die grensde aan een bos. De drie jaar daarvoor had ze Conners alimentatie opgespaard, zodat ze het huis in één keer kon betalen. Dat soort zekerheden waren belangrijk voor haar. Ze vond het belangrijk om een huis voor Conner te hebben, ongeacht wat er met haar werk of met Sam zou gebeuren.

Het was geen overdreven luxe huis. Het was eind jaren zeventig gebouwd, en kon wel wat onderhoud gebruiken, al was het geschilderd en goed ingedeeld. De vorige eigenaar was dol geweest op gebloemd behang, houten lambriseringen en bakstenen muurtjes. Dat zou er allemaal uit moeten, maar helaas had Autumn te weinig tijd om dat te regelen, dus stond het opnieuw inrichten van haar huis helemaal onder aan haar lijstje. Vince had toegezegd haar te zullen helpen, maar ook hij had er geen tijd voor.

In de huiskamer brandde de lamp nog en stond de televisie nog op Discovery Channel. Met haar handtas over haar schouder stapte ze over een speelgoedgeweer en een groene plastic golftas waarin twee golfclubs zaten. Ze zette de tv uit en keek of de schuifdeur goed dichtzat, waarna ze het licht uitdeed.

Het Nerf-geweer met schuimrubber kogels was het laatste wat Vince voor Conner had gekocht. Vince vond dat Conner te veel tijd doorbracht met meisjes en meer mannelijke invloeden en speelgoed nodig had. Autumn vond het bespottelijk, maar ja. Conner was dol op Vince en vond het heerlijk om bij hem te zijn. En God wist dat hij te weinig tijd doorbracht met zijn vader.

In de stilte van het huis kraakten de treden vervaarlijk onder haar voeten. Normaal gesproken vond ze deze rust heerlijk. Was ze dol op de paar rustige uurtjes nadat ze Conner naar bed had gebracht. Ze hield van die tijd voor haarzelf. Als ze niet hoefde te werken of eten klaar te maken of te anticiperen op de activiteiten van haar vijfjarige zoon. Zo nam ze graag een uitgebreid bad met een tijdschrift erbij. Maar nu Conner er niet was, vond ze het helemaal niet gezellig. Zelfs na al die jaren waarin hij wel eens een nachtje bij zijn vader bleef, was ze er niet gerust op als haar kind niet in zijn bed lag.

Ze liep door de donkere woonkamer naar de keuken, waar het licht nog aan was. Ze legde haar tas op tafel, deed de koelkast open en pakte er wat kaas uit. Op de buitenkant van de deur had Conner 'HOI MAMIE' gespeld met magneetletters en er hing een nieuwe tekening, die hij had gemaakt toen ze aan het werk was. Hij had met vetkrijt een poppetje getekend met een rode staart en groene ogen, waarvan één arm langer was dan de andere, die de hand vasthield van een kleiner poppetje met geel haar en een grote grijns. De zon was knaloranje en het gras groen. Aan de rand van het blad had hij nog een poppetje met geel haar getekend. En met lange benen.

Sam.

Autumn maakte de kaas open en deed een stukje in haar mond. De afgelopen maanden had Conner wel vaker een rol voor Sam in zijn tekeningen gecreëerd, maar altijd in de marge. Wat een juiste vertolking was van zijn relatie met zijn vader, vond Autumn. Te hapsnap, te weinig continuïteit.

Ze pakte een glas uit een kast en schonk het vol water uit de Brita-kan. Toen ze Sam die avond had gezien, had ze zich moeilijk kunnen voorstellen wat ze zo fascinerend aan hem had gevonden. O, hij was nog steeds een lekker ding en rijk en vreselijk aantrekkelijk. Groot en sterk en stoer, maar ze was niet meer zo naïef nu ze dertig was.

Ze nam een slok water. Ze vond het vreselijk om te moeten toegeven, zelfs aan zichzelf, dat ze ooit zo stom was geweest, bijna zes jaar geleden. Ze was met Sam getrouwd terwijl ze hem maar vijf dagen kende, omdat ze hoteldebotel van hem was, hartstikke verliefd op hem was. Dat was stom geweest, ook al leek het destijds goed.

Ze keek naar haar gezicht dat weerspiegelde in het keukenraam en liet haar glas zakken. Als ze nu terugkeek op die tijd, kon ze zich moeilijk voorstellen dat ze dat destijds echt had gedaan. Dat ze was getrouwd met een man die ze nog maar pas kende. Moeilijk om zich voor te stellen dat haar hart zo week werd als ze hem zag. Dat ze zo halsoverkop op hem verliefd was geworden. Dat zij zoiets impulsiefs zou doen.

Misschien was het wel gebeurd omdat ze zich op dat moment in haar leven nogal eenzaam voelde. Haar moeder was een paar maanden voor haar vakantie in Vegas overleden aan de gevolgen van darmkanker. Vince was bij de marine – waar hij als SEAL van die enge dingen deed. En voor het eerst in jaren was er niemand voor wie ze moest zorgen, behalve zijzelf.

Hoefde ze niemand naar het ziekenhuis te brengen voor onderzoek, chemokuren of bestralingen.

Na de begrafenis van haar moeder, nadat ze al haar moeders spullen in dozen had gedaan en opgeslagen, had ze niets meer te doen. Voor het eerst in haar leven had ze zich alleen gevoeld. Voor het eerst in haar leven was ze alleen geweest – met maar twee dingen op haar wensenlijstje: het huis verkopen en naar Vegas gaan voor een welverdiende vakantie.

Ze wilde graag geloven dat ze met Sam was getrouwd omdat ze zich eenzaam voelde. Dat ze te veel had gedronken en daarom iets stoms had gedaan. Dat was ook zo. Ze wás alleen geweest én dronken én stom. Maar ze was ook met hem getrouwd omdat ze hartstikke, helemaal verliefd op hem was geworden. Hoe moeilijk het ook was dat toe te geven, zelfs nu nog; de liefde had haar volkomen overvallen.

Maar hij hield niet van haar. Hij was met haar getrouwd omdat het één grote grap was. Hij was weggegaan alsof ze niets voor hem betekende. Hij was vertrokken zonder achterom te kijken.

Ze zette haar glas in de gootsteen, het geluid van het glas tegen de porseleinen bak klonk hard in het lege huis. Zijn vertrek had haar zoveel pijn gedaan en had haar in verwarring achtergelaten. Ze was alleen aangekomen in Vegas. Toen ze wegging was ze getrouwd, maar nog steeds alleen. Toen ze een zwangerschapstest deed was ze alleen, en bang. Toen ze de baby voor het eerst voelde bewegen in haar buik was ze alleen geweest. Net als bij de eerste keer dat ze het hartje hoorde kloppen. En toen ze hoorde dat het een jongetje was. En ze was ook alleen en bang geweest toen ze beviel van Conner, met alleen een dokter en twee verpleegkundigen in haar buurt.

Een week na de geboorte van Conner had ze Sams advocaat gebeld om te vertellen dat Sam een zoon had. Een paar dagen later was er bloed afgenomen van Conner, om na te gaan of Sam inderdaad de vader was, en een week later had Sam zijn zoon voor het eerst gezien. Ze deed het keukenlicht uit en liep naar de gang. Autumn voelde zich niet langer alleen en bang, maar het had jaren geduurd voordat ze haar leven weer op orde had. Zodat ze Conner een veilig plekje kon bieden en een stevige muur rondom haar hart kon optrekken.

Soms wilde ze dat ze Sam niet had verteld over Conner. Dat ze Conner voor zichzelf had kunnen houden. Omdat ze ergens vond dat Sam haar mooie jongetje niet waard was, al wist ze dat het voor Conner het beste was zijn vader wél te kennen. Autumn had haar eigen vader nauwelijks gekend en zij wist uit ervaring dat het beter was als Sam in de buurt was voor Conner.

Ze bleef even staan bij Conners slaapkamer en keek naar zijn lege bedje. Zijn kussen van Barney de paarse dino lag op de Barney-dekbedovertrek die ze voor hem had gemaakt. Ze voelde even een steek in haar hart. Conner zou in zijn eigen bed moeten liggen, met zijn Barney-kussen tegen hem aan. Sam was Conner niet waard. Ze had gezien hoe hij de Rainier Club had verlaten, met een groepje ijshockeymaten en de playmates. In Sams leven paste geen kind. Hij was een topsporter, een playboy, en bracht vast de nacht door met een van die playmates. Sterker nog, hij bracht vast de nacht door met meer dan één playmate, terwijl Autumn in haar eentje haar bed opzocht.

Helemaal alleen. Elke nacht.

Niet dat ze het heel erg vond om alleen te zijn. Ze had het te druk om zich alleen te voelen. Maar soms... Als ze een huwelijk had georganiseerd, zoals dat van Faith en Ty, dan bekroop het haar wel eens. Dan wilde zij dat ook. Dan wilde ze een man die naar haar keek zoals Ty naar Faith had gekeken. Dan wilde ze een man om van te houden. Een man die de adem in haar keel deed stokken, die haar vlinders in haar buik gaf. Een man die haar 's nachts wakker hield.

Ze was wel met Sam getrouwd, maar zulke gevoelens had hij nooit voor haar gehad. En als ze nog een keer zou trouwen, en dat sloot ze nog niet uit, dan zou ze zich niet van de wijs laten brengen door een leuke kop en een charmante glimlach. Dan wilde ze een man die naar haar keek alsof hij zijn hele leven zo naar haar wilde kijken.

Het punt was dat ze te weinig tijd had en nog minder energie, met haar werk en het zorgen voor haar zoon. Ze was wel eens uitgegaan met mannen, maar die wilden vriendinnen die tijd voor ze vrij konden maken. Als Autumn een paar uur vrij had, dan wilde ze liever een massage of een pedicure dan een man. Ze kon zichzelf een orgasme bezorgen, maar geen dieptemassage, en ze kon ook haar eigen nagels niet versieren met bloemetjes.

Ze draaide zich om en liep verder. Een nieuwe man stond ver onder aan haar prioriteitenlijstje. Misschien als Conner ouder was en haar zaak minder druk, dat ze weer zou gaan daten.

Er scheen licht door de open slaapkamerdeur. Een nachtlampje streek over de donkerblauwe met rode Transformers-dekbedovertrek. Sam trok zijn das los en liep naar het bed. Hij knoopte zijn boord los en sloop naar het bed van zijn zoon. Conner lag op zijn zij met zijn ogen dicht en zijn ademhaling klonk diep. Net als zijn vader was Conner een goede slaper en hij was als een kacheltje zo warm. Zijn armen lagen uitgestrekt, alsof hij iets wilde pakken.

De eerste keer dat hij zijn zoon zag, had zijn hart een luchtsprongetje gemaakt. De eerste keer dat hij Conner zag, was hij bang geweest hem vast te houden. Hij wist zeker dat hij hem pijn zou doen, of hem zou laten vallen. Conner was krap drie kilo zwaar en droeg een of ander blauw pakje. De enorme verantwoordelijkheid was bij Sam keihard aangekomen. Hij had er niet op gerekend dat hij iemands vader zou worden. Hij had het gevoel gehad dat hij er niet goed in zou zijn. Ook de ironie ontging hem niet. Juist iemand die aan alle verantwoordelijkheid voor wie dan ook probeerde te ontkomen, was de grootste verantwoordelijkheid van het leven ten deel gevallen. Alleen maar omdat hij zich onverantwoordelijk had gedragen.

Hij draaide zich weer om. Bij de deur keek hij nog eens om naar zijn kleine jongen. Hij hield van zijn zoon. Het was het soort liefde waarvan hij het bestaan niet vermoedde totdat hij dat gezichtje voor het eerst had gezien, ook al wist hij lang niet altijd wat hij moest doen met Conner.

Hij trok zijn das helemaal af. Toen hij Conner die eerste keer had gezien, was het al duidelijk dat hij de vader was, daarvoor was geen vaderschapstest nodig geweest. Conner leek overduidelijk op hem, met zijn blonde haar en blauwe ogen. Ook was Conner sterk en groot voor zijn leeftijd, en Sam had ervan gedroomd hem te leren schaatsen. Maar al had Conner zijn uiterlijke kenmerken, hij hield niet van schaatsen, wat nogal ongelooflijk was aangezien de jongen écht een LeClaire was en nog een halve Canadees bovendien.

Sam had een paar keer geprobeerd het hem te leren, maar Conner had gehuild toen hij was gevallen. Huilen hoorde niet bij ijshockey en na de vijfde poging had Sam het opgegeven. Conner had zelfs niet eens op de tribune gezeten toen Sam vorig seizoen de Stanley Cup had gewonnen. Toen was hij thuisgebleven, omdat hij verkouden was. Oké, Conner was pas vijf, maar Sam stond al op de ijzers toen hij drie was en hij zou zich niet laten weerhouden door een verkoudheidje om de finale van de play-offs te missen. Hij had Autumn dus de schuld gegeven. Zij had nooit onder stoelen of banken gestoken dat ze ijshockey een gewelddadige sport vond.

Hij trok zijn jasje uit en liep de gang uit. Vanwege alle commotie rondom de Stanley Cup, de afgelopen zomer, had hij weinig tijd kunnen doorbrengen met zijn zoon. Nu hij weer naar school ging en het seizoen weer begon, zou dat nog minder worden. Daar werd Sam niet blij van, maar hij kon er ook weinig aan veranderen.

De deur naar de logeerkamer stond open en hij deed hem

dicht. Daar sliep Natalie, zijn nieuwste assistente. Ze was jong en mooi en deed haar werk goed. Belangrijker was dat Conner het goed met haar kon vinden.

De gordijnen in zijn slaapkamer waren open en de skyline van Seattle liet zijn licht schijnen over de vloer en zijn grote bed. Hij deed het licht aan en zag een briefje liggen op zijn wit met blauwe dekbed. Het was van Natalie, die hem schreef dat ze om zes uur 's ochtends al weg moest. Omdat ze hem op het allerlaatste moment uit de brand had geholpen, zou hij hier niet moeilijk over gaan doen. Hij vouwde het briefje op en keek op zijn wekker. Het was iets na middernacht. Als hij Conner nog wilde zien voordat Nat hem naar huis zou brengen, zou hij om halfzes op moeten staan. Hij pakte een pen van zijn nachtkastje. *Ik breng Conner naar huis*, schreef hij op het papiertje, en hij schoof het onder Natalies deur. Toen hij terugliep naar zijn eigen kamer, besefte hij dat hij niet eens wist waar Conner tegenwoordig woonde. Hij wist dat ze vorig jaar naar Kirkland waren verhuisd, maar hij was er nog niet langs geweest.

Hij liep naar zijn kast en gooide zijn das naar binnen. Al mocht Autumn er het hare van denken – en niet alleen zij – hij ging niet met zijn assistentes naar bed. De meesten waren parttimestudentes die geld wilden verdienen en hij betaalde ze goed om van alles voor hem te doen. Hun werkzaamheden omvatten dus simpele boodschappen en voor kindermeisje spelen, en ze waren te belangrijk voor hem en zijn zoon om dat te verpesten met seks.

Hij liet zijn broek zakken en stapte uit zijn schoenen. Hij wist ook waarom iedereen dacht dat hij met ze naar bed ging: omdat zijn assistentes knap en jong waren. Als ze er gewoontjes uit hadden gezien, of een dikke, harige wrat op hun gezicht hadden gehad, dan had er geen haan naar gekraaid. Maar het deerde hem niet wat anderen ervan dachten. Hij was alleen bezig met zichzelf en wat hem betrof haalde hij liever iets moois in huis om naar te kijken dan een onaantrekkelijke vrouw. Dat was toch logisch.

Hij trok zijn boxer uit en deed, omdat Nat in huis sliep, een pyjamabroek aan. Hij hield niet van te veel stof en had het snel te warm. Hij sliep liever poedelnaakt.

Sam krabde zich over zijn ontblote borstkas en deed alle lampen uit. Nu moest hij Autumn morgenochtend bellen, al dacht hij niet dat ze het een probleem zou vinden als hij Conner zelf zou thuisbrengen. En jammer dan als dat wel zo was. Natuurlijk, ze hadden afgesproken dat ze nooit meer tegelijkertijd samen in één ruimte zouden zijn, maar dat was ze vanavond ook gelukt zonder elkaar af te maken. Ze hadden niet eens gedacht aan ruziemaken, tenminste, hij niet.

Er lag een afstandsbediening op zijn nachtkastje. Hij pakte hem op en richtte hem op zijn ramen. De rolgordijnen gingen omlaag en hij kroop in zijn bed. Daniel en Blake en wat andere jongens gingen nog uit, na de trouwerij. Dit was het laatste vrije weekend voor het begin van het seizoen en ze zouden vast de hele nacht op pad blijven. Een laatste nacht doorhalen. Natuurlijk zouden ze zich niet laten tegenhouden door zoiets kleins als werk, maar tijdens het seizoen zouden ze toch kalmer aan moeten doen.

Hij legde zijn kussen goed en dacht aan Autumn. Hij had haar twee jaar niet gezien, maar hij had nog steeds dezelfde gemengde gevoelens van verwarring en schuld die hij voelde toen hij destijds het hotel in Vegas had verlaten, haar had achtergelaten. Sam hield niet van die gevoelens en probeerde ze zo veel mogelijk te ontlopen.

Hij duwde de schuldgevoelens opzij en dacht aan de dingen die hij de volgende dag moest doen en aan de openingswedstrijd tegen de San José Sharks, komende donderdag. Hij dacht aan de sterke en minder sterke kwaliteiten van de Sharks. Hoe konden ze het beste misbruik maken van hun gebrek aan mentale sterkte? Binnen een paar minuten viel hij in een diepe, droomloze slaap. Toen hij de volgende ochtend wakker werd, had hij het gevoel dat hij werd bekeken.

'Je bent wakker,' zei Conner, toen hij zijn ogen opendeed. Zijn zoon droeg een Hulk-pyjama en stond naast zijn bed, en zijn blonde haar piekte alle kanten op. Hij keek naar Sam alsof hij hem echt wakker had staan kijken. De ochtendzon scheen door de rolgordijnen, al bleef de kamer in schemer gehuld.

Onder zijn halfgesloten oogleden door keek Sam naar zijn wekker. Het was iets na achten. Hij schraapte zijn keel. 'Hoe lang sta je daar al?'

'Heel lang.'

Dat kon van alles betekenen, van een uur tot een minuut. 'Wil je even bij mij in bed?'

'Nee, ik wil Toaster Sticks.'

'Weet je zeker dat je niet nog even wil slapen?' Alleen op zondag kon hij uitslapen. De rest van de week was hij ofwel aan het trainen, ofwel aan het spelen, en soms allebei op dezelfde dag. 'Ik kan ook de tv aanzetten.' Hij wees naar het grote scherm tegenover zijn bed.

'Nee, ik heb honger.' Dat was iets wat hij wel wist over Conner. De jongen wilde eten zodra hij zijn bed uit was.

Sam kreunde en zwaaide zijn benen uit bed. 'Dan pak jij de broodrooster, terwijl ik ga pissen.'

Er verscheen een glimlach op Conners gezicht, waarna hij de slaapkamer verliet. Zijn blote voeten dreunden op de hardhouten vloer. De zomen van zijn pyjamabroek hingen inmiddels rond zijn kuiten, in plaats van zijn enkels. Conner was altijd al lang geweest, maar het leek of hij de afgelopen zomer, toen Sam even niet keek, wel tien centimeter was gegroeid. Hij stond op en begaf zich, na een bezoek aan de badkamer, naar de keuken.

Hij had zijn appartement een jaar geleden gekocht en had de keuken laten verbouwen met rvs, glas en Italiaans marmer. Tussen de keuken en de eetkamer zat geen gewone muur, maar een watermuur. Vanaf het plafond stroomde voortdurend water langs een glazen plaat, waardoor het net leek alsof je tegen een waterval aan keek. Zijn interieurarchitect noemde het een 'waterelement', en het was het favoriete plekje van Conner.

Het hele appartement had een mannelijke en moderne uitstraling en het was precies wat Sam wilde. Hij opende zijn grote vriezer en doorzocht op zijn hurken de laden. Hij voelde de ijskoude lucht op zijn blote huid terwijl hij de inhoud doorzocht: bevroren sinaasappelsap en ander fruit en zakken vol doperwten. 'Ik heb geen Toaster Sticks.'

'Mama maakt altijd hartjespannenkoekjes voor me.'

Dat verklaarde een boel. 'Ik heb niets in huis om pannenkoeken te maken.' En al had hij het in huis, hij zou ze niet in de vorm van hartjes bakken.

'Ik hou ook van Egg McMuffins,' vertelde Conner opgewekt.

'Geeft je moeder je die rommel te eten?'

'Als we haast hebben.'

'Nou, dat zou ze niet moeten doen. Dat is niet goed voor je.' Hij trok een keukenkastje open. ''s Ochtends heeft een kerel tachtig procent koolhydraten nodig en twintig procent eiwitten, zodat hij zijn dag goed kan beginnen.'

Conner zuchtte. Dat had hij al vaker gehoord. 'Ik haat havermout.'

Dat wist Sam en dus pakte hij een doos Cheerio's. 'Met havermout eet je je buikje rond, heb je voldoende energie en krijg je haar op je borst.'

'Ik zit nog op de kleuterschool.'

Sam keek lachend naar zijn zoon, die aan de ontbijtbar zat op een kruk, met een wakkere blik in zijn blauwe ogen. 'Wil jij niet het enige kind op school zijn met haar op zijn borst?'

Conner kreeg ogen als schoteltjes. 'Nee!'

Sam pakte de melk uit de koelkast en pakte een kom voor de ontbijtgranen. 'Nou, volgend jaar dan maar.'

'Misschien als ik twaalf ben.' Conner keek ineens ingespannen naar de donkerblonde haren die op Sams borstkas groeiden. Toen trok hij de hals van zijn pyjama opzij en tuurde naar beneden. 'Kriebelt het erg?'

'Een beetje, als ze net beginnen te groeien.' Hij zette de kom voor Conner neer en schudde de Cheerio's erin.

'Mijn ballen jeuken wel eens.' Conner liet zijn hoofd op zijn knuist zakken. 'Maar daar zit geen haar op. Mama zegt dat ik niet in het openbaar aan mijn ballen mag krabben.'

Sam moest glimlachen. Dat was echt iets voor een jongen om te zeggen. Soms maakte hij zich zorgen dat Autumn zijn zoon liet opgroeien als een meisje. Als een mietje. Goed om te horen dat hij nog dacht als een jongen.

'Heb jij je handen gewassen?'

Hij keek naar zijn zoon. 'Wat?'

'Je moet je handen wassen voordat je gaat koken.'

Sam rolde met zijn ogen maar liep toch naar de kraan. Hij dacht dus lang niet altijd als een jongen. 'Het is duidelijk dat je bij een vrouw woont.' Hij draaide de kraan open en pompte wat antibacteriële zeep in zijn handpalm.

'Mama roept dat ook altijd tegen oom Vince.'

Mooi zo. Dan was er tenminste iemand die tekeerging tegen die idioot. Sam pakte een stuk keukenpapier en droogde zijn handen af.

'Doet dat pijn?'

'Wat?'

Hij wees op Sams blote arm. 'Dat.'

'Dit?' Sam streek met een vinger over de tatoeage met de tekst 'VENI VIDI VICI' die vanaf zijn elleboog tot zijn pols liep op de binnenkant van zijn arm. 'Nee. Een beetje toen ik hem liet zetten.'

'Wat staat er?'

Een tijd geleden stond daar nog de naam van de moeder van zijn zoon. Maar daar dacht Sam nauwelijks nog aan. 'Het is

Latijn en het betekent: ik kwam, ik zag en nu krijgt er iemand een pak op zijn blote kont...' Hij vroeg zich af of Autumn zijn naam nog had staan aan de binnenkant van haar pols.

Conner lachte zijn witte tandjes bloot. '"Kont" mag je niet zeggen!'

'Kont?' Hij deed zo zijn best op zijn taalgebruik te letten voor Conner. Altijd. Hoofdschuddend gooide hij het papier weg. 'Wat zeg jij dan in plaats van "kont"?'

'Bips.'

'Bips?' Het was waar. Nog meer bewijs dat Conner te veel tijd doorbracht met een vrouw. '"Kont" is geen vies woord, hoor.'

'Mama vindt van wel.'

'Dat je moeder een meisje is wil nog niet zeggen dat ze altijd gelijk heeft. "Bips" is een stom woord en als je dat zegt gaan ze je plagen. Je mag van mij "kont" zeggen.'

Daar dacht Conner even over na, voordat hij knikte. 'Ik heb een tekening.' Hij sprong van zijn kruk en rende de keuken uit. Hij keerde terug naar de ontbijtbar met een wit vel papier in zijn hand.

'Heb jij die getekend?' Sam goot melk in de kom.

'Ja, ik kan heel goed tekenen.' Hij klom weer op de kruk en wees op de twee scheve poppetjes met geel haar en blauwe ogen. De ene was kleiner dan de andere en het leek of ze beiden op een ei stonden. 'Dit ben jij en dat ben ik. We zijn aan het vissen.'

'Vissen?' Hij pakte een banaan en pelde die af.

'Ja.'

De enige keer dat Sam wel eens viste, was als hij in Mexico was, in Cabo San Lucas. En dan ging het meer om drinken met zijn maten dan om vissen. Hij pakte een mes en sneed de helft van de banaan in plakjes door Conners ontbijt. Hij deed de andere helft in de blender, pakte een lepel en schoof de kom naar zijn zoon. Terwijl deze zijn kom leeg at, deed hij nog wat bevroren frambozen, melk, proteïnepoeder, lecithine en een scheut lijnzaadolie in de blender. Daarna drukte hij op de knop en even later goot hij zijn vloeibare ontbijt in een groot glas.

'Ik zag jou op de boot.'

'Welke boot?' Hij wist bijna zeker dat er geen foto's waren gemaakt tijdens die visreisjes. Dat was een soort ongeschreven wet. Hij draaide zich om en bracht het glas naar zijn lippen.

'In de krant.' Er plakte een Cheerio in Conners mondhoek en hij duwde hem naar binnen met zijn hand.

Aha. Díé foto. Die afgelopen juni was gemaakt, toen ze op een jacht voeren en hij bier uit de Stanley Cup goot in het decolleté van een van de meisjes in bikini aan boord.

'Ik vond die meisjes niet leuk.'

'Dat komt omdat je pas vijf bent.' Sam liet het glas zakken en likte zijn bovenlip af. 'Dat komt wel als je groter bent.'

Conner schudde zijn hoofd met een afkeurende rimpel in zijn voorhoofd. Jezus, nu leek hij net op zijn moeder. 'Neem je mij een keer mee op je boot? En niet die meisjes?'

'Dat was mijn boot niet.'

'O.' Conner nam een grote hap en kauwde deze weg. 'De vader van Josh F. brengt hem naar het kleuterschool,' zei hij met zijn mond nog vol. 'Vaders kunnen hun kinderen ook wel naar het kleuterschool brengen.'

Hoe waren ze ineens van boten en vissen overgestapt naar de kleuterschool? 'Maar je moeder brengt je toch?'

Conner knikte en slikte de hap door. 'Maar jij kunt me ook brengen.'

'Misschien, als ik een keer thuis ben.' Hij nam nog een slok. 'Hoe vind je het op "het" kleuterschool?'

'Wel leuk. Ik vind juf Richelle leuk. Ze leest ons voor. En ik vind Josh F. leuk.'

'Is hij je beste vriend?'

Hij knikte weer. 'Ja. Niet Josh R. Die is stom. Die vind ik niet leuk.' Hij krabde aan zijn wang. 'Hij had mij gestompt.'

'Waarom?'

Conner haalde een magere schouder op. 'Omdat ik een Barney-rugzak heb.'

'Die paarse dino?'

'Ja.'

Sam veegde zijn mond schoon. 'Heb je hem teruggestompt?'

'O, nee.' Hij schudde zijn hoofd. 'Ik stomp geen mensen. Dat is niet aardig.'

Als zijn zoon niet zo op hem had geleken, had Sam zich afgevraagd of hij zijn zoon wel was. Hij had het afgelopen seizoen zoveel tijd doorgebracht op de strafbank, dat hij erover had gedacht er iets leuks aan de muur te hangen en er een schemerlamp neer te zetten; hij voelde zich er helemaal thuis. 'Ik dacht dat Barney voor baby's was.'

Conner dacht er even over na en knikte toen. 'Vorig jaar vond ik Barney leuk.'

'Barney is een eikel.'

Conner lachte en weer zag je zijn witte melktanden. 'Ja. Barney is een eikel.'

4

De man van mijn dromen...

heeft verantwoordelijkheidsgevoel

Tegen het middaguur had Autumn zich aangekleed. Ze droeg een spijkerbroek en een eenvoudig wit T-shirt. Ze had haar haren geföhnd en droeg een klein beetje make-up: wat mascara en wat gekleurde lipgloss. Inderdaad ja, ze had haar best gedaan om er goed uit te zien omdat Sam haar had gebeld dat hij Conner zelf zou afleveren om twaalf uur. En nee, ze hoefde niet per se indruk op hem te maken, maar evenmin wilde ze hem binnenlaten met een dodelijk vermoeid en onopgemaakt gezicht. Zoals ze er meestal uitzag op zondag.

Toen het halfeen was, stond ze voor het grote raam in de woonkamer. Tegen een uur begon ze met ijsberen en belde ze Sam voor het eerst. Toen hij niet antwoordde, begonnen zich allerlei horrorscenario's af te spelen in haar hoofd, variërend van een auto-ongeluk tot een ontvoering. Elke keer als ze in de verte een auto hoorde, drukte ze haar hoofd tegen de ruit om naar het einde van de straat te kijken. En elke keer kreeg ze het benauwder als bleek dat het Sam niet was.

Toen Sam om halftwee eindelijk voorreed in zijn grote rode

pick-uptruck, was ze al de deur uit voor hij de auto had kunnen parkeren.

'Waar bleef je nou?' riep ze terwijl ze de trap af stormde. Koortsachtig tuurde ze in de auto tot ze Conner zag zitten, vastgesnoerd in zijn autostoel. Toen ze haar zoon had gezien, veranderde al haar opgekropte angst in woede.

Sam stak zijn lange benen uit de truck. Zijn voeten, gestoken in gymschoenen, waren als eerste zichtbaar en een tel later stond hij, in spijkerbroek en met een donkerblauwe fleecetrui, doodgemoedereerd op de stoep. Alsof hij niet anderhalf uur te laat was.

'Hallo, Autumn.' Er prijkte een ouderwetse Ray-Ban op zijn ietwat gebogen neus en de zon deed zijn haar glanzen. Het leek of hij een gouden helm ophad.

Ze voelde haar wangen gloeien. Ze haalde diep adem, om niet te gaan schreeuwen. 'Weet je hoe laat het is?' Nou, dat klonk als de kalmte zelve.

Sam schoof de mouw van zijn trui opzij en keek op het grote platina horloge om zijn pols. 'Ja hoor, het is halftwee,' antwoordde hij, amper onder de indruk. Hij reikte naar de bijrijdersstoel en haalde Conners SpongeBob-rugzak tevoorschijn.

'Hoi, mam,' zei Conner, die inmiddels over de rugleuningen was geklommen en op Sams stoel zat.

'Waar waren jullie al die tijd?' vroeg ze.

Conner kwam naast zijn vader neer op de stoep. 'Bij Shorty's.'

Wat was dat? Een bar? Een stripclub? Zie je wel dat Sam dol was op strippers. 'Bij wie?'

'Een gamehal, in het centrum,' legde Sam uit. 'Een paar straten van mijn appartement.'

'We hebben hotdogs gegeten.' Conner sperde zijn blauwe ogen open. 'Ik heb geflipperd. En ik heb heel veel punten gewonnen.'

De twee mannen gaven elkaar een paar high fives en low fives. Autumn voelde de hoofdpijn achter haar rechteroog weer opzetten; dat gebeurde elke keer als ze met Sam van doen had. Ze wist niet of het een aneurysma was of een bloedprop. Geen van beide zou goed nieuws zijn. 'Geweldig. Leuk.' Ze glimlachte geforceerd naar Conner. 'Zeg nu maar dag tegen je vader.'

Sam ging op zijn hurken zitten en Conner vloog op hem af. 'Dag papa.' Hij sloeg zijn armpjes om Sams nek en hield hem stevig vast. 'Gaan we weer een keertje naar Shorty's?'

'Tuurlijk.' Sam omhelsde hem en hield hem toen op een afstandje. 'Of we gaan naar een film, of je komt naar een wedstrijd, zoals we hebben afgesproken.'

Autumn hoefde Conners gezicht niet te zien om te weten hoe hij nu naar zijn vader keek; alsof hij de beste vader van de hele wereld was. Makkelijk, als je alleen maar wat plannetjes hoefde rond te strooien en je kind meteen dol op je was.

Conner knikte. 'En we gaan vissen.'

Lachend stond Sam op. 'Volgend jaar zomer, misschien.'

Conner pakte zijn rugzak op. 'Oké.'

'Ga maar vast naar binnen en ruim je spullen op.' Autumn legde haar hand op het hoofd van haar zoon, met zijn fijne haar. 'Ik kom eraan.'

Conner keek van haar naar Sam.

'Later, knul.'

'Later, pap.' Hij gaf zijn vaders been nog gauw een knuffel en liep toen de trap op naar de voordeur.

Autumn vouwde haar armen voor haar borst en wachtte tot hij binnen was. Toen draaide ze zich om naar Sam. Ze begon niet te schreeuwen of te slaan. Zo gek wilde ze nou ook weer niet overkomen. Zoals toen. Nu kon ze zichzelf beheersen. 'Je zei dat je hier om twaalf uur zou zijn.'

'Ik zei rond.'

'Wat?'

'Ik zei rónd twaalf uur.'

De pijn achter haar oog verplaatste zich naar het midden

van haar voorhoofd. 'Wat betekent dat dan? Een soort speciale Sam-tijd? Waar de hele wereld zich in speciale Sam-tijdzones bevindt, en alles zich rónd vaste tijden afspeelt?'

Hij glimlachte alsof hij haar grappig vond. 'Ik wilde nog iets met hem doen, Autumn. Het is toch niet erg als ik een beetje extra tijd door wil brengen met mijn zoon?'

Als hij het zei klonk het allemaal zo redelijk. 'Je bent anderhalf uur te laat. Ik dacht dat er iets gebeurd was.'

'Het spijt me dat je je ongerust hebt gemaakt.'

Dat was niet voldoende. Bovendien geloofde ze hem niet. Hij strooide met die woorden zonder het echt te menen. Sam had nooit ergens spijt van. 'Toen je niet kwam opdagen heb ik je gebeld.'

Hij knikte. 'Ik ben thuis mijn telefoon vergeten. Toen we terugkwamen, zag ik dat je gebeld had.'

'Wat? En je belde niet eventjes terug? Om me te laten weten dat er niets aan de hand was?'

Hij vouwde zijn gespierde armen voor zijn even gespierde borstkas. 'Ik moet zeggen dat ik geen zin had om de wind van voren te krijgen, toen ik zag hoe vaak je had gebeld. Eerlijk gezegd bel ik nooit iemand terug als die me de wind van voren gaat geven, precies zoals jij nu aan het doen bent.'

Ze haalde diep adem en keek op naar het grote raam, waar Conner met zijn gezicht tegenaan zat geplakt. Ze kon haar zelfbeheersing ternauwernood bewaren, maar zei zo kalm mogelijk: 'Je gedraagt je onvolwassen en onverantwoordelijk.'

'Tja schatje, ik heb nooit gezegd dat ik verantwoordelijk was. Maar jij bent te...'

'Hij is mijn zoon.'

'Hij is ook míjn zoon.'

'Hij is alleen maar jouw zoon wanneer het jou uitkomt.'

'Nou, vandaag kwam het uit. Wen er maar aan.'

Wen er maar aan? Wén er maar aan? De bonzende pijn liet zich weer gelden en ze verloor haar zelfbeheersing. 'En de volgende keer dan? En wat als je hem de volgende week weer afbelt? Of de week daarna? En hij zich erop verheugt jou weer te zien, en jij afbelt omdat je naar een feestje wil met je vrienden?'

'Er zijn bijeenkomsten waar ik verplicht aanwezig moet zijn.'

'Moest je verplicht aanwezig zijn bij dat boottochtje met die halfnaakte vrouwen? En ook in Vegas, waar je moest pokeren en naar striptenten moest?'

Ze kon zich niet voorstellen dat hij ooit nog naar Las Vegas zou gaan.

Hij deed een stap achteruit. 'Ben je soms jaloers?'

Ze draaide met haar ogen. Dat bracht een pijnscheut teweeg boven haar neus en ze had er meteen spijt van. 'Maak jezelf niet belangrijker dan je bent, Sam. Jij kunt denken dat je het centrum van deze wereld bent, maar ik kan je wel vertellen dat dat niet zo is.' Ze keek achterom naar Conner, die nog steeds naar hen stond te kijken. 'Maar de enige die wél zo over je denkt ziet je te weinig...'

'Ik zou hem ook graag vaker willen zien, maar je weet hoe lastig dat is met mijn schema.'

'Als hij een prioriteit voor jou zou zijn, dan zou je meer tijd voor hem vrijmaken.' Ze streek haar haren achter haar oren. 'Je had de hele zomer vrij, maar je hebt maar drie weekends met Conner doorgebracht. Je hebt ten minste acht keer iets met hem afgeblazen. En elke keer moest ik het weer uitleggen. Elke keer dat jij iets afzei, ben ik degene die hem moet vertellen dat je wel van hem houdt. Dat je echt wel iets met hem zou doen als je de tijd had. Ik ben degene die tegen hem moet liegen.'

Zijn trekken verstrakten. 'Ik hou wel van hem.'

'En we weten allemaal hoe ver jouw liefde gaat,' zei ze hoofdschuddend. 'Terwijl jij de held uithangt voor duizenden jongetjes, ligt je eigen zoon zich in zijn bedje in slaap te huilen.'

Zijn armen vielen langs zijn zij en hij deinsde achteruit alsof ze hem een klap had gegeven. 'Ik ben geen held.'

'Dat weet ik wel.' Ze wees naar boven, zonder zelf naar haar zoon te kijken. 'Maar hij niet. Nog niet tenminste. Hij weet nog niet dat je een egoïstische zakkenwasser bent, maar daar komt hij vanzelf wel achter.' Ze hield haar adem in en sloeg een hand tegen haar bonzende voorhoofd. 'Mijn god, dit wilde ik juist niet. Ik wilde niet tekeergaan. Niet boos worden en schelden. Ook al is het waar.'

Op fluistertoon zei hij tegen haar: 'Hij huilt zichzelf in slaap?'

'Wat?' Ze keek omhoog. Naar haar zoon die op zijn ouders neerkeek. Hij keek neutraal. Hij had niet gehoord dat ze Sam had uitgescholden. 'Ja.'

'Dat wist ik niet.'

'Waarom zou je ook?' Ze veegde haar haren uit haar gezicht en zuchtte. Ineens was ze doodop. 'Je bent er nooit lang genoeg om je eigen rotklusjes op te knappen. Ik denk dat je er nooit over hebt nagedacht.'

'Heb je het over Conner?'

'Over wie anders?'

Boven zijn zonnebril zag ze een frons op zijn voorhoofd verschijnen.

'Het kan me niets schelen wat je allemaal uitspookt, Sam. Al een hele tijd niet. Ik maak me alleen zorgen om Conner.'

'Ik ook.'

Nauwelijks, dacht ze. 'Ik zorg ervoor dat hij alles krijgt wat hij nodig heeft.'

'Hij heeft meer mannelijke aandacht nodig.'

Had hij soms haar broer gesproken? 'Hij heeft Vince.'

'Vince is een eikel.'

'En jij ook, maar Vince komt zijn afspraken tenminste na. Conner weet dat hij op Vince kan rekenen.'

Hij ademde diep in door zijn neus en blies de lucht vervolgens uit via zijn mond, alsof zij hém vermoeide. 'Ik heb tegen Conner gezegd dat hij naar mijn wedstrijden moet komen kijken. Ik zorg ervoor dat hij een mooi plaatsje krijgt.'

'Hij kan niet te laat opblijven, anders valt hij op school in slaap.'

'Niet als hij op zaterdag komt.' Hij klom weer in zijn pickuptruck en deed het portier dicht. 'Ik vraag of Natalie je belt.'

Conner hield niet van ijshockey. Hij was een vredelievend kind, maar als hij ernaartoe wilde, had ze er geen problemen mee als Natalie met hem meeging. Trouwens, Sam zou vanzelf zijn aandacht verliezen en dan liep het met een sisser af.

Sam wachtte niet op haar antwoord. Hij zette de truck gewoon in zijn achteruit en reed de oprit af. Achter het raam van de woonkamer zwaaide Conner hem na, maar Sam zag het niet, uiteraard. Autumn keek hem hoofdschuddend na tot ze terugliep naar binnen. In de verte hoorde ze een Harley Davidson naderen.

Geweldig. Daar kwam Vince aan. Alsof ze nog niet genoeg theater had gehad.

Ze bleef boven aan de trap staan en hield haar hand boven haar ogen om niet tegen de middagzon in te hoeven kijken. Dat Vince en Sam elkaar haatten was geen geheim en ze hoopte maar dat ze niet zouden stoppen om het uit te vechten in haar straat. Ze hield haar adem in toen de twee mannen elkaar passeerden. Zo ver kon ze niet kijken, maar het zou haar niets verbazen als de twee elkaar onderweg de vinger gaven.

Ze bleef op haar stoepje staan wachten. Ze was dol op haar grote broer. Om een heleboel redenen, maar vooral omdat hij haar beschermde. Wat er ook gebeurde. Hij was lief en ontzettend loyaal. Hij zou voor haar knokken. Dat had hij altijd gedaan, al nam hij zijn taak als grote broer en oom iets te serieus. Maar zo was Vince nou eenmaal. Hij was Navy SEAL geweest en geloofde niet in halve maatregelen. Hij had veel meegemaakt in het verleden, al sprak hij daar nooit over, en leefde volgens het motto 'Soms is het nodig een vlieg dood te slaan met een moker.'

Vince reed zijn Harley de oprit op en deed de motor uit. Hij zwaaide een van zijn lange benen over de motorfiets, ging staan en haalde zijn handen door zijn korte, donkere lokken.

'Ik dacht dat die idioot uit jouw buurt moest blijven,' zei hij, terwijl hij de trap op kwam. Zijn motorlaarzen dreunden op de betonnen treden.

'Hij bracht Conner net thuis. Niets bijzonders dus.' Het had geen zin hem te vertellen dat Sam te laat was geweest. Geen zin om het vuurtje aan te wakkeren. 'En, wat brengt jou hier?' Al wist ze het eigenlijk wel.

'Ik wilde je gewoon even zien.'

'Maar je bent gisteren al geweest.' Ze gooide haar handen omhoog in zogenaamde wanhoop. 'Kom maar op. Zeg het maar.'

Hij glimlachte zijn tanden bloot, die iets scheef stonden maar wel stralend wit waren. 'Na gisteravond wilde ik gewoon even weten hoe het ging.'

'Je had toch kunnen bellen.'

'Dan had je de waarheid niet gezegd.' Hij boog zich voorover en keek haar diep in haar ogen. 'Moet ik hem omleggen?'

Als ze er honderd procent zeker van was geweest dat hij een grapje maakte, had ze erom gelachen. Maar dat was ze niet en ze kon het hem niet kwalijk nemen. Er waren heel veel mensen die Sam wilden vermoorden. Ze had hem wel eens tijdens een ijshockeywedstrijd gezien. En nog geen vijf minuten geleden had ze hem zelf wel kunnen vermoorden. 'Nee hoor. Ik heb hem gisteravond amper gezien.' Dat was niet helemaal waar. Ze had zijn blonde hoofd elke keer gezien als ze ergens naar binnen was gelopen. 'We hebben elkaar niet veel gesproken.' Dat was wel waar.

'Dus het gaat goed?' Ze had het vermoeden dat Sam en Vince elkaar zo intens haatten omdat ze op een bepaalde manier op elkaar leken. Ze waren allebei knap en arrogant en macho. Het enige verschil was dat voor Vince zijn familie zijn alles was.

Er was een tijd geweest, toen Conner nog klein was, dat ze erg op haar broer had geleund. Maar nu was ze een stuk sterker. Hoeveel ze ook van Vince hield, en hoezeer ze hem ook nodig had, ze wilde wel eens dat hij een leuke vrouw zou ontmoeten, met haar zou trouwen en zijn eigen gezin zou stichten. Hij zou een geweldige vader zijn, maar dat hele machogedoe zat hem natuurlijk flink in de weg als hij een echte relatie wilde. 'Het was niet nodig dat je hiernaartoe kwam scheuren.'

'Ik wilde toch al langskomen.'

Ja, ja. Autumn deed de deur open en Vince liep achter haar aan naar binnen. 'Ik ben een grote meid, hoor. Ik kan Sam wel aan.' Ze liepen naar boven, waar Conner op hen wachtte. Hij stond naast zijn bed en pakte net zijn pyjama uit zijn rugzak.

'Hoi Nugget,' zei Vince. Dat was zijn neefjes bijnaam. Hij ging naast hem zitten op zijn hurken en aaide hem over zijn bol.

'Hoi oom Vince.' Conner haalde een vieze onderbroek tevoorschijn. 'Ik heb geflipperd met mijn vader.'

'O ja? Was dat leuk?'

Hij knikte. 'En ik heb een hotdog gegeten.' Hij wendde zich tot zijn moeder. 'Mag ik een nieuw dekbed?'

'Wat is er mis met je Barney-dekbed?'

'Barney is een eikel.'

Ze hield haar adem in en haar mond viel open. 'Maar... maar je bent dol op Barney. Hij is je paarse vriend.'

Hij schudde zijn hoofd en zei snuivend: 'Barney is voor baby's.'

'Sinds wanneer?'

Hij haalde zijn schouders op. 'Sinds ik op de kleuterschool zit. Nu ben ik groot.'

Ze voelde zich gekwetst. Ze hadden samen de stof uitgezocht en de dekbedovertrek gemaakt. En het kussen. 'Wil je je Barney-kussen ook niet meer?' Hij was dol op zijn Barney-kussen.

'Nee.'

Autumns adem bleef weer in haar keel steken en ze pakte geschrokken het kussen vast. Dit was Sams schuld. Dat kon ze niet bewijzen zonder Conner onder druk te zetten, maar ze wist zeker dat Sam er de oorzaak van was dat Conner ineens niet meer van Barney hield.

Vince stond op en keek haar aan. 'Hij heeft gelijk,' zei hij, waarmee hij ineens partij trok voor de andere mannen. 'Barney is echt een enorme eikel.'

'Vince!'

Conner moest erom lachen, maar Autumn vond het helemaal niet leuk.

Terwijl jij de held uithangt voor duizenden jongetjes, ligt je eigen zoon zich in zijn bedje in slaap te huilen.

Sam stond op zijn balkon en keek uit over Seattle en Elliot Bay. De veerboot van vijf over twee vertrok net, volgeladen met auto's en passagiers, richting Bainbridge Island. Hij hoorde het geluid van het verkeer onder hem, ook al stond hij op de negende verdieping. Er woei een fris briesje dat zowel uitlaatgassen als zeelucht meevoerde.

Terwijl jij de held uithangt...

Sam liet de reling los en ging in een terrasstoel zitten. Hij reikte naar het biertje dat hij op de tafel had neergezet. Hij had zijn schuldgevoel altijd weten weg te poetsen door zichzelf wijs te maken dat hij alles goed zou maken als Conner ouder was. Dan zou hij meer tijd met hem kunnen doorbrengen. Zoals echte vaders en zonen deden. Niet dat hij wist wat echte vaders en zonen deden, overigens.

Hij bracht het biertje naar zijn mond en nam een forse slok. Hij was een slechtere vader dan zijn eigen vader. Hij zou het zelf nooit voor mogelijk hebben gehouden, maar inmiddels was hij Samuel LeClaire Senior voorbijgestreefd op de ranglijst van slechte vaders. Terwijl hij beter wist. Hij wist wel dat hij niet zo'n man wilde zijn die beter omging met vreemden dan met zijn eigen gezin. Die door de hele stad op handen werd gedragen. Een geweldige vent. Een held. Maar wel eentje die geen energie meer overhad voor zijn eigen gezin als hij thuis was en zijn uniform had uitgetrokken.

Sam wist maar al te goed hoe dat voelde. Sam was vijfendertig en zijn ouweheer was al twintig jaar dood, maar hij kon zich nog steeds herinneren hoe het voelde om te wachten tot zijn vader thuiskwam, en in slaap te vallen voordat hij er was. Hij wist nog goed hoe hij zich op het ijshockey had gestort. Daarin uitblonk. Opviel. De ster was, omdat hij dacht dat zijn vader misschien, heel misschien, zou komen kijken als hij goed genoeg was.

Hij weet nog niet dat je een egoïstische zakkenwasser bent, maar daar komt hij vanzelf wel achter. Hij wist nog goed wanneer hij was opgehouden met wachten, opgehouden met zich afvragen of zijn vader nog zou komen kijken. Hij was tien jaar toen hij besefte dat zijn vader nooit zou doen wat andere vaders deden: de puck met hem overslaan of naar wedstrijden komen kijken. Hij zou nooit zien wat teamgenoten zagen als ze naar de tribune keken: zijn vader, die naast zijn moeder en zijn zus zat te kijken.

Hij veegde over het bierflesje, en de condensdruppels verzamelden zich in de vouw van zijn duim, tot het er zoveel werden dat ze naar beneden stroomden. Het klopte dat hij een pittig schema had, tijdens het seizoen was hij de helft van de tijd onderweg, maar het klopte ook dat hij de verantwoordelijkheid voor de opvoeding van zijn zoon grotendeels aan Autumn had overgelaten. Soms was hij een paar weken thuis en dan ging hij even langs om wat leuks met Conner te doen, voordat hij weer op weg moest. Autumn had veel meer verantwoordelijkheid dan hijzelf. Zoveel zelfs dat het soms moeilijk was haar te rijmen met het meisje dat hij in Vegas had leren kennen.

Er woei een frisse wind langs zijn verhitte gezicht en hals. Hij had zichzelf altijd voorgehouden dat kwaliteit belangrijker was dan kwantiteit. Dat was toch ook zo? Hij wist bijna zeker dat hij een of andere kinderpsycholoog zoiets had horen zeggen in een praatprogramma.

De afgelopen zomer had hij meer verplichtingen gehad dan ooit. Vanwege de Stanley Cup werd er meer van hem verwacht door fans en pers.

Hij nam weer een slok bier. De weekends in Vegas en de feestjes met vrienden waren uiteraard niet verplicht geweest. Inderdaad had hij wel eens een afspraak met Conner afgezegd vanwege zo'n feestje. Misschien wel vaker dan hij dacht. Maar hij had nooit gedacht dat Conner er last van zou hebben als hij er niet was. Nooit gedacht dat zijn zoon in zijn bedje zou liggen huilen.

Hij liet het flesje rusten op zijn stoelleuning. Hij had beter moeten weten, juist hij. Hij wíst beter. Maar hij wist ook dat het soms anders ging dan je hoopte en dat het dan wel eens te laat kon zijn.

Hij herinnerde zich die avond waarop twee Mounty's bij hen aan de deur kwamen en zijn moeder vertelden dat haar man was omgekomen tijdens een inval bij een boerderij in Moose Jaw. Zijn vader, *constable* LeClaire, was de eerste geweest die naar binnen was gestormd, en was de eerste geweest van vier collega's die bij de inval waren gesneuveld. Hij dacht terug aan het moment waarop hij zijn vaders doodskist had gezien naast de drie andere kisten. Hij wist nog goed hoe hij eruitzag in zijn rode jasje; het uniform waar hij meer van hield dan van zijn gezin. Hij wist nog goed dat de andere vaderloze kinderen hadden gehuild. Dat hij Ella's hand had vastgehouden, zijn zusje, dat huilde, en zijn moeder had horen snikken. En hij wist nog hoe hij zich schaamde, omdat hij zo weinig voelde voor de man die bij iedereen geliefd was en voor iedereen een held.

Hij was nog net geen vijftien toen hij de rol van zijn vader had overgenomen, de verantwoordelijkheid op zich had genomen van de man des huizes. En waar het aankwam op zijn zusje van tien, had hij deze heel serieus genomen. Hij lette op haar en zij adoreerde hem. Ze was als een schaduw met een dansende blonde paardenstaart die hem overal volgde. In Ella's grote blauwe ogen had hij hun vaders rol overgenomen. Hij was haar held.

Sam pakte het bierflesje weer vast en draaide het rond. Hij had nooit iemands held willen zijn. God wist dat hij het er slecht vanaf had gebracht wat Ella betrof, maar hij wilde wel dat zijn zoon 's nachts in slaap viel met de gedachte dat zijn vader van hem hield.

Wat hem weer bij Conners moeder terugbracht. Misschien had hij haar moeten bellen om te zeggen dat ze wat later zouden komen. Eerlijk gezegd had hij er geen moment aan gedacht, tot hij had gezien hoe vaak ze hem gebeld had. Tegen die tijd was het kwaad al geschied, vond hij. Ook zonder te zien hoe ze haar voordeur uit kwam stormen had hij wel geweten dat er wat zou zwaaien. Dat wist hij al voordat hij haar straat in reed. Waar hij echter niet op had gerekend, was het feit dat ze er zo fel en mooi had uitgezien. Met haar rode lokken met de gouden gloed die wild om haar hoofd heen dansten. Met haar groene ogen die vuur leken te spuwen. Voordat ze haar mond had opengedaan om hem zijn vet te geven, had het hem doen denken aan de laatste keer dat hij haar zo had gezien. Zo wild en zo vol vuur. Alleen was ze toen niet kwaad geweest. Toen had ze hem de kleren van het lijf gerukt tot hij volkomen naakt was en had ze hem overal gestreeld en gezoend, hem het hoofd op hol gebracht en hem hijgend en voldaan laten smachten naar meer.

De eerste keer dat hij haar zag, stond ze helemaal alleen te dansen, met één hand boven haar hoofd en de andere op haar buik, waarbij ze haar heup heel langzaam en verleidelijk had bewogen. Hij was opgestaan van zijn barkruk en op haar af gelopen, zonder erbij na te denken. Hij was achter haar gaan staan en had zijn handen om haar middel gelegd. En op het moment dat hij haar aanraakte, had hij het al gevoeld. Een tinteling die hem tot diep in zijn onderbuik raakte.

Ze had uitgehaald, hem geraakt met haar elleboog in zijn maagstreek, op het moment dat hij die tinteling voelde, en zich toen omgedraaid om te kijken met wie ze van doen had. Met haar wijd open groene ogen had ze eruitgezien alsof ze hard weg wilde hollen. Dat nam hij haar niet kwalijk, maar tegelijkertijd wilde hij ervoor zorgen dat ze dat niet deed.

Autumn was niet meteen de eerste nacht bij hem in bed beland, maar vanaf het moment dat hij haar zover had gekregen, hadden ze het bed niet verlaten. Toen ze vanmiddag zo op hem af was gestormd, moest hij weer denken aan die tijd. Hoe ze naakt tegen hem aan had gelegen, met haar mooie, blanke huid. Hoe hij haar stevige borsten in zijn handen had gehad en in zijn mond. Autumn mocht dan niet het perfecte lichaam hebben, volgens zijn huidige smaak, het was wel perfect in verhouding. En tijdens die paar dagen in Vegas, die zo onwerkelijk leken, was ze helemaal perfect geweest.

Sam pakte zijn biertje weer en nam nog een teug. Toen was hij wakker geworden, met een kater en koppijn, en vroeg hij zich af wat hij in godsnaam had gedaan… Hij was getrouwd met een meisje dat hij pas had ontmoet en amper kende. Jezus, hij wist niet eens waar ze woonde.

In de maand voor die rampzalige gebeurtenis in Vegas had hij net getekend bij de Chinooks, voor vijf miljoen dollar en voor een periode van drie jaar. Met één roekeloze actie had hij zijn hele leven vergooid, en dat van Autumn ook.

Hij had nooit begrepen wat Autumn het meest had geraakt; dat hij haar had achtergelaten in Caesars Palace zonder afscheid te nemen, de manier waarop hij hun echtscheiding had afgehandeld, of het feit dat hij had gestaan op een DNA-test om te zien of hij de vader was. Van al die drie dingen was het enige wat hij wilde veranderen de manier waarop hij haar had verlaten. Nu zou hij fatsoenlijk afscheid hebben genomen. Dat was het moeilijkste, maar tegelijkertijd ook het enige juiste wat hij zou kunnen doen.

Sam legde zijn handpalmen op de stoelleuning en stond op. Hij was niet zo'n slechte vader als Autumn hem afschilderde, maar hij was ook niet zo goed als hij wel zou willen. Hij zou net zo zijn best moeten doen om zijn zoon te zien, als hij met ijshockey deed. Hij keek op zijn horloge en nam een laatste slok bier. Een paar van de jongens van het team kwamen samen bij Daniel voor een pokeravond. Sam stond nog drieduizend in het krijt bij de pot en dat bedrag zou hij graag terugwinnen.

Dat hij zich verantwoordelijker zou gaan gedragen in zijn privéleven, wilde nog niet zeggen dat hij alles zou opgeven. Zeker niet zijn pokeravond.

5

De man van mijn dromen...

is dol op een lopend buffet

'Ik wil een renaissancehuwelijk. Met een kasteel met slotgracht en tovenaars.'

Autumn keek naar het puntje van haar pen en dwong zichzelf het woord 'renaissance' op te schrijven onder het kopje 'thema'. Het was iets na zessen op zaterdag en ze was op haar kantoor bezig met het plannen van de bruiloft van Henson en Franklin. Een renaissancesprookje dus. In het kantoor ernaast hoorde ze Shiloh bezig op haar computer en telefoneren. 'Je moet wel bedenken dat de ruimte die je hebt afgehuurd nogal klein is.' Ze stond op en streek haar zwarte jurk met de rode bloemetjes glad. Ze had hem gekocht in een tweedehandswinkel in het centrum van Santa Cruz, toen ze een tijd geleden met Conner vakantie vierde in California. De zolen van haar rode flatjes maakten amper geluid toen ze naar de deur liep om deze te sluiten. Shiloh was een geweldige assistente, maar ze praatte nogal hard als ze enthousiast was. 'Ik weet niet of we een slotgracht kunnen creëren.' Dit was haar eerste ontmoeting met het bruidspaar, al had ze al meerdere telefoongesprekken met de bruid gevoerd.

'O, en hofnarren en slangenbezweerders?'

Autumn ging weer zitten en keek naar de jonge vrouw tegenover haar. Carmen leek een heel normale vrouw, met helderblauwe ogen en glad, donker haar. Ze droeg een truitje met bijpassend vestje erover en een kleine broche. Maar de puntige oorbellen die ze droeg verraadden dat er onder dat keurige setje een vreemd verlangen schuilging. 'Ik weet niet of we een vergunning kunnen regelen voor exotische dieren.'

'Hè, balen.' Carmen knipte met haar vingers. 'Jongleren met dwergen. Dat zagen we laatst bij een feest in Portland.'

Autumn hoopte dat ze bedoelde dat het kleine mensen waren die jongleerden, en niet dat er mét kleine mensen werd gejongleerd. Waarschijnlijk het eerste, maar ze had wel eens vreemdere dingen meegemaakt. 'We hebben meer kans om jongleurs te regelen als we ons niet beperken tot een bepaalde lengte,' stelde ze voor.

Carmen wendde zich tot haar bruidegom, Jerry. 'En piraten?'

'Piraten zijn wel leuk, maar ze zijn ook totaal onvoorspelbaar,' antwoordde Jerry, alsof het om echte piraten ging. 'Oma Dotti en tante Wanda hebben vast geen zin in piraten.'

Goddank bestonden er oma's en tantes. Autumn wilde graag dat elk bruidspaar het huwelijk kreeg waar het naar verlangde, maar haar ervaring was dat hoe simpeler je het hield, des te beter het was. 'Als er te veel gebeurt, leidt dat de aandacht af van het bruidspaar. Het is jullie dag en jullie moeten in het middelpunt van de belangstelling staan.'

Carmen glimlachte. 'Dat is waar. Ik droom al mijn hele leven over mijn trouwdag.' Of ze nou van traditie hielden of van gekke dingen, dat deden alle meisjes.

'We willen dat het bedienend personeel narrenkappen en maskers draagt,' voegde Jerry eraan toe.

'En in onze eigen kleuren.'

Blauw met geel dus. Ze hield haar hoofd schuin alsof ze er serieus over nadacht. Want al wilde ze het paar kunnen bieden wat het wilde, het was ook haar taak binnen het budget te blijven. 'Tja, dat soort kostuums moeten dan wel speciaal gemaakt worden. Die kun je niet huren, en jullie budget is...' Ze sloeg wat bladzijden om, alsof ze het bedrag vergeten was. 'Twintigduizend. Dat is net genoeg om jullie zaalhuur, catering, bloemen, fotograaf en de rest van te betalen.' Twintigduizend dollar klonk als veel geld, tenzij je het over een trouwerij had. 'Als je wilt dat het bedienend personeel verkleed gaat, dan moet je bezuinigen op het eten. Kip bijvoorbeeld, in plaats van een varkentje aan het spit.'

De bruid leunde teleurgesteld achterover. 'Jerry en ik hebben elkaar leren kennen op een renaissancefeest in Gig Harbor. We hebben altijd uitgekeken naar een bruiloft met een renaissancethema, inclusief een geroosterd speenvarken.'

Autumn schonk het bruidspaar haar meest vertrouwenwekkende glimlach. 'En daar gaan we ook voor zorgen. Ik ga onderhandelen met mijn toeleveranciers en kijken wat zij voor jullie kunnen doen. Met deze teruglopende economie zijn ze sneller bereid om kortingen te geven. Ik zal ook contact opnemen met de plaatselijke geschiedkundige vereniging om te zien of zij iets voor jullie kunnen doen. Ik denk dat we er echt iets geweldigs van kunnen maken en toch binnen het budget kunnen blijven. Ik heb er veel zin in om er voor jullie iets moois van te maken. Iets heel erg leuks.' Gelukkig wilden ze geen roze-prinsessenfeest; die vond Autumn het minst leuk. Ze vroeg nog belangstellend naar de jurk van Carmen, en tegen de tijd dat het paar haar kantoor verliet, hadden ze een contract getekend, een aanbetaling gedaan en hadden ze veel zin in hun huwelijk, dat in juni zou plaatsvinden.

Autumn legde haar pen neer en wreef over haar voorhoofd. Zo werd ze niet rijk, met huwelijken met een budget van twintigduizend. Alle kleine beetjes hielpen natuurlijk, dus was ze blij met elke klus. Maar met de commissie die ze kreeg voor het feest van Carmen en Jerry kon ze niet eens twee maanden de huur van haar kantoor betalen. Daarom werkten veel planners vanuit huis, maar dat wilde Autumn niet. Zij was ervan overtuigd dat als je er professioneel uitzag, dat succes zou aantrekken. Haar kantoor was niet groot en luxe, maar gewoon een ruimte die ze huurde in een klein winkelcentrum vlak bij haar huis. Toch gaf het kantoor haar een professionele uitstraling die een weddingplanner die thuis haar opdrachtgevers ontving ontbeerde.

Autumn was afhankelijk van grote huwelijken, zoals die van de Savages, om in de magere tijden te kunnen overleven. Om haar bedrijf voort te kunnen zetten, om te kunnen eten en gas, water en licht te kunnen betalen. Ze gaf het niet graag toe, maar het geld dat ze elke maand van Sam kreeg was meer dan genoeg. Maar Conner en zij deden zuinig aan en zo spaarde ze het allemaal op. Het liefste wilde ze het hem op een dag voor de voeten smijten, maar ze wilde ook niet de martelaar uithangen, en een kind opvoeden was niet goedkoop. Daarom spaarde ze voor Conners vervolgopleiding, al had Sam daar ook wat voor apart gezet.

Het bedrag dat Sam betaalde voor zijn kind was belachelijk hoog, maar het leek wel of zij de enige was die er zo over dacht. Haar eigen advocaat, Sams advocaat en Sam zelf vonden geen van allen dat hij minder moest betalen. En dat, vond ze, gaf aan hoeveel die man per jaar verdiende. Ze had nog niet eens de helft van het geld nodig, dus had ze heel veel kunnen sparen en kon ze, toen ze haar huis kocht, het bedrag zo op tafel leggen. Het huis was vijfendertig jaar oud, maar het was haar eigendom. En zo zouden zij en Conner nooit dakloos raken. Ook hoefden ze niet van het ene adres naar het andere te verhuizen, of te onderhandelen met vervelende huisbazen, en konden ze niet uit hun huis gezet worden, zoals haar en haar moeder en broer was overkomen toen ze nog klein waren. Altijd van de ene plaats naar de andere verhuizen om het incassobureau een stap voor te zijn.

Maar Autumn had één zwakke plek, en dat was reizen. Elk jaar nam ze Conner mee op een geweldige vakantiereis. Meestal was dat in januari, omdat in die maand van oudsher weinig huwelijken plaatsvonden. Maar nu Conner op school zat, konden ze die maand alleen een minivakantie nemen en moest ze wachten tot de voorjaarsvakantie voor een lange trip naar St. Barts of...

'Hé, Autumn.' Shiloh, vijfentwintig jaar oud en onmisbaar, stak haar hoofd om de deur. 'Ik heb Tasty Cakes gesproken, en zij willen graag de taart maken voor de gouden bruiloft van de Kramers voor duizend dollar, als we hen ook vragen voor het verjaardagsfeestje van Peterson.'

'Mooi zo.' Het vijftigjarig huwelijk van het echtpaar Kramer stond gepland voor de tweede week van november. Er waren driehonderd familieleden voor uitgenodigd, en er zou een taart komen van vijf verdiepingen. 'Dan kunnen we betere wijn inkopen.' Ze keek op haar horloge. Halfacht. Zelden had ze vrij op de avonden in het weekend. 'Ga jij niet iets leuks doen vanavond?'

Shiloh trok een van haar donkere wenkbrauwen ver omhoog. 'Jij niet?'

Autumn moest lachen. 'Absoluut. Met iemand van vijf.'

Shiloh leunde met haar schouder tegen de deurpost. 'Vanavond niet.'

Dat was waar; vanavond keek Conner naar zijn vader die aan het ijshockeyen was en mensen op hun hoofd sloeg. Sam had zich echt aan zijn afspraak gehouden. Maar dat zou natuurlijk niet lang duren. 'Ik heb geen afspraakje voor vanavond.'

'Dat komt door je afweer.'

'Waar heb je het over?'

'Je antimannenspray.'

Ze knipperde met haar ogen. 'Mijn wat?'

Shilohs mond viel open. 'Ik dacht dat je dat wel wist. Ik dacht dat je het expres deed.'

'Wat expres deed?'

'Die afweer van jou tegen mannen. Om ervoor te zorgen dat ze wegblijven. Als ik en mijn vriendinnen op stap gaan en we willen niet worden lastiggevallen, dan stralen wij dat ook uit.'

'Heb ik zo'n uitstraling?' Geschrokken hield ze haar hand voor haar mond.

Shiloh schudde haar hoofd, het licht fonkelde in de haarband met glitters die ze droeg. 'Nee! Sorry.' Ze kwam dichterbij. 'Laat maar zitten. Vergeet wat ik zei.'

'Je had net zo goed kunnen zeggen dat ik eruitzie als een grizzlybeer...'

'Maar je ziet er niet uit als een grizzlybeer. Jij bent heel mooi en je lichaam is helemaal te gek – en dat bedoel ik niet op een lesbische manier, hoor.' Shiloh haalde even diep adem. 'Daarom dacht ik dat je je antimannenspray gebruikte. Om ze weg te jagen. Dat doen we allemaal wel eens.'

Joeg zij mannen weg? Echt waar? Sinds wanneer? Zij dacht dat ze geen afspraakjes meer had omdat ze dat zelf wilde. Niet omdat ze uitstraalde dat ze geen man wilde. Maar nu ze erover nadacht, was het al heel lang geleden dat iemand haar mee uit had gevraagd.

'Het spijt me écht, Autumn. Ben je boos?'

'Nee.' Ze was niet kwaad. Alleen een beetje geschrokken, maar vooral erg in de war. Ze kon zich niet meer herinneren wanneer een man voor het laatst met haar had geflirt.

Shiloh glimlachte voorzichtig en probeerde toen overduidelijk het gesprek over een andere boeg te gooien. 'Dus, eh, wat is je broer van plan, vanavond?'

Autumn pakte een lege map en knipte hem open. 'Van alles.' Ze zou aan Vince moeten vragen of ze mannen afschrikte. Hij zou haar de waarheid wel vertellen, dacht ze. 'Hoezo?'

'Misschien kan ik hem eens bellen.'

'Je weet dat hij een player is?' Ze reikte in haar la en haalde er wat papieren uit tevoorschijn. Ze keek op, naar Shiloh, en voegde eraan toe: 'Toch?'

‘Tuurlijk.’ Shiloh haalde haar schouders op. ‘Ik wil niet met hem trouwen. Alleen maar een hapje eten.’

Ja, ja. Vince en een hapje eten. ‘Shi–’ Ze moest haar assistente waarschuwen. Ze was dol op Shiloh en Vince was niet de persoon om een relatie mee te beginnen. Hij moest nog met zichzelf in het reine komen.

‘Ja?’

Shiloh was een leuk mens en Autumn wilde haar assistente niet kwijt, ook al dacht ze dat zij antimannenspray gebruikte. Maar ja, wat had Shiloh nou aan haar advies? ‘Laat maar. Veel plezier vanavond.’

‘Tot maandag,’ riep Shiloh over haar schouder terwijl ze het kantoor snel verliet.

‘Doe de deur alsjeblieft op slot.’ Ze stak een visitekaartje in het daarvoor bestemde venstertje van de map, stopte het papier in de map en deed de ringband dicht. Ze was al heel lang niet uit geweest. Ze dacht dat het kwam omdat ze het zo druk had. Dat ze er nog niet aan toe was. Dat het haar eigen keuze was. Was er soms meer aan de hand? Straalde ze inderdaad iets uit?

Nee. Ja. Misschien. Ze stak haar hand weer in de la en haalde er een afstandsbediening uit. *Jezus, ik weet het niet.* Ze knipte de televisie aan en ging de kanalen langs tot ze de wedstrijd van de Chinooks vond. Ze keek er even naar, in de hoop dat ze Conners gezicht zou zien in het publiek. Ze was een alleenstaande moeder. Een kleine zelfstandige. Een heel drukke vrouw. Veel te druk om een relatie te beginnen, maar dat betekende nog niet dat ze mannen wilde afschrikken.

‘De puck wordt naar voren gebracht door LeClaire, die nu Holstrom wil passeren,’ klonk het commentaar op de tv, en daarna klonk de fluit. ‘Vijf minuten en vijftien seconden over in de tweede periode en er wordt gefloten voor een icing.’ De camera zoomde in op Sams shirt. Daarop stond een *chinook*, een zalm, die met zijn staart de puck weg zwiepte. Vervolgens ging de cameralens omhoog, naar Sams gezicht onder de witte helm. Zijn blauwe ogen staarden naar het scorebord. De Dallas Stars stonden een goal voor. De commentator ging verder: 'Deze man is een van de belangrijkste verdedigers die de Chinooks de Cup hebben laten winnen. Hij blijft een van de stevigste mannen op het ijs, die tegenstanders het meeste angst inboezemt.'

Een tweede sportcommentator begon te lachen. 'Als je LeClaire ziet aankomen, kun je maar beter maken dat je wegkomt. Nu zijn team een punt achterstaat, staat hij te popelen om iemand wat aan te doen.'

Sam schaatste naar de cirkel ter linkerzijde van zijn eigen goal. Hij legde zijn stick op het ijs en wachtte geconcentreerd, met zijn staalblauwe blik op de tegenstander tegenover hem. De puck viel en hij vocht om deze te pakken te krijgen. Hij schoot de puck naar voren, maar daar werd hij gestopt door een speler van Dallas die zo moedig was langs de boarding naar de goal van de Chinooks te schaatsen. Door de 'aanranding' die hem te beurt viel dankzij Sams optreden, werd hij van het ijs getild en schudde het plexiglas boven de boarding. Daarna werd Sam geramd door een Dallas Star, waarbij hij zich omdraaide om een klap uit te delen. Spelers van beide teams sprongen erbovenop, maar Autumn kon niet zeggen of ze elkaar sloegen of alleen maar tegenhielden. Er werden handschoenen en sticks op het ijs gesmeten, totdat uiteindelijk twee scheidsrechters op hun fluitjes bliezen en zich in de scrum begaven. Sam wees naar links en ging in discussie met een van de scheidsrechters, maar uiteindelijk trok hij zijn shirt recht, raapte zijn handschoenen en stick op en begaf zich naar de strafbank. Hij had zijn ogen tot spleetjes geknepen, maar om een mondhoek krulde een glimlachje. Veel spijt had hij dus niet.

Natuurlijk niet, Sam had nooit ergens spijt van.

Ze wist nog precies wanneer ze voor het eerst in zijn blauwe ogen had gekeken. Toen was ze nog zo ontzettend naïef, en hij ongelooflijk knap. Ze was in haar eentje op vakantie in Vegas. Moederziel alleen in Sin City. Voor een meisje uit een provinciestadje was alles in Vegas vreemd en nieuw, anders dan ze ooit had meegemaakt. Als ze niet alleen was gegaan, was ze misschien niet zo ontvankelijk geweest voor Sams charmes.

En was ze misschien wel direct naar huis gevlogen – als ze niet vooruit had betaald voor de vakantieweek in Caesars Palace – na één blik in die mooie ogen. Als haar moeder haar niet voortdurend had gewaarschuwd voor het decadente Vegas, was ze wellicht niet zo nieuwsgierig geweest om het zelf eens te gaan bekijken.

Ze had de twee jaren daarvoor gezorgd voor haar zieke moeder, en na haar dood haar nalatenschap geregeld. Daarom was ze toe aan vakantie. Een vakantie om even aan het leven van alledag te ontsnappen. Ze had een lijstje gemaakt van de dingen die ze in Vegas wilde doen en ze zou er alles aan doen om dubbel en dwars te genieten van haar geld.

Op de eerste dag had ze heen en weer gelopen op de Strip, kijkend naar alle mensen, en kaartjes verzameld van alle stripclubs en hoerententen. Ze had de etalages bekeken van Fendi, Versace en Louis Vuitton. Een kralenarmbandje gekocht bij een straatventer en een paar keer op een gokkast gespeeld bij Harrah's, omdat ze had gelezen dat de countryzanger Toby Keith daar op dat moment verbleef. Maar toen ze twintig dollar had verloren, was ze weggegaan. Ook tijdens haar vakantie was ze zuinig met geld.

Daarna was ze bij het hotelzwembad gaan liggen en 's avonds was ze, in een wit jurkje dat ze had gekocht bij Walmart, naar Pure gegaan, de nachtclub in Caesars. Ze had in de roddelbladen gelezen dat er veel beroemdheden kwamen.

Maar toen ze binnenkwam, gebeurde er nog niet veel in Pure. Ze zat zich een hele tijd in het strak witte interieur met de gekleurde lichten af te vragen: is dit het nou? Is dit nu waar iedereen het de hele tijd over heeft? Gelukkig werd het tegen elven al drukker en rond middernacht stond ze lekker te dansen. Rond enen was het op de dansvloer een drukte van belang, en ze stond zich op het midden uit te leven op Jack Johnson, te genieten van het leven, en ze had het beter naar haar zin dan in tijden het geval was geweest.

Te midden van al die warme lijven, verhit door het dansen en de tequila, voelde ze ineens twee grote handen om haar middel. Eerst schonk ze er geen aandacht aan. Het was druk op de dansvloer en mensen botsten voortdurend tegen elkaar op. Ze dacht dat het een ongelukje was. Maar toen haar benevelde brein besefte dat het anders lag, stootte ze haar elleboog naar achteren, en raakte een sterke spiermassa. Daarboven bevond zich een paar blauwe ogen en een gezicht waarvan ze steil achteroversloeg. Door zijn lichte haar speelde geel licht, waardoor hij wel een vergulde klassieke godheid leek.

Hij glimlachte niet, zei niet eens 'hallo'. Hij keek alleen maar, met zijn handen op haar heupen, zonder dat hij zich verontschuldigde voor het feit dat hij haar vasthield. Over zijn gezicht gingen blauwe en groene lichtflitsen en hij straalde een en al seks uit. Hij hield haar blik vast met de zijne en ze wist direct dat ze in de problemen zou komen. Dat kwam doordat haar binnenste een koprol maakte en door het feit dat haar adem in haar keel bleef steken. Ze kreeg de neiging om hard weg te rennen.

Maar dat deed ze niet. Ze bleef gewoon staan, terwijl het pulserende ritme van de muziek door haar hele lijf ging, starend in die betoverende blauwe ogen. Alsof ze in een of andere bizarre trance was. Of misschien had ze toch meer tequila gedronken dan ze dacht.

Hij bracht zijn gezicht wat dichter bij het hare en vroeg: 'Ben je bang van me?' Zijn diepe stem vibreerde tegen haar hals en de haartjes in haar nek gingen loodrecht overeind staan.

Was ze bang?

Nee, maar dat zou ze wel moeten zijn. Misschien lag het aan

Las Vegas, aan de alcohol, of aan hem. Of misschien wel aan alle drie. Ze schudde haar hoofd en keek hem recht in de ogen. Op zijn gezicht verscheen een glimlach, vol zelfvertrouwen.

'Mooi zo.' Hij pakte haar hand beet en legde deze op zijn schouder, waarna hij beide handen weer in haar taille plaatste. 'Heel mooi zelfs.'

Voor iemand die zo groot was als hij, kon hij goed dansen. Hij danste losjes en makkelijk. Hij trok haar dichter naar zich toe, tot haar jurkje bijna zijn blauwe T-shirt raakte. Bijna. Ze kon de warmte voelen die hij uitstraalde en rook de zeep die hij had gebruikt en het bier dat hij had gedronken. Hij bewoog zijn heupen gelijktijdig met de hare, waarbij hij zijn knie plaatste in de ruimte tussen haar benen. Haar handen gleden over zijn strakke schouders naar zijn gespierde nek. Nee, dit kon niet. Dit soort dingen overkwamen haar niet. Niet met zo'n bonzend hart of dat gevoel in haar onderbuik. Dit gebeurde gewoon niet. Deze man was niet echt. Hij stond in elk geval niet op het lijstje van dingen die ze deze vakantie nog wilde doen.

Hij boog zich weer over haar heen, terwijl zijn lichaam zich gelijktijdig met het hare bewoog en zijn heupen flirtten met de hare zonder ze echt aan te raken. 'Ik zag je van een afstandje,' zei hij met zijn mond vlak bij haar oor. 'Je beweegt je echt te gek.'

Ze vond dat hij ook te gek bewoog. Mannen die zich op deze manier op de dansvloer bewogen, moesten verstand hebben van het liefdesspel. Autumn was zeker geen maagd meer. Ze had wel wat vriendjes gehad. En sommigen waren best aardig in bed, maar bij deze vent voelde ze dat hij écht verstand van zaken had. Zaken die je pas leerde met veel ervaring en oefening. Zaken waarvan de aangename warmte in haar onderbuik bijna ondraaglijk werd.

'Dans jij professioneel?'

Ze was bijna beledigd, maar ja, dit was Vegas. 'Je bedoelt als stripper?'

'Ja.'

'Nee. En jij?'

Hij lachte. Ze voelde het in haar hals. 'Nee, maar als het wel zo was geweest, had ik je een gratis lapdance gegeven.'

'Jammer, ik heb nog nooit een lapdance gehad.' Ze bedacht dat hij waarschijnlijk niet hetzelfde kon zeggen.

'Ik heb het nog nooit gedaan, maar voor jou zou ik het meteen willen proberen.'

Terwijl ze hem iets van zich af duwde om hem diep in de ogen te kunnen zien, streek hij met zijn lippen langs haar wang en mond. De adem stokte haar in de keel.

'Maar niet hier,' zei hij. 'Kom mee.'

Ze kende hem niet, wist niet eens hoe hij heette, maar ze wilde wel met hem mee. Ze wilde hem leren kennen. Wilde met hem wel overal mee naartoe.

Terwijl ze zou moeten wegrennen.

En dit keer luisterde ze naar zichzelf. Ze deed een stap naar achteren, en hij liet zijn armen zakken. Toen trok hij een wenkbrauw op en ze draaide zich, voordat ze helemaal verloren was, snel om. Hij pakte haar beet. Ze voelde zijn hand op haar arm, maar ze liep door. Zette de ene voet voor de andere, helemaal naar de zesde verdieping. Daar draaide ze haar kamerdeur achter zich op slot. Ze wist niet zeker of dat was om haarzelf binnen te houden of hem buiten.

Dit soort dingen overkwamen haar nooit. Ze had nog nooit eerder zo gedanst met vreemde mannen. En al helemaal niet naar zijn mond gekeken en zich afgevraagd hoe het was om met hem te zoenen.

Haar moeder had gelijk. Las Vegas was een decadente, moreel verwerpelijke plek, en ze had naar haar moeten luisteren. Alles was nep hier. Het kanaal in het Venetian Hotel, de vulkaan in het Mirage, zelfs de mensen in Pure. Knappe mannen keken niet naar Autumn Haven alsof zij de mooiste vrouw was in een nachtclub vol mooie vrouwen. En zijzelf fantaseerde niet over seks met mannen die ze niet kende. Zelfs niet als ze er zo uitzagen als die vent in Pure.

Ze pakte meteen haar koffers in. Maar toen ze de volgende ochtend wakker werd en ze er een nachtje over had kunnen slapen, vond ze dat ze te hard van stapel liep. Ze had gewoon te veel gedronken en kon alles niet meer helder zien. Haar herinneringen aan de avond ervoor waren niet helemaal helder meer en ze wist bijna zeker dat ze echt niet had overwogen zomaar met een wildvreemde vent mee te gaan. Ze had vast te veel gezocht achter zijn warme handen op haar heupen en hij was in werkelijkheid echt niet zo knap als ze met een slok op had gedacht. Trouwens, al wás het allemaal waar, de kans dat zoiets nog een keer zou gebeuren, was net zo groot als de kans dat ze hem nog een keer tegen het lijf zou lopen in dit oord.

Die ochtend bracht ze op haar kamer door, om te herstellen van de milde kater die ze had opgelopen. Na de lunch trok ze de zwarte bikini met goudkleurige hartjes aan waarop ze zichzelf de dag ervoor had getrakteerd in een naburig winkelcentrum. Daarna smeerde ze zichzelf in met factor 40, stak de fles met zonnebrand in een tas, samen met wat tijdschriften, en ging op weg naar het zwembad.

Uit de brochure van het hotel wist ze dat het zwembad een idiote naam had: Zwemparadijs van de goden. Dat was een redelijk goede beschrijving voor het complex met de vele baden, zuilen, amforen, rijen palmen en standbeelden. Eigenlijk had Caesars in de brochure nog het woord 'decadent' moeten toevoegen. Decadent zwemparadijs voor de goden.

Tegen de tijd dat ze bij het zwembad was, was het al iets na enen en liep het tegen de veertig graden. De zon scheen onverbiddelijk op haar hoofd en ze zette een grote strooien hoed op. Ze vond een lege witte ligstoel in een hoekje onder wat palmbomen. Aangezien ze rood haar had, kon ze niet te lang in de volle zon zitten, anders kreeg ze enorm veel sproeten of ze verbrandde levend. Beide opties spraken haar niet aan.

Een *cabana boy* kwam haar bestelling opnemen en bracht haar een glas ijsthee. Zonder alcohol. Met haar hoed diep over haar ogen getrokken leunde ze achterover met de *Cosmo*, en al snel was ze verdiept in een artikel over dé erogene zone bij de man. Volgens het artikel was dat een plek vlak onder de eikel, genaamd frenulum. Autumn had er nog nooit van gehoord en bracht het blad iets dichter bij haar gezicht om het tekeningetje beter te kunnen zien.

'Daar ben je, Assepoester.'

Ze sloeg haar tijdschrift dicht en tuurde onder haar hoed door omhoog. Daar keek ze in een zonnebril waarachter, zo wist ze, een paar mooie blauwe ogen schuilging. Hij was zelfs nog groter en knapper bij daglicht. Hij droeg een grijze Quicksilver-surfbroek met een wit hemd erboven.

'Wat lees je daar?'

'Make-uptips.' Ze probeerde zo koeltjes mogelijk de *Cosmo* terug te stoppen in haar tas. Alsof ze niet verdiept was geweest in een artikel over penissen en dagelijks werd aangesproken door zulke knappe mannen. 'Hoe wist je dat ik hier was?'

Grinnikend ging hij op de ligstoel naast haar zitten. 'Ik heb een beetje naar je gezocht.'

'Hoezo?'

Hij stak zijn hand in zijn broekzak en haalde daar het kralenarmbandje uit tevoorschijn dat ze gisteren had gekocht. 'Dit ben je verloren.'

Dit was Vegas. Niets hier was echt. Deze knappe man, die naar haar op zoek was gegaan vanwege een goedkoop armbandje, was zeker niet echt. Ze stak haar hand uit en hij liet het armbandje in haar handpalm vallen. Zijn lichaamswarmte straalde er nog vanaf. 'Dank je.'

'Ik was nogal dronken, gisteravond.' Hij keek fronsend wat om zich heen. 'Heb ik iets gedaan waarvoor ik mijn verontschuldigingen moet aanbieden?'

'Nee.'

'Jammer. Ik hoopte een beetje dat we ondeugend waren geweest.' Hij keek weer naar haar. 'Waarom lig je hier, helemaal verstopt in een hoekje?'

'Ik verstop me niet. Ik wil alleen uit de zon blijven.'

'Kater?'

Ze schudde haar hoofd. 'Ik verbrand snel.'

Hij schonk haar de lome glimlach die ze herkende van de vorige avond. De glimlach waarvan ze dacht dat ze die gedroomd had. 'Ik wil je rug wel insmeren.'

Ze bracht haar hand naar de rand van haar zonnehoed en hield haar hoofd schuin om hem goed aan te kunnen kijken. Er was maar één ding dat ze kon doen. Hard weglopen, voordat ze in de problemen raakte.

Hij stak beide handen op, alsof hij zijn onschuld wilde bewijzen. 'Maar ik zal je nergens aanraken waar dat niet mag, hoor.' Daar trapte ze niet in.

Toch wilde ze niet weglopen. Ze had vakantie. Op vakantie mocht alles. En al helemaal in Vegas. Was dat geen slogan hier? Alles wat gebeurde in Vegas, bleef in Vegas? 'Sorry, ik heb mezelf al ingesmeerd.'

'Ik nog niet.' Hij keek omhoog naar de brandende zon en kromp ineen. 'Ik hoor het bijna sissen op mijn huid.'

Ze wees naar de palmbomen. 'Hier in de schaduw?'

'Ik heb een heel gevoelige huid.'

'Ja, vast.' Ze reikte in haar tas en haalde de fles zonnebrand tevoorschijn. 'Het is factor 40 en...' Maar hij had zijn hemd al uitgetrokken en toen viel ze bijna van haar stoel. Jezus! Wat een enorme spierbonk was hij: met stevige borstspieren, brede schouders en een sixpack om te zoenen. Zoiets had ze nog nooit gezien. Tenminste, niet van zo dichtbij. Dat ze hem écht kon zoenen. Maar dit was de eerste en vast meteen ook de laatste keer. Waar kwam zo iemand vandaan? En wat deed hij voor de kost? Sloopwerkzaamheden of zo, met zijn blote handen? 'Hoe heet je eigenlijk?'

'Sam.'

Hij zag er ook uit als een Sam. 'Autumn,' zei ze en ze zwaaide haar benen over de rand van de ligstoel. 'Autumn Haven.'

Hij grinnikte. 'Heet je echt zo? Of hou je me voor de gek?'

'Ik hou je niet voor de gek.' Ze had altijd al een hekel aan haar naam gehad. 'Ik weet het, ik had net zo goed Huize Avondrood kunnen heten, of...' Ze hield haar blik angstvallig op zijn gezicht gericht, anders zou ze gaan kwijlen vanwege zijn lijf. Bovendien was het ook geen straf om langdurig naar zijn gezicht te kijken. 'Alsjeblieft.' Ze gaf hem de fles.

Maar in plaats van de fles aan te nemen, ging hij languit in de stoel liggen. 'Je naam klinkt niet als een bejaardentehuis, hoor. Meer als een exotische vakantiebestemming.'

Vanaf het midden van zijn sixpack liep een gouden streepje, zijn zogenaamde 'klimopje', via zijn navel naar zijn broekband. Waar het verdween naar zijn éigen exotische bestemming. Godallejezus. Ze wilde iets gevats zeggen. Iets slims en toch sexy, maar ze kon niets bedenken. Niet nu ze al het bloed uit haar gezicht voelde wegtrekken.

'Zo'n all inclusive paradijselijk oord,' voegde hij eraan toe. 'Waar ze je eindeloze fun beloven, en buffetten waar je onbeperkt mag opscheppen.'

Autumn moest een besluit nemen. Ze kon wegrennen. Voor de tweede keer. Wegwezen van deze eindeloze fun en onbeperkt buffet.

Ze stond op, keek neer op de warme hap op de ligstoel naast haar en klikte de dop van de fles met factor 40 open.

6

De man van mijn dromen…

past bij mijn levensstijl

Sam liet de motor van zijn truck draaien en kreunde onder het gewicht van zijn zoon toen hij deze uit zijn stoel tilde. Onder de ijszak die om zijn middel zat gebonden, protesteerden de spieren in zijn onderrug, na de klap van Modano die hij in de derde periode kreeg. Hij leunde een beetje naar links en droeg zijn zoon de trap op; het geluid van zijn voetstappen weerkaatste tegen de betonnen treden. Hij werd oud. Zijn lijf kon niet meer zo goed tegen de fysieke stress als tien jaar geleden.

Hij drukte op de deurbel in het zwakke schijnsel van de buitenlamp. Hij voelde de kille avondlucht door zijn witte T-shirt en de grijze trui die hij eroverheen droeg. Hij had Natalie gevraagd om tegen Autumn te zeggen dat Conner na afloop van de wedstrijd nog even kennis zou maken met zijn teamgenoten. Hij vroeg zich af of ze wel gezegd had dat Sam hem thuis zou brengen.

De deur zwaaide open en daar stond Autumn in het zachte licht. Ze droeg een geel pyjamashirt met de afbeelding van een teckel erop, een geel met witte pyjamabroek en witte sloffen, ook met een teckel erop. Haar donkerrode haar glansde vurig in het licht van de luchter die in haar hal hing, al keek ze zelf niet bepaald vurig toen ze hem zag. Niet zoals de vorige keer in elk geval.

'Zo'n tien minuten geleden viel hij in slaap.'

Autumn deed de deur verder open en liet hen binnen. Hij volgde haar de trap op en door een gang die vol hing met ingelijste foto's. Het huis ademde een huiselijke sfeer uit. Eentje van zelfgebakken appeltaart, boenwas en veren kussens. Het was niet het soort huis dat hij bij haar verwacht had. Maar het was geen slecht huis. Het leek wel wat op het huis waarin hij was opgegroeid, al mocht ze er wel het een en ander aan opknappen.

Ze waren bij Conners slaapkamer, die versierd was met allerlei tekenfilmfiguren. Zijn spieren protesteerden toen hij zijn zoon op het bed met het Barney-dekbed legde. Conner had toch een hekel aan Barney?

Sam ging voorzichtig weer rechtop staan en Autumn deed de rest. Ze ritste Conners jackje open en heel even opende hij zijn ogen. 'Ik heb zo'n grote hand om mee te zwaaien,' zei hij.

Haar snelle handen hielpen hem rechtop zitten, zodat ze het jackje uit kon doen. 'Heb je het naar je zin gehad, Nugget?'

Hij knikte gapend.

Sam liep vast naar de deuropening en keek toe terwijl Autumn voorzichtig Conners armen door het Chinooks-shirt stak. Het was wel een paar jaar geleden dat hij moeder en zoon zo samen had gezien. Hij wist niet dat Autumn zo... zo zacht kon zijn.

'Papa heeft me een mopje geleerd.'

Vlug keek ze achterom, met wijd open ogen.

Sam stak verontschuldigend zijn armen omhoog. 'Een klopklopmop.'

'Heel grappig,' lachte Conner, nog slaperig. 'Klop-klop.'

Autumn ging verder met het uitkleden van Conner. 'Wie is daar?'

Conner wachtte tot het shirt over zijn hoofd was getrokken, toen zei hij: 'Nintendo.'

'Nintendo Wie?'

'Nintendo... Nintendo...' Hij ging weer liggen, terwijl Autumn aan het voeteneind zijn schoenen losknoopte. 'Ben het vergeten.'

'Nintendo Wii,' zei Sam zacht.

Autumn wierp een blik over haar schouder. Er verscheen een glimlach om haar mond en ze rolde met haar groene ogen, alsof ze dit soort dingen dagelijks meemaakte. 'Klopt. Hij is echt grappig.' Ze trok zijn schoenen en zijn sokken uit en liet ze op de vloer vallen. 'Fie-ieuw!' Ze wapperde met haar handen voor haar neus. 'De ergste stinkvoeten van de hele wereld!'

'Dat zeg je altijd, mam.'

Conner en Autumn hadden een heel ritueel, een heel leven waar hij geen weet van had. Dat had hij natuurlijk altijd geweten, maar nu hij het zo zag voelde hij zich wat ongemakkelijk. Al kon hij niet uitleggen waarom.

Hij liep verder de gang in. 'Ik ga die hand even halen.'

'En mijn puck, papa.'

Sam keek naar zijn slaperige zoon en knikte. 'Oké.' Hij liep weer door de gang, vol foto's van Conner en Autumn en die idioot, Vince. Zijn rug deed verschrikkelijk pijn toen hij de trap af liep. Als hij thuis was zou hij er een zak diepvrieserwten tegenaan leggen. Die waren het beste van allemaal. Ze pasten geweldig op zijn rug, of tegen zijn knie of schouder, en als ze diep bevroren waren, masseerden die ijskoude ronde erwtjes zijn pijnlijke spieren perfect.

De motor van zijn Ford F-250 draaide nog steeds. Hij dacht er even over na hem uit te zetten, maar hij verwachtte niet dat hij nog heel lang zou blijven. Daarbij had je zo'n F-250 niet als je benauwd was om het milieu. Hij reed erin omdat hij het zich kon veroorloven en omdat de truck zoveel kon vervoeren. Niet dat hij er ooit meer in vervoerde dan zijn sporttas. Toch was het goed te weten dat het mogelijk was twaalfhonderd kilo mee te nemen.

Hij liep naar de bijrijdersstoel en vond daar Conners schuimrubberen hand en de puck die hij had gekregen van teamgenoot Johan, toen hij met Natalie moest wachten tot Sam klaar was met de pers. Conner was meteen helemaal weg geweest van de puck; alsof hij van goud was. Als hij had geweten dat zijn jongen daar zo op zou reageren, had hij hem er al jaren geleden eentje gegeven.

Hij deed de deur weer dicht en liep terug naar het huis. Dat had je kunnen weten. Je bent zijn vader. Zijn geweten was de laatste tijd behoorlijk actief, iets wat hem goed dwarszat. Hij voelde zich niet graag schuldig over iets. Doordat hij Autumn weer zag, was er binnen in hem iets ontketend. En nu hij wist dat zijn zoon moest leven in een oude drive-inwoning in Kirkland, terwijl hij in een loftappartement van vijf miljoen dollar in het hartje van Seattle woonde, voelde hij zich bepaald niet beter.

De voordeur van het oude huis piepte toen hij hem opendeed. Ze kon zich toch wel iets beters veroorloven. Hij betaalde haar genoeg alimentatie om ervoor te zorgen dat het zijn zoon aan niets ontbrak. Hij betaalde genoeg om ervoor te zorgen dat hij zich niet schuldig hoefde te voelen.

Hij liep weer de trap op en keek eens rond in de woonkamer. Het stond vol eikenhouten meubilair, met een tweezitter en fauteuil bekleed met afwasbare stof; lekker praktisch. Het hele huis stond vol met eigengemaakte snuisterijen en projectjes van Conner. Foto's van hem, in alle leeftijden en alle fasen van zijn leven, hingen aan de muren. Hij had ook foto's van Conner, maar niet zoveel als hier.

Zijn mobiele telefoon ging en hij haalde hem tevoorschijn. Het was Veronica, zag hij in het scherm. Hij stuurde haar door naar zijn voicemail. Hij was moe en had geen zin in haar verhalen over Milaan of Parijs of waar ze ook was. En mocht ze in Seattle zijn, dan had hij ook geen zin in haar. Soms wilde hij gewoon liever alleen slapen. En vannacht was dat het geval.

Hij legde de grote schuimrubberen hand en de puck op de salontafel en liep naar de schouw. Achter een foto van Conner en Vince stond een foto van Autumn die ergens in een parkje op een schommel zat, met Conner grijnzend op haar schoot. Hij was daar nog geen jaar oud, en zijn moeder zag er ook jong uit. Misschien kwam het door de glimlach op haar gezicht. Hij had haar in geen tijden zien glimlachen. Wel vijf jaar. Hij zette de foto weer terug en deed een pas naar achteren om een groepje foto's te bestuderen dat boven de schouw hing. Elke foto had een zwarte passe-partout en ze leken hetzelfde thema te hebben: Halloween.

Conner als driejarige, verkleed als muis met naast hem Autumn als kat. Niet een of andere sexy poes, nee: gewoon een zwarte kat. Op een andere foto droeg Conner een koeienpakje en was Autumn de melkmeid. En al weer was ze gewoon een melkmeid. Toen Conner nog een baby'tje was had Autumn hem als aapje aangekleed en droeg ze zelf een bananenpak. Bij elk Halloweenfeestje dat Sam had meegemaakt, hadden de aanwezige vrouwen zich op hun voordeligst laten zien: een sexy Sneeuwwitje, een geile politieagente, een rondborstig duiveltje. Zijn ervaring was dat het met Halloween ging om de seks die je uitstraalde.

'Hij ligt alweer te slapen,' kondigde Autumn aan terwijl ze de woonkamer binnenkwam. Hij keek over zijn schouder en wees naar de foto's. 'Hoe gaat Conner dit jaar verkleed met Halloween?'

'Hij weet het nog niet. Laatst zei hij vampier, maar ik weet zeker dat hij nog twintig andere dingen bedenkt voordat het de eenendertigste oktober is.'

'Ik denk dat ik dit keer wel in Seattle ben.' Dat was niet altijd het geval en daarom kon hij nooit bij Conner zijn op die feestdag. Hij wist bijna zeker dat hij in Toronto was op de dertigste, maar de dag erna weer terug was. Hij herinnerde zich iets wat Logan had geroepen, over een bar in het centrum die bekendstond om de geweldige kostuums. Een paar jaar ervoor was hij gevraagd ergens te jureren, en hij moest weer denken aan een zekere Alice in Wonderland, die haar slipje was kwijtgeraakt. Om de een of andere reden die hij niet begreep maar desalniettemin wel waardeerde, kregen vrouwen die normaal gesproken heel gereserveerd waren, met Halloween iets uitdagends of ronduit hoerigs over zich.

Heerlijk.

'Ik heb Conners spulletjes daar neergelegd,' zei hij, wijzend naar de tafel. 'Ik geloof dat hij het wel leuk heeft gehad.'

'Ik geloof het ook.' Ze bracht haar handen omhoog en manoeuvreerde haar haren in een of andere losse wrong achter op haar hoofd die meteen weer uit elkaar viel. 'Hij zal wel tot twaalf uur slapen.'

Autumn was niet uitgesproken sexy. Helemaal niet in wat ze nu droeg of op de manier waarop ze nu stond. Zelfs niet nu haar shirt zich zo over haar borsten spande, dat de teckel nog langer leek en zijn achterste meer omhoogstak, terwijl de kop zich vlak onder haar rechterborst bevond. Met haar hondenshirt en hondensloffen zag ze er vooral uit als een moeder en Sam had zich nooit aangetrokken gevoeld tot moeders. Moeders hadden iets extra's, en dat bedoelde hij niet positief. Hij wist goed wat deze moeder voor extra's had. Dat ze, wanneer ze met haar vriendinnen was, zou spreken over 'die klootzak', waarmee ze hem bedoelde. Toch kon hij niet ophouden met fantaseren of ze het nog steeds zo lekker vond als hij haar kuste in het kuiltje in haar nek, precies daar waar de rand van haar shirt haar nek raakte. 'Het verbaast me wel dat je in zo'n huis woont,' zei hij, om zijn eigen gedachten af te leiden. Snel wegwezen, voordat hij zijn fantasie zou uitleven. En haar zou bedelven onder de kussen, in de richting van haar decolleté.

Autumn vouwde haar armen over elkaar. 'Wat is er mis met mijn huis?'

Een heleboel. Om te beginnen die oude vloerbedekking, die al tien jaar uit de mode was. En dan dat vreselijke behang. Hij zag dat ze haar ogen toekneep, alsof ze zich aan het opwinden was. Hij had geen zin in ruzie, dus zei hij: 'Niets. Het kan alleen wel een opknapbeurt gebruiken en ik had achter jou nooit een doe-het-zelver gezocht.'

'Dat komt dan omdat je mij helemaal niet goed kent.'

Daar kon hij tegen inbrengen dat hij wist dat ze een moedervlekje op haar bil had in de vorm van de staat Oklahoma, maar hij wist vrijwel zeker dat ze dát juist niet bedoelde. 'Ben je dan handig met een hamer en een zaag?'

Ze ontspande een beetje en liet haar armen zakken. 'Nee.' Ze schudde haar hoofd en haar rode krullen vielen weer op haar schouders. 'Ik kan wel overweg met een lijmpistool en ben verschrikkelijk goed in tafelschikkingen.' Ze liet haar blik door haar woonkamer dwalen en zuchtte. 'Toen ik dit huis kocht, had ik bedacht dat ik het nu wel zo'n beetje gerenoveerd zou hebben, maar ik heb er gewoon geen tijd voor gehad.'

Hij stelde haar een vraag die wat hem betreft nogal voor de hand lag. 'Waarom koop je dan geen huis dat je niet hoeft te renoveren?'

Ze schokschouderde. 'Om een boel redenen. Een daarvan is dat ik een fijne plek zocht waar Conner veilig kan buiten spelen.' Ze liep naar de keuken en gebaarde dat hij haar moest volgen. 'Ik zal je laten zien waarom ik op dit huis viel.'

Hij liep langs de eethoek, waar een vaasje rozen op tafel stond. De keuken was verrassend modern ingericht, zonder snuisterijen.

Ze knipte de buitenlamp aan en verlichtte daarmee een grote tuin, waarin een houten speeltoestel stond met een huisje, een glijbaan, vier schommels en een klimmuur. 'Dit vindt Conner het einde,' vertelde ze.

'Klimt hij wel eens in die muur?'

'Ja hoor, maar hij vindt het leuker tegen de glijbaan op te klimmen.'

Stonden ze echt zo dicht bij elkaar zonder tegen elkaar te gillen? Zo dichtbij dat haar schouder bijna zijn arm raakte? De laatste keer dat ze zo dicht bij elkaar waren zonder ruzie te maken, waren ze allebei naakt geweest.

Hij bestudeerde haar profiel. De zachte bleke huid van haar voorhoofd, de kaarsrechte neus en de volle rode mond. Ze mochten dan wel heel dicht bij elkaar staan, zo dichtbij dat hij kon ruiken welke shampoo ze had gebruikt, toch bestond er een enorme afstand tussen hen beiden.

'Je kunt het nu niet zien, maar achter het hek is nog een groot bos.' Ze wees in de verte. 'Soms gaan we picknicken in het bos, met een tafel die Vince voor ons heeft gemaakt.' Ze lachte en vertelde verder, iets over slakken, maar zijn aandacht werd afgeleid door een paar vleugels die ze op haar pols had getatoeëerd. De vleugels waren blauw, met een zwart lijntje eromheen, en bedekten de tekst die eronder zat.

'... en toen kwam hij gillend de tuin weer in, zo snel als zijn kleine beentjes hem konden dragen. Dus ik zei...'

Ze had dus vleugels laten tatoeëren over zijn naam. Goed zo. Heel goed. Hij had jaren geleden ook iets over háár naam heen laten zetten. Gelukkig maar. Echt, gelukkig.

Ze was aan het grinniken. Een grappig geluid waar hij ongemakkelijk van werd. Dus deed hij een pas achteruit. 'Ik moet ervandoor. De motor van mijn truck draait nog.'

'O.' Autumn draaide zich om en keek hem aan. Hij had een rode plek op zijn wang, waarschijnlijk van die knokpartij op het ijs, en zijn haar was nog nat, alsof hij net onder de douche was geweest. Ze vertelde hem net over de slakkenfobie van Conner. Wilde iets léúks vertellen. Om voor zichzelf te bewijzen dat ze normáál kon omgaan met die eikel. 'Ik laat je even uit.' Typisch iets voor Sam om niet te willen luisteren naar verhaaltjes over zijn eigen zoon.

Het mobieltje in zijn broekzak ging af en hij stak zijn hand in zijn zak en zette hem zomaar uit. 'Ik ben woensdag weer in de stad. Daarna ben ik op tournee voor zes wedstrijden achter elkaar,' legde hij uit, terwijl ze hem volgde naar de voordeur. 'Mijn volgende thuiswedstrijd is pas op vrijdag de zesentwintigste. Ik vraag Natalie wel of ze contact opneemt met je over mijn schema.'

Ze wilde hem zeggen dat Conners leven zich niet afspeelde volgens zijn wedstrijdschema, maar tijdens het ijshockeyseizoen was dat eigenlijk wel zo. En dus het hare ook. 'Dat is prima.'

Hij deed de deur open en draaide zich weer om. Ze stond in de deuropening, met haar armen over elkaar tegen de kille avondlucht. Ze wachtte tot hij weg was. Maar hij ging niet weg. In plaats daarvan hield hij zijn hoofd scheef en bekeek haar langdurig. Alsof hij in haar gezicht naar iets speciaals zocht.

'Huh,' zei hij na een poosje fluisterend.

Ze haalde haar schouders op. 'Wat?'

Hij schudde zijn hoofd. 'Niets.' Hij draaide zich om op zijn Prada-schoenen en ze sloot de deur achter hem.

Autumn draaide de knip om. Goed, ze wist niet helemaal zeker dat zijn schoenen van Prada waren, maar het zou zomaar kunnen. Sam wilde altijd het beste van het beste. Dat gold voor zijn schoenen én voor zijn vrouwen.

Daarom paste ze net zomin bij hem als hij bij haar. Ze hadden nooit bij elkaar gepast. Dat was vast ook de reden waarom hij haar huis niet mooi vond. Het was niet modern of flitsend; het nieuwste model.

Grinnikend liep ze naar beneden, naar haar kantoor achter de garage. Volgens de laatste online berichten was Veronica del Toro zijn nieuwste model. Lang. Volle lippen. Nog vollere tieten. Echt iets voor Sam.

Ja hoor, ze las wel eens wat over Sam en zijn laatste escapades. Ze was tenslotte Conners moeder. Dat was een van haar verantwoordelijkheden. Een kleintje weliswaar, maar toch. Bij haar takenpakket hoorde ook ervan op de hoogte blijven met welke vrouwen haar zoon in aanraking zou komen, hoewel ze hem nooit over andere vrouwen hoorde dan de 'assistentes'.

Autumn liep naar de grote leren fauteuil, draaide hem om en ging zitten. Op haar bureau lagen een grote map, wat bruidsbladen, en stond haar rode laptop klaar. Als ze Sams naam googelde, vond ze meestal artikelen die als volgt begonnen: 'Als Sam LeClaire klaarstaat voor een schot, zoeken de verdedigers dekking, vluchten de aanvallers en bidden goalies dat de puck hen raakt op een plek waar ze goed beschermd zijn.' Of links naar dingen als: 'Top 10 gevechten op het ijs' of 'IJshockeyherrie' of 'Sam LeClaire neemt het op tegen...', gevolgd door de naam van een andere ijshockeybeul. Belachelijk natuurlijk, vooral omdat zij haar best deed Conner te leren dat je dingen niet oploste met geweld. Dat het veel beter was om aardig te blijven.

Ze deed de klapper open die ze had samengesteld over het Willy Wonka-feestje en pakte een pen. Ze paste het bedrag voor de catering aan en zocht naar een post waar ze nog wat kon bijschaven.

Het laatste wat Autumn wilde was dat Conner zou opgroeien zoals zijn vader. Zij zou ervoor zorgen dat Conner mensen beter behandelde dan Sam deed. Vooral vrouwen. Geen oppervlakkige supermodellen. Geen 'schatje in elk stadje'. Geen huwelijken met onbekende vrouwen in Vegas. Misschien moest hij wel helemaal wegblijven uit Vegas – of zelfs uit de staat Nevada.

Vanaf het moment dat ze de fles zonnebrand had geopend, die dag bij het zwembad van Caesars, was haar leven compleet veranderd. Vanaf het moment dat ze haar handen had laten gaan over dat wasbord van hem, en die harde borstkas, was ze halsoverkop verliefd geworden. Op zijn lijf. Hij was gewoon een heerlijk stuk. En hij vond haar een exotische bestemming. Achteraf had ze graag gezegd dat ze zich wel had verzet tegen zijn aantrekkingskracht, maar de waarheid was dat ze dat niet had gedaan.

Had ze maar haar tas gepakt en was ze maar afgebleven van dat aantrekkelijke buffet waaraan je je onbeperkt te goed kon doen. Maar nee, ze was naast hem op de ligstoel gaan zitten en had de zonnebrand in haar handpalm laten lopen. 'Ben je hier alleen?' vroeg ze terwijl ze de fles op de grond zette. Van onder de rand van haar hoed keek ze naar zijn ringvinger. Die was leeg, maar dat betekende niet dat hij geen vrouw of vriendin kon hebben.

Hij schudde zijn hoofd en wendde zijn gelaat naar de zon. 'Ik ben hier met wat vrienden.'

Dat betekende ook niets, maar dit was wel de tweede keer dat ze hem alleen was tegengekomen. Ze wreef de lotion in haar handen en raakte vervolgens zijn buik aan. De warmte van zijn huid tintelde tegen haar polsen.

'Ben jij hier met vrienden?' vroeg hij, zo kalm en koeltjes alsof haar handen op zijn buik geen enkel effect op hem hadden en zij de enige was die er iets bij voelde.

'Nee. Helemaal alleen. Ik vroeg of een vriendin meewilde, maar ze had geen zin.'

Hij keek haar weer aan, de felle zon van Nevada door de groene palmen boven hun hoofd maakte lichte vlekken bij zijn mondhoek en op zijn wang. 'Waarom niet?'

Autumn haalde haar schouders op, haar duimen volgden zijn klimopje van blonde haartjes, helemaal naar zijn gespierde borstkas. Ze vroeg zich af of hij in de stad was vanwege een of andere bodybuildingcompetitie. 'Ze zei dat ze Las Vegas niet leuk vond.' Dat was tenminste de reden die deze vriendin had opgegeven, hoewel Autumn eigenlijk dacht dat de waarheid eerder was dat ze uit elkaar waren gegroeid door haar moeders ziekte.

'Maar jij bent wel gekomen,' zei hij, nog steeds onderkoeld, al begonnen zijn spieren zich onder haar vingers meer aan te spannen.

'Natuurlijk.' Ze had twee zware jaren achter de rug. 'Ik heb zelfs een lijstje gemaakt.'

'Echt?' Hij tilde een mondhoek omhoog. 'Wat staat erop?'

'Van alles.' Jezus, was ze nu echt een onwijs lekkere vreemde man aan het insmeren met zonnebrand? 'Ik heb al wat dingen kunnen afstrepen.' Kennelijk wel.

'Wat dan?'

En ze vond het nog heerlijk ook. 'Kijken naar de Bellagio-fontein en een flamingo kopen bij het Flamingo Hotel.' Ze wreef nu de zonnebrand uit over zijn stevige borstspieren. Ze staarde naar de mooi afgetekende spieren en zijn gebruinde huid en voelde dat het kwijl zich verzamelde achter in haar mond. 'En gisteravond ben ik naar Pure gegaan.'

'Dat weet ik nog.' Haar duimen gingen over zijn gebruinde tepels en de adem stokte in zijn keel. 'Wat staat er nog meer op?'

'Ik zou graag Chers afscheidstournee zien, hier in Caesars, maar er zijn geen kaartjes meer.'

'Cher? Dat meen je toch niet zeker?'

Ze knikte en schoof haar handen weer naar zijn buik, vlak boven zijn zwembroek. 'Vind jij Cher niet leuk?'

'Wat dacht je.' De adem stokte in zijn keel toen haar handpalmen langs zijn broekband gingen. 'Alleen homo's houden van Cher.'

'Echt niet.' Ze legde haar hoofd in haar nek en keek recht in zijn gezicht. Haar hoed schoof desondanks over haar linkeroog. Zijn blauwe ogen staarden terug, met een broeierige blik. De hitte straalde van haar af. Het was een hitte die niets van doen had met de brandende zon.

'Echt wel.'

Ze wendde zich weer tot zijn gebruinde bovenlichaam en

moest zich bedwingen om haar gezicht niet op zijn buik te laten vallen en het te bedekken met haar kussen. Om haar handen en mond op ontdekkingstocht te sturen langs dit buffet waarvan ze geen genoeg kon krijgen. 'Niet alle mannen die naar een concert van Cher gaan zijn homo.'

'Er kunnen een paar heteromannen zijn die zich hebben laten meeslepen naar een Cher-concert.' Hij schraapte zijn keel. 'Maar ik kan je wel verzekeren dat die daar alleen maar zitten te luisteren naar slechte nummers en kijken naar een waardeloze lichtshow omdat ze uit zijn op seks.'

Ze barstte in lachen uit. 'En wat vind je dan van Céline Dion?'

'Ik ben nooit zó wanhopig op zoek geweest naar seks dat ik daar naartoe moest.' Hij ging rechtop zitten en pakte haar armen vast. Terwijl hij opstond uit de ligstoel, trok hij haar mee omhoog. In die kleine, beschaduwde hoek van het goddelijk zwemparadijs liet hij zijn handen van haar polsen naar haar schouders glijden. 'Sta ik ook op jouw lijst?'

Zelfs al had ze erop gezet: willekeurige vreemde man insmeren met zonnebrand, dan nog had ze daarbij geen Sam kunnen bedenken. 'Nee, maar ik kan je er wel op zetten.' Ze legde haar handen tegen zijn borst. 'Vlak na "een Elvis-imitator bezoeken".'

Hij raakte haar nu ook overal aan. Haar armen, haar schouders, en de bolling van haar buik. Met zijn duimen veegde hij heen en weer over haar buik en navel. Ze wist haar blik los te weken van zijn gespierde bovenlijf en keek hem diep in de ogen, die even blauw waren als de hete hemel boven hun hoofd. De haartjes op haar armen gingen rechtovereind staan en ze voelde een rilling over haar rug. Haar tepels en buik trokken samen toen ze voelde dat hij zijn handpalmen verplaatste naar haar onderrug. Langzaam, heel langzaam trok hij haar naar zich toe, tot haar borsten zacht tegen zijn bovenlijf aan drukten. Hij tilde een hand op en nam de hoed van haar hoofd en gooide hem op de ligstoel. 'Die hoed maakt me al de hele tijd gek. Ik kon steeds maar een klein stukje van je mooie gezicht zien.' Zijn blik verplaatste zich naar haar wangen en eindigde bij haar mond. 'Jij hebt iets wat maakt dat ik je in mijn armen wil nemen en je overal wil aanraken.'

Dat gevoel kwam haar bekend voor en ze ging op haar tenen staan.

'Wat is het warm hier,' fluisterde hij tegen haar lippen.

Ja. Zelfs in de schaduw was het ongelooflijk warm.

Een van zijn handen gleed langs haar arm naar beneden en pakte haar vingers. 'Laten we gaan.'

'Waarheen?' Ze vond Sam leuk. Ze vond het leuk om met hem te praten en ze vond het heerlijk om hem aan te raken. Ze wilde meer tijd met hem doorbrengen, maar ze wist nog niet of ze de hele tijd met hem in bed wilde doorbrengen. Oké, dat wilde ze wel, maar het was onverstandig.

'Naar een plek die koeler is.' Hij richtte zich weer op en ze liet zich weer zakken.

Koeler?

Hij draaide zich om en trok haar achter zich aan over het hete beton, langs de beelden en zuilen, naar de rand van het zwembad. Hij liet haar los en liet zichzelf in het ondiepe water zakken. Zij ging op de rand van het zwembad zitten en liet haar benen in het water bungelen.

'Durf je er niet in?' Het zonlicht maakte zijn blonde haar nog lichter. Het water kwam tot zijn navel.

'Nee. Ik kan alleen niet zo goed zwemmen.' Bovendien wilde ze haar haren niet natmaken.

Hij liet zijn handen over haar dijen gaan, tot ze haar knieën hadden bereikt. 'Ik zal je niet laten verdrinken.' Zijn vingers speelden met de touwtjes van haar bikinibroekje op haar heupen. 'Ik vind je veel te leuk om je te laten verdrinken.'

Dat vroeg om een wedervraag: 'Waarom dan?' Waarom uitgerekend zij, van al die vrouwen die je in Vegas tegen het lijf kon lopen?

'Waarom ik jou leuk vind?' Hij liet zijn blik, via de strikjes van haar broekje, naar haar buik en borsten en vervolgens naar haar gezicht gaan. 'Je bent zo mooi en ik mag je graag zien dansen. Ik vind je haar mooi.'

'Dat is rood.'

'Van nature?'

'Ja.'

'Ik heb nog nooit iets gehad met een echte roodharige.' Hij glimlachte en liet twee vingers onder de touwtjes glijden. Ze verwachtte even dat hij nu een flauwe opmerking zou maken over haar vurige landingsbaan. Maar gelukkig deed hij dat niet. Hij zei wel: 'Ik wil je beter leren kennen, Autumn Haven. Veel beter.'

De adem stokte haar ineens in de keel. 'Of ik getrouwd ben, en kinderen heb, of iets op mijn kerfstok heb?' Maar dat wilde hij helemaal niet weten, en dat wisten ze allebei. Wilde zij ook meer? Ze wist dat het niet verstandig was.

'Om maar ergens te beginnen.'

'Het antwoord op al je vragen is "nee".' Ze liet haar handen van zijn onderarmen naar zijn brede schouders gaan. Er waren zoveel dingen in het leven onverstandig. Zoveel dingen die ze de afgelopen twee jaar niet had kunnen doen. 'En jij?'

'Ongetrouwd. Geen kinderen.' Hij pakte haar bij de bovenkant van haar benen vast, tilde haar voorzichtig op en liet haar in het water zakken. Haar benen klemden zich automatisch om zijn middel, terwijl hij in haar oor fluisterde: 'Niets op mijn kerfstok, maar tegen de tijd dat dit weekend voorbij is, zou ik wel eens dingen kunnen hebben gedaan waarvoor je in de VS in de cel kunt belanden.'

Haar bikinibroekje kwam terecht tegen zijn surfbroek. Ze voelde de volle lengte van zijn erectie. Onder het wateroppervlak omklemde ze hem nog steviger en ze voelde de spanning stijgen in haar kruis. Hij doelde op seksuele dingen. 'Wat bedoel je precies?'

‘Geen idee. Ik woon pas twee jaar in dit land en ik weet echt niet wat hier wel en niet mag.’ Hij haalde een natte hand tevoorschijn en duwde haar rode haren achter haar oren. Met zijn koele vingers streek hij langs haar hele ruggengraat tot aan haar billen. ‘Seksueel gezien dan.’

Om haar benen en billen spoelde het frisse, koele water. Tussen hun lijven gloeide een vochtige warmte. Die gemengde sensatie van heet en koud maakte haar lust nog groter en ze keek om zich heen naar de andere mensen in het zwembad. Sam en zij waren niet alleen. Mensen konden hen zien. Zoiets had ze nog nooit gedaan. Zo was ze niet. Niet met een man die ze amper kende, zo in het openbaar. ‘Waar kom je vandaan?’

‘Oorspronkelijk uit Saskatchewan.’ Hij bewoog zich naar achteren zodat het water tot aan haar borsten kwam. ‘In Canada.’

Toen ze jong was, had ze in drie verschillende staten dicht bij de Canadese grens gewoond. Ze legde haar armen om zijn nek, duwde haar pijnlijk harde tepels tegen de zijne en zei, met het beste Canadese accent dat ze kon bedenken, dicht bij zijn oor: ‘Ik geloof dat hier in Vegas álles mag, eh?’

Hij grinnikte diep onder in zijn keel. Het geluid werd een kreun toen hij haar kont vastpakte met beide handen en haar eventjes optilde. ‘Alles?’ Langzaam liet ze zich naar beneden zakken. Via zijn stevige bovenlijf naar zijn nog steviger erectie. Hij kuste de zijkant van haar nek, precies op dat plekje waar deze overgaat in de schouder. Hij nam haar vel in zijn warme, vochtige mond, en als ze nog enige bedenkingen had tegen een vrijpartij met Sam, dan waren die nu als sneeuw voor de hete zon in Nevada gesmolten.

Ze liet haar hoofd naar achteren vallen en haar borsten kwamen vrij. ‘Alles.’

7

De man van mijn dromen...

moet goed zijn in bed

Als je het hebben van seks met Sam wilde beschrijven, dan was je er niet met de classificatie 'goed'. Het was meer dan goed. Meer dan bevredigend. Meer dan alles wat ze ooit had meegemaakt. Nee, het was hete en gulzige seks. Dampende en allesomvattende seks. Hij was zorgvuldig en spontaan, geil en voorzichtig. Autumn was vijfentwintig en geen maagd meer, maar Sam wist bepaalde dingen. Hij wist meer dan waar je een vrouw moest aanraken. Hij wist hóé je een vrouw moest aanraken.

Hij nam haar mee naar zijn slaapkamer, die zich bevond in een riante suite. Vluchtig nam ze de enorme ruimte in zich op, vol enorm groot leren meubilair, zwart marmer, een drankbar en enorme ruiten, voordat hij haar op een kolossaal bed wierp, bedekt met donkerblauw fluweel. Hij zei dat hij de suite deelde met zijn maten, maar Autumn had geen van hen gezien. Of gehoord.

Een vrijpartij met Sam was niet hetzelfde als de liefde bedrijven, het was meer dan gewoon seks. Meer dan een paar uurtjes lol in bed. Haar hele lichaam was wakker geworden. Alsof ze in een racewagen zat, pijlsnel ging, op weg naar een orgasme dat haar rug deed krommen en haar tenen krullen. Ze deden 'het' twee keer. De tweede keer was veel langzamer en zorgvuldiger dan de eerste keer, toen ze in het zwembad begonnen, verdergingen op het bed en eindigden op de grond.

Toen ze de suite na drie uur verliet, deden haar ellebogen en knieën pijn. Ze kon zich niet meer herinneren waaraan ze haar elleboog bezeerd had, maar wist heel goed waarom haar knieën schrijnden.

Er speelde een glimlachje om haar mondhoeken toen ze in haar eigen kamer in bad stapte. Sam had haar gezegd dat hij zou bellen als hij klaar was met douchen. Dat wilde ze graag geloven. Ze wilde graag geloven dat ze meer voor hem betekende dan een vluggertje op een bloedhete middag, maar als het niet zo was, dan was het ook goed. Zij had net zo goed misbruik van hem gemaakt als andersom. Ze had geen verwachtingen en ook geen spijt.

Ze pakte een washandje en trok de wikkel van een stukje zeep af. De kraan drupte en de fijne geur van de zeep verspreidde zich door de badkamer. Ze waste haar gezicht en het plekje in haar hals waar Sam haar gekust had. Ze streek met het washandje over haar borsten en buik en schoof toen onderuit in het warme water tot haar hoofd op de badrand rustte. Ze trok haar knieën op tot deze boven het water uitstaken en sloot haar ogen. Ze had nog nooit eerder seks gehad met een onbekende man. Ze had wel wat onenightstands gehad, maar alleen met mannen die ze kende. Een beetje, tenminste. Ze wist niet helemaal zeker of die wel telden als onenightstands. Maar meestal had ze na afloop snel haar kleren bij elkaar geraapt, om daarna beschaamd het pand te verlaten.

Dit keer voelde ze helemaal geen schaamte. Al zou ze die vast moeten voelen. Zo was ze opgevoed, in de overtuiging dat

dat het loon der zonde was; een gevoel van schaamte en een schuldig geweten, niet de gedachte dat je iets leuks had gedaan. Toen Autumns vader was vertrokken, had haar moeder haar religieuze overtuiging nog fermer omarmd. En als een soort schild gebruikt. Autumn was zeven geweest, en Vince tien, toen de wereld die ze kende compleet veranderde. Ze verhuisden van een eengezinswoning naar een gelijkvloers appartement, met een moeder die het leven niet aankon. De eerste paar jaar bleef haar moeder zitten wachten tot haar man terug zou komen. Toen hij hertrouwde en opnieuw een gezin begon en het haar eindelijk duidelijk werd dat hij niet zou terugkeren, wendde Joyce Haven zich tot God. Hij zou haar echtgenoot vervangen.

Over het algemeen had Autumn geen problemen met het geloof, of met mensen die het uitdroegen. Als religie een mens beter maakte, meer stabiel, dan was ze ervoor. Maar ze had wel een probleem met mensen die geen enkele beslissing konden nemen zonder daarover God te raadplegen. En dat kon variëren van de aanschaf van een nieuwe auto tot kankertherapie. Zij was ervan overtuigd dat God haar een stel hersenen had gegeven en daarmee de wijsheid om zelf beslissingen te nemen. De slechte beslissingen die ze had genomen maakten gewoon deel uit van het leerproces dat leven heet.

Twee jaar lang had ze haar leven stopgezet om voor haar moeder te zorgen. Ze had hard geknokt, soms zelfs harder dan Joyce zelf, maar uiteindelijk had het niet mogen baten. Ze vond het niet erg om voor haar moeder te zorgen. Ze hield van haar en miste haar nog elke dag. In haar hart en in hun gezin zat nu een zwart gat. Als ze moest kiezen, zou ze het weer zo doen. Daar zou ze niet eens over na hoeven denken.

Maar nu. Nu voelde haar leven heel leeg aan. Haar moeder was weg, Vince was weg en ze was alleen. Nu moest ze bedenken wat ze de rest van haar leven ging doen. Ze kon teruggaan naar de universiteit en haar bachelor halen. Voordat haar moeder ziek werd, had ze parttime gestudeerd aan de Universiteit van Idaho. Overdag werkte ze bij een bloemist en 's avonds voor een plaatselijke cateraar. Ze vond allebei de baantjes geweldig en zou het niet erg vinden ze weer op te pikken als ze weer ging studeren.

Toen Autumn voelde dat haar vingers begonnen te rimpelen, trok ze de stop uit het bad. Ze pakte een schone handdoek en keek op haar horloge. Het was halfzes. Een uur en tien minuten sinds ze Sams suite had verlaten. De telefoon was nog niet overgegaan.

Ook toen ze zich insmeerde met naar kokosnoot ruikende aftersun en daarover een zachte badjas aandeed ging de telefoon niet. Evenmin toen ze haar tanden poetste en haar haren droog föhnde. Ze bedacht dat ze Sam waarschijnlijk nooit meer zou zien. Dat was in orde. Ze zou het leuk hebben gevonden hem weer te zien, maar ze wilde ook haar lijstje afwerken, en daarop stond dat ze nu naar de achtbaan ging bij het New York-New York Hotel.

Ze schrok zich een hoedje toen er ineens op haar kamerdeur werd geklopt. Ze legde een hand over haar bonzende hart en keek door het kijkgaatje. Daar stond Sam, in een spijkerbroek en een zwarte polo. Ze beet op haar lip om de brede glimlach die zich over haar gezicht verspreidde enigszins in toom te houden. 'Ben je verdwaald?' vroeg ze terwijl ze de deur opende.

Hij hield zijn hoofd schuin. 'Ben je nog niet aangekleed?'

'Ik kom net uit bad.' Ze liet hem binnen en duwde de deur dicht met haar rug.

Er verscheen een ondeugende grijns op zijn gezicht. 'Ik hoopte al dat ik je naakt zou treffen.' Hij bracht zijn mond naar de hare en liet zijn hand langs haar badjas naar haar borst glijden. Deze pakte hij vast en ze verbleven in haar kamer tot de volgende ochtend. Ze bestelden eten via roomservice, keken naar een film en lagen in bed. Tijdens de maaltijd van malse lamskoteletjes met muntsaus vertelde Sam dat hij in Seattle woonde en ijshockey speelde bij de Chinooks. Autumn wist niet veel over ijshockey, maar dat hij een sportman was klonk aannemelijk, gezien zijn gespierdheid en uithoudingsvermogen. Tegelijkertijd betekende het dat hun tijd samen beperkt zou blijven. Niet dat ze had verwacht dat hun vriendschap, of wat het ook was, een lang leven was beschoren, zeker niet in Vegas. Maar nu ze wist wie hij was, wat hij deed, hoefde ze geen langdurige relatie met hem te verwachten voordat deze überhaupt was begonnen. Ze had ooit een vriendje gehad dat football speelde op de universiteit, maar hij had haar gedumpt voor een cheerleader. Sportmannen eindigden op de een of andere manier altijd met cheerleaders of studentes of modellen.

Nu ze in Vegas was, wilde ze gewoon genieten van hun tijd samen, voor zo lang als het duurde. Ze vond Sam leuk. Hij was goed gezelschap en hij was geweldig in bed. Of in het bad, op de grond of tegen een muur. Hij kon dingen met zijn mond waardoor ze het uitgilde. En op een dag, als ze oud was en zich alleen met een looprek kon voortbewegen door de gangen van het bejaardentehuis, zou ze zich deze heerlijke week in Vegas met deze heerlijke ijshockeyer zeker herinneren. Dan zou ze hardop gaan lachen, zodat de andere bejaarden achter hun rollators zouden denken dat ze seniel was geworden. Zij zouden nooit iets over Sam horen. Niemand zou ooit iets horen over Sam. Nooit. Sam zou haar eigen heerlijke geheimpje blijven.

De volgende middag verlieten ze het Caesars om kreeftensoep, grote steaks met paddenstoelenroomsaus en groene aspergepunten te eten bij Delmonico in het Venetian Hotel, begeleid door een mooie fles rode wijn. Hij stelde haar vragen over haar leven en zij vertelde hem over haar vader die vertrokken was toen ze nog klein was en hoe ze haar moeder had verzorgd.

'Ik heb nog een broer, maar die zit in Afghanistan om daar te doen wat hij moet doen.' Ze nam een hapje beetgare asperge en keek naar Sam aan de overkant van de tafel. Ze maakte zichzelf wijs dat het rare gevoel in haar buik kwam omdat ze honger had, en niet omdat Sams blauwe ogen op haar gericht waren.

'En jij? Heb jij nog broers of zussen?'

Hij nam een slok wijn en keek om zich heen in het drukke restaurant. 'Ik had een zusje.'

Toen hij het daarbij liet, maakte ze een handgebaar en spoorde hem aan zijn verhaal te vervolgen. 'En...?'

'En ze is overleden.'

'Wanneer?'

'Een paar jaar geleden.'

Ze legde haar hand over de zijne. 'Wat erg.'

Hij keek weer haar kant op en ze zag dat een machteloze woede zich van hem meester maakte. Zijn duistere stemming verspreidde zich als een donkere wolk boven hun tafeltje. 'Wat staat er nog meer op je lijstje?' Ander onderwerp.

Ze hield haar hand op zijn plaats en veegde met haar duim over zijn knokkels. Onder die woede ging een diepe pijn schuil. Dat kon ze zien; voelen zelfs, zo tastbaar was het. Een pijn die ze zelf maar al te goed kende. Het soort pijn die je heel lang bij kon blijven. 'Vanavond wil ik de achtbaan nemen bij het New York-New York Hotel. Het lijkt me wel gaaf om de Strip van bovenaf te zien.'

Hij nam nog een slok wijn en ze voelde dat de spanning bij hem verdween, dat deze zich terugtrok naar het verborgen plekje waar ze vandaan kwam. 'Ik heb een afspraak met de jongens in de Voodoo Lounge vanavond. Waarom kom je niet met mij mee, in plaats van naar de achtbaan?'

Ze trok langzaam haar hand terug en liet hem in haar schoot vallen. Er was maar één lichaamsdeel van haar dat toestemming had naar Sam te verlangen, en dat was zeker niet haar hart. Als het meer zou worden dan lust, zou het te gevaarlijk zijn. Ze schudde haar hoofd. 'Zal ik daar naartoe komen?'

Hij fronste zijn voorhoofd en om zijn mondhoeken verscheen een geamuseerde glimlach. 'Ga je nu net doen alsof je *hard to get* bent?'

Ze had wat meer afstand nodig, voor een adempauze en wat tijd om na te denken voordat het ondenkbare zou gebeuren en ze te veel gevoelens voor hem kreeg. 'Misschien.'

'Daarvoor is het nu te laat, schatje, vind je niet?'

Misschien, maar ze wilde het wel proberen. Als ze het niet deed, zou ze hem vast en zeker gaan beschouwen als iemand met wie ze meer had dan seks in Vegas. En dat mocht niet gebeuren, onder geen beding.

Hij reikte naar zijn portemonnee en haalde er een vippasje uit tevoorschijn. 'Hiermee kun je naar binnen.' Hij schoof het pasje over tafel naar haar toe. 'We zitten ergens op het balkon. Kom alsjeblieft niet te laat.'

Hoe laat was té laat? Autumn kwam liever op tijd; ze had het concept van *fashionably late* nooit begrepen. Dus die avond arriveerde ze iets na elven bij de Voodoo Lounge. En dat vond ze al laat genoeg. Ze had die avond heel wat tijd doorgebracht met het zoeken naar een zwart jurkje en dito string. Daarna had ze een lang bad genomen, met haar rode haren in krulspelden. Vervolgens had ze meer make-up gebruikt dan ze normaal gesproken zou doen. Onder het zwarte strapless jurkje droeg ze niets behalve die ene string. Vlak voordat ze haar kamer verliet, wierp ze nog een laatste blik in de spiegel. Ze zag zichzelf, maar dan anders. Ze zag er heel... sexy uit. Dat was nieuw voor haar. Zo had ze zich zeker de afgelopen twee jaar niet gevoeld.

Het kwam door Sam. Door Sam voelde ze zich zelfbewuster. Door de manier waarop hij naar haar keek, door zijn aanraking, de manier waarop hij haar naam fluisterde in haar oor. Door hem voelde ze zich aantrekkelijk en sexy.

De Voodoo Lounge bevond zich op de vijftigste en eenenvijftigste verdieping van het Rio Hotel, en daar aangekomen, liep Autumn meteen door naar de deur, langs de rij wachtenden. Ze was nooit eerder ergens binnengekomen met een vippas en werd direct naar boven vervoerd met een glazen lift, waar ze een foyer in werd geleid die werd verlicht met blacklight. Zoals zoveel andere nachtclubs was de Voodoo Lounge donker en rook het er naar drank en te veel parfum. Het was er verlicht met roze en blauwe lampen en in een hoekje stond een hiphopband te spelen. Ze ging op haar tenen staan en keek om zich heen in de menigte. Ze zag Sam niet direct, dus liep ze verder door de club, op weg naar het grote balkon, buiten. Ze voelde direct een briesje door haar krullen en duwde ze resoluut achter haar oren. Buiten stond een dj platen te draaien uit de jaren zestig en zeventig en langs de randen stonden tafels en stoeltjes en daar was Sam. Hij stond te midden van een groep mensen, vooral vrouwen, te lachen en te kletsen en had het erg naar zijn zin. Hij droeg een blauw overhemd met opgerolde mouwen. Vergeleken met de andere vrouwen was Autumn conservatief gekleed. Een platinablondine in een mini-jurk in tijgerprint legde net haar hand op zijn arm en dat leek hij helemaal niet erg te vinden. Autumn draaide zich om naar de bar, waar ze het menu bestudeerde. Een man die op een kruk zat bood haar een Witch Doctor aan, maar ze had geen zin in zo'n plakkerige cocktail die ze met twee handen moest vasthouden. Ze bestelde liever een mojito en keek gefascineerd toe terwijl de barman haar glas omhooggooide en het achter zijn rug weer opving. Ze wierp een blik over haar schouder, maar Sam was nog steeds geanimeerd in gesprek. Dit keer zat de vrouw aan zijn borstkas. Ze draaide zich weer om en haalde een briefje van twintig dollar uit haar zwarte tasje, dat met een zilveren ketting om haar schouder hing. De man naast haar bleef aandringen, maar ze wimpelde hem opnieuw af. Hij was best leuk en als Sam er niet was geweest had ze best even met hem willen kletsen. Hij had kort, donker haar en een stierennek, en om de een of andere reden deed hij haar aan Vince denken.

Ze wees naar zijn cocktail, waar de damp vanaf sloeg. 'Wat zit er in je Witch Doctor?'

'Rum, kokosrum, bananenrum en nog meer rum. Proeven?' Hij hield haar het rietje voor.

Ze schudde lachend haar hoofd. 'Nee, dank je. Vier glazen rum zijn me net te veel.' Ze overhandigde het geld aan de barman en voelde Sams aanwezigheid nog voordat hij zijn hand om haar middel legde en haar haren opzij veegde.

'Wie is die mafkees?' vroeg hij zacht.

Misschien moest ze wel jaloers en kwaad zijn, omdat die andere vrouw hem had aangeraakt, maar dat vond ze overdreven en bovendien was jaloezie zoiets lelijks. 'Hai Sam.'

'Wat ben je aan het doen?'

'Een drankje bestellen.'

'Dat zie ik.' Zijn stem klonk laag en verleidelijk, zo dicht tegen haar huid. 'Waarom bleef je zo lang weg?'

Ze glimlachte tegen de barman, die haar het wisselgeld en haar mojito overhandigde. 'Ik moest ondergoed kopen.'

'Hmm. Wat voor ondergoed?'

Ze stopte het geld weer in haar tasje en draaide zich om naar Sam. 'Een zwarte string.' Hij rook een beetje naar alcohol. Alsof hij al een tijdje aan het drinken was. Als er iets was wat haar was opgevallen aan Sam, behalve dat hij een spierbundel was en er waanzinnig goed uitzag, dan was het dat hij zoveel dronk. Tenminste, in haar ogen, en zij had drie jaar gestudeerd in Idaho, aan een universiteit die bekendstond om haar drinkgelagen. Maar ja, dit was Vegas en daar dronken de meeste mensen nogal veel.

'Sexy.'

En voor het eerst sinds lange tijd voelde ze zich zo. 'Ik zal hem je straks laten zien.' Er was haar nog iets anders opgevallen aan Sam, behalve zijn warme stem en zijn nog warmere handen: hij was nooit echt dronken. Hij sprak niet met dubbele tong en werd niet onhandig. Hij werd niet vervelend en hij leek in de slaapkamer ook geen last te hebben van al die drank. Hij vergat nooit een condoom om te doen, of waar hij mee bezig was.

Hij kuste haar in haar nek, pakte haar hand en leidde haar door het publiek op de dansvloer naar een tafeltje. Ze kwamen langs een trap die naar een boventerras leidde, waar een grote Amerikaanse vlag wapperde in de wind.

Hij stelde haar voor aan ene Daniel en ene Vlad. De eerste was een Zweed, de tweede een Rus. Beiden waren ontzaglijk groot en hadden meerdere vrouwen om zich heen hangen. Op de achtergrond speelden de dj's 'Sweet Home Alabama', en de twee teamgenoten introduceerden hun dates aan de rest. Vlad had zo'n sterk accent dat het leek of zijn vriendinnetjes Jazzzz en Tiiiina heetten, maar helemaal zeker wist Autumn het niet.

Daniel daarentegen keek haar onderzoekend aan en zei toen: 'Dus jij bent de reden dat Sam niet meer meegaat naar stripclubs zoals Scores.'

'Of Cheetazzz,' voegde Vlad eraan toe.

Kennelijk waren de heren dol op stripclubs en Autumn vroeg zich af of de vrouwen die hen vergezelden voor de kost met palen moesten dansen. 'De eerste keer dat we elkaar ontmoetten, dacht Sam nog dat ik een stripper was.' Ze nam een slok en zette het glas op tafel. 'Toen dat niet zo bleek te zijn was hij teleurgesteld.'

'Ik was niet teleurgesteld.' Hij legde een arm om haar heen en trok haar dicht tegen zich aan.

Daniels frons werd nog dieper. 'Gaat het, Sam?'

'Ja hoor.' Hij keek naar de lichtjes van de stad beneden. 'Zullen we hier weggaan?'

Ze keek op naar zijn profiel, dat sterk afstak tegen het blauwe licht, waardoor de donkere schaduw van de nacht scherp afstak tegen zijn wang en kaak. 'Is er iets?'

Hij pakte haar pols steviger vast. 'Het is de dertiende.'

'Ben je bijgelovig?'

De laatste maten van 'Sweet Home Alabama' dreven weg op de wind. 'Ja.' Hij keek haar recht in de ogen. 'Staat "de liefde bedrijven in een limo" ook op je lijstje?'

Ze voelde hoe zijn greep om haar pols zachter werd. 'Nee.'

'Wil je het erop zetten?'

Hij maakte zeker een grap. 'Heb jij een limousine dan?'

'Ja.' Hij stak grijnzend zijn hand in zijn broekzak en haalde er zijn mobieltje uit. 'Tot ziens allemaal,' riep hij. Hij legde zijn hand in haar onderrug, en nam haar mee naar de lift. Toen ze in de lift stonden, legde hij zijn hand op haar billen, en liet hem daar rusten tot ze buiten waren.

Aan de stoeprand stond een Hummer te wachten en ze begreep dat hij geen grap maakte. Hij hielp Autumn met instappen en zei eerst iets tegen de chauffeur, voordat hij achter haar aan kwam.

'Weet hij van je plannetje af?' vroeg ze toen hij de deur dichtdeed. Op de grond liep een spoor van lampjes, zoals in een vliegtuig, en voor op het dashboard brandde een zacht licht. Zelfs als hij geen grapje maakte over seks in een limo, moest ze het dan wel doen?

'Waarschijnlijk wel.' Sam drukte op wat knopjes en de donkere ruit schoof omhoog.

'Ik heb nog nooit gevreeën met toeschouwers erbij.' Ze wist niet zo zeker of ze daar nu mee wilde beginnen.

'Hij kan ons niet zien.'

'Weet je het zeker?'

'Redelijk.' Hij vond een radiozender die hem beviel en 'Boulevard of Broken Dreams' van Green Day klonk door het interieur.

Ook al was het verder donker, zijn mond vond zonder problemen de hare en ze voelde een emotie in zijn kussen die haar niet eerder was opgevallen. Een soort wanhoop en honger. Alsof hij haar wilde opvreten, daar achter in die stretch-Hummer.

Ze zou over een paar dagen weer naar huis gaan, net als hij. Dan zou ze hem nooit meer zien, en de liefde bedrijven terwijl ze door Vegas reden was een stuk leuker dan denken aan naar huis gaan, in je eentje. De auto begon te rijden, het stemgeluid van Billy Joe vulde de limousine. Terwijl de zanger het had over eenzaamheid en zijn *'shallow heart'*, ging Autumn op Sams schoot zitten en legde ze haar beide handen om zijn gezicht. Ze zoende hem lang en hartstochtelijk. Zijn handen schoven langs haar dijen omhoog. Dit was Vegas en hier kon je de liefde bedrijven in een limo. Zelfs als je niet helemaal zeker wist of de chauffeur je kon zien. Alles was hier onecht. De gevels, de grachten en de vulkanen. De belofte snel een fortuin te vergaren, en ook haar lustgevoelens, die nu haar goede fatsoen dreigden te overvleugelen. En al helemaal deze affaire, die niets met liefde te maken had.

Sams grote handen gleden via haar heupen naar haar taille. Hij trok de bovenkant van haar jurk omlaag tot deze om haar middel zat en pakte haar borsten beet. Hij streelde haar tepels en zei zachtjes dingen tegen haar.

'Ik heb je nodig,' kreunde hij. 'Je moet me bevredigen.' En nog meer van dat soort dingen. Lekker vieze dingen. Dingen die hij met haar wilde doen en hoe hij ze wilde doen. Dingen die zij bij hem moest doen. Dingen die alleen een man als Sam kon verlangen.

Hij stak zijn hand tussen haar benen en duwde haar string opzij. Toen deed hij de dingen die hij beloofd had te zullen doen. Later, in de hotelkamer, deed ze dingen bij hem die hem deden kermen en smeken. Dingen waarmee ze een glimlach op zijn lippen toverde.

Het was fijn om hem te zien glimlachen.

De volgende ochtend werd ze wakker, in haar eentje. Ze wist niet of ze daar blij of verdrietig om moest zijn. Ze draaide zich om en viel weer in slaap. Tegen twaalven belde Sam naar haar kamer en zei dat hij haar kwam halen in de lobby om zes uur, en dat ze iets gemakkelijks moest aantrekken, als het maar geen slippers waren.

Ze vroeg zich af wat hij voor plannen had en toen het zover was, trok ze een spijkerrok aan, een hemdje en leren sandalen. Hij droeg een spijkerbroek en een Clint Eastwood T-shirt. Ze liepen naar een Chinees restaurant.

'Wat staat er nog meer op je lijstje?' vroeg Sam, nadat hij een flinke teug had genomen van zijn Chinese biertje.

'Een heleboel. Ik heb de helft nog niet gedaan.'

'Dat zal wel.' Hij glimlachte en liet het flesje zakken. 'Het spijt me.'

'Je ziet er niet uit of het je spijt.'

Hij haalde zijn schouders op. 'Je kunt me beter dankbaar zijn. Dat lijstje van jou is flut.'

Ze snoof verontwaardigd. 'Echt niet.'

'Ik heb nog nooit zo'n waardeloos lijstje gezien. Het lijkt wel alsof je een reisgids hebt gepakt en alle dingen die je wilde zien hebt omcirkeld.'

Ze deed haar armen over elkaar. 'De online gids van Fodor.'

'Dat bedoel ik. Ik stond er niet op. Seks in een limo stond er niet op. Jezus, je bent in Vegas en er staat niet eens een stripclub op je lijstje! Of desnoods eentje met mannelijke strippers. Als ik niet beter zou weten, zou ik denken dat je een non was.'

Ze trok haar neus op. 'Ik heb echt geen behoefte om mannen te zien dansen in hun blote piemels.'

Hij knipperde met zijn ogen. 'Zei je nou echt "piemels"?'

Ze negeerde hem en keek om zich heen of geen van de andere gasten in de Chinees hun gesprek kon horen. 'Ik heb geen zin om met mijn gezicht in iemands ballen te worden gedrukt.

En als een van hen dan met zijn... penis gaat lopen zwaaien, ga ik helemaal over mijn nek.'

Hij gooide zijn hoofd in zijn nek en lachte hard. Zo hard dat het de aandacht trok, maar dat kon haar niet schelen. Het was een leuke lach en ze wou dat hij hem vaker liet horen.

'Ik kan me bijna niet voorstellen dat dit hetzelfde meisje is dat me gisteravond besprong in die limousine.'

Dat kon ze zelf ook niet.

'En vannacht vond je het niet erg om mijn ballen in je gezicht te krijgen.'

Ze beet op haar wang om niet in lachen uit te barsten.

Hij stak zijn hand in zijn kontzak en haalde er twee kaarten uit tevoorschijn, die hij aan haar overhandigde.

Haar mond viel open. 'Cher?' Ze keek hem onderzoekend aan. 'Hoe kom je aan die kaartjes?'

'Ik heb zo mijn connecties.'

'Ga je met mij mee naar Cher?'

'Daarom heb ik twee kaartjes geregeld.'

Hij háátte Cher. 'Maar je bent geen homo en je probeert me ook niet het bed in te krijgen.'

'Klopt.'

'Je vindt Cher helemaal niet leuk.'

Hij grinnikte. 'Maar ik vind jou wel leuk.'

O nee, nu had ze een probleem. Een heel groot probleem met blonde haren en blauwe ogen... Ze voelde haar keel dichtknijpen en de lucht uit haar lijf verdwijnen. Haar hart zwol op en ze had het gevoel dat het zou exploderen. Hier, ter plekke. Ze voelde de tranen in haar ogen lopen. Al vanaf die eerste avond had ze gevoeld dat hij haar in moeilijkheden zou brengen. Ze had er alleen niet bij stilgestaan dat hij haar zou overrompelen en dat ze als een baksteen voor hem zou vallen.

'Je hoeft niet te huilen. Het is Cher maar, en het zijn rotplaatsen, echt niets bijzonders.'

Maar het was wel bijzonder. Heel bijzonder zelfs. Ze slikte

maar eens, om die brok in haar keel te laten verdwijnen. Ze gaf helemaal niets om Cher. Ze wilde er alleen maar naartoe omdat ze in Vegas was en het haar afscheidstournee was. Ze veegde de tranen weg. 'Ik weet niet wat ik moet zeggen.' En dus zei ze maar niets. Hoewel ze beter wist, begonnen haar gevoelens voor hem gevaarlijk te worden. Dat was vervelend, maar ze waren wel echt. Bij haar tenminste, ze wist niet wat hij precies voor haar voelde.

Tijdens het concert hield ze Sam stevig vast. Het was een wervelende show met veel licht en veel kostuumwisselingen van Cher. Ze vond het leuker dan ze van tevoren had gedacht. Toen Sam begon te snurken, maakte ze hem wakker. Daarna besloten ze te vertrekken om naar het casino te gaan, waar ze blackjack speelden, en roulette, en met de dobbelstenen gooiden. Al kwam het er vooral op neer dat hij speelde en zij toekeek. Tegen een uur of één hadden ze genoeg van de gratis drank. Autumn voelde zich een beetje licht in haar hoofd, bij wijze van grap kocht ze voor Sam een Cher-T-shirt. Daar moesten ze allebei vreselijk om lachen. En toen Sam besloot dat ze ook nog naar een Elvis-imitator moesten gaan, vond ze dat een geweldig plan. De enige die nog wakker was op dat tijdstip, was te vinden in de Viva Las Vegas Wedding Chapel.

Jaren later wist ze nog steeds niet hoe ze bij die trouwkapel waren beland, en wiens idee het was geweest daar naar binnen te gaan om te kijken hoe Elvis mensen in de echt verbond. Wat wel duidelijk was, wat altijd duidelijk was gebleven, was het moment dat ze buiten die kapel stonden en de namen van het zojuist getrouwde paar zagen knipperen in grote, oranje neonletters: JUST MARRIED, DONNA & DOUG.

'Wij moeten ook trouwen.'

Ze keek hem verbaasd aan. 'Ben je gek geworden?'

Hij schudde zijn hoofd. 'Nee. Zo voelt het gewoon.'

Haar hart bonsde luid in haar keel, en haar maag kromp ineen.

'Sam...' Ze slikte. 'Ik weet niet...'

'Niet denken.' Hij trok haar tegen zich aan en bracht zijn mond naar de hare. Hij overrompelde haar met een warme, natte kus die haar de adem volledig benam. Ze hield van hem. Het was haar nu duidelijk dat ze verliefd was op Sam en het liefste bij hem wilde zijn. Misschien had het lot ervoor gezorgd. Had het zo moeten zijn. Liefde op het eerste gezicht. Toch?

Hij liet haar los, zijn lippen glansden nog van de zoen, en hij keek haar aan met die stralende ogen van hem. 'Zeg ja.'

'Ja.'

Hij glimlachte en een uur later waren ze meneer en mevrouw Samuel LeClaire. Hij had betaald voor de Hound Dog Wedding, wat toepasselijk was vanwege de hondse manier waarop hij haar later had behandeld. Maar ja, achteraf zag je alles altijd zoveel beter. Die avond kreeg je met de Hound Dog Wedding in elk geval vier trouwfoto's, een bosje plastic rozen en een pluchen hond. Eenmaal buiten zagen ze hun eigen namen in de knaloranje letters, en in plaats van ringen lieten ze ieder een tatoeage zetten met de naam van de ander. Tegen de tijd dat ze terug waren in haar hotelkamer, begon de zon net op te komen boven de woestijn. Ze bestelden roomservice en bedreven de liefde, zonder condoom dit keer. Tenminste, voor haar voelde het als liefde. Ze had zich overgegeven met heel haar hart.

Iets na het middaguur werd ze wakker, maar naast haar lag alleen de pluchen hond. Sam was vertrokken, maar ze maakte zich geen zorgen. Hij zou wel terugkomen, dat deed hij altijd, zeker nu ze getrouwd waren. Ze hadden een toekomst samen. Hij had nog niet eerder hardop gezegd dat hij van haar hield, maar dat moest wel zo zijn. Hij had al sinds die eerste avond in Pure achter haar aan gezeten, en de nacht ervoor had hij beloofd *'to love her tender'*. Ze glimlachte en rekte zich uit. Hun huwelijk was een impulsief idee geweest, dat ze halsoverkop hadden uitgevoerd, maar ze had er geen spijt van.

Toen het drie uur was, begon ze zich een beetje zorgen te maken en tegen vieren was ze bang dat er iets met hem was gebeurd. Ze had zijn mobiele nummer niet en belde naar de balie. Toen ze vroeg of ze doorverbonden kon worden kreeg ze te horen dat hij met het hele gezelschap in de suite was uitgecheckt.

Uitgecheckt?! Snel deed ze een paar slippers aan haar voeten, pakte haar kamersleutel en ging op weg naar zijn suite. Daar waren alleen een paar kamermeisjes, die bezig waren met het opmaken van de bedden en stofzuigen, voor de rest was het verlaten. Geen koffers. Geen Sam. Hij was vast en zeker uitgecheckt zodat hij bij haar op de kamer kon verblijven. Maar waar was hij dan?

De rest van de dag en de nacht bleef ze op hem wachten. Elke keer dat iemand langs haar kamer liep, maakte haar hart een sprongetje en verwachtte ze dat hij op haar deur zou kloppen. Maar het was nooit Sam. Ze kon maar niet geloven dat hij haar zonder een woord te zeggen in de steek had gelaten. Ze was helemaal in de war. Waar was hij toch?

Kijkend naar de trouwfoto's, waarop ze voor de nep-Elvis en diens altaar stonden, maakte ze zichzelf wijs dat hij terug zou komen. Echt. Hij moest wel; ze waren toch getrouwd?

Ze bleef zich vasthouden aan de gedachte dat hij terug zou komen, terwijl ze maar wachtte en zich zorgen maakte en naar het nieuws keek om te horen of er niet ergens een vreselijk ongeluk was gebeurd. Ze bleef zelfs een dag langer in het hotel, maar hij liet niets van zich horen. Toen het de volgende ochtend tot haar doordrong dat hij echt niet bij haar zou terugkomen, gaf ze het op en stapte ze op het vliegtuig naar Helena.

Ze kwam een paar uur later thuis, helemaal verdoofd en verdrietig. Was alles wat er was gebeurd wel écht gebeurd? Toen het gebeurde leek het anders wel echt, en haar hart was in elk geval ook echt gebroken.

Ook hun boterbriefje was echt. Sam had haar hart op hol gebracht en het daarna aan gruzelementen geslagen... Wat moest ze nu doen? Hij was met haar getrouwd en had haar vervolgens aan haar lot overgelaten in haar hotelkamer.

Een maand later, toen ze zijn advocaat op de hoogte had gebracht van haar zwangerschap, was ze doodsbang geweest. En alleen. En ze had gehoopt – tegen beter weten in – dat hij haar zou bellen en zou zeggen dat alles in orde was. Dat hij er zou zijn voor haar en voor hun kind. Dat hij haar zou helpen en dat ze er niet helemaal alleen voor stond. Maar in plaats daarvan had hij gevraagd om een DNA-test, een vaderschapstest.

De eerstvolgende keer dat ze hem zag, was de dag waarop ze Conner in zijn armen had gelegd. Hij had een pleister op zijn neus en een van zijn ogen was bont en blauw geslagen. Haar hart deed pijn en de brok in haar keel benam haar de adem. Maar hij keek naar haar alsof hij haar niet meer herkende, en daarop was alle liefde die ze nog voor hem voelde omgeslagen in een diepe, alles verzengende haat. In het kantoor van zijn advocaat, waar ze gewenst had dat zij degene was geweest die hem een knal had verkocht. En als hij haar zoon niet had vastgehouden, had ze dat ook zeker gedaan.

Autumn klapte de laptop op haar bureau dicht en stond op uit de leren stoel. Inmiddels voelde ze niets meer voor hem. De haat had plaatsgemaakt voor berusting. Ze liep van haar kantoor naar de trap naar de woonkamer. Haar zoon lag in zijn kamertje te slapen, het ging goed met haar bedrijf en ze haatte Sam niet langer. Ze wist zeker dat hij weer dingen zou doen waar ze kwaad om zou worden. Hij was een egoïst en hij wist niet beter, maar ze haatte hem niet. Haar hart deed niet meer pijn en haar hoofd spatte niet meer uit elkaar als ze hem zag. Toen ze vanavond de deur had opengedaan en hem had gezien met Conner in zijn armen, had ze niets meer gevoeld dan opluchting dat haar zoon veilig thuis was.

Ze was bevrijd van al die heftige emoties. Geen diepe dalen of hoge toppen meer, geen haat of liefde. Ze was bevrijd van Sam.

Helemaal vrij.

8

De man van mijn dromen…

is niet honderd procent macho

Sam stond in de tunnel van de Joe Louis Arena te wachten tot hij het ijs op kon. Hij haatte het als hij moest spelen in Detroit. Haatte die vervelende mascotte van ze.

Hij stond achter Logan Dumont en voor Blake Conte. Aanvoerder Walker Brooks ging als eerste het ijs op, luid uitgejouwd door duizenden fans van de Detroit Red Wings. Sam vond dat soort joelende menigten altijd grappig. Hij genoot van al die passie, en er was geen gepassioneerder publiek dan dat bij een ijshockeywedstrijd. Toen het zijn beurt was om het ijs op te stappen, stak hij een handschoen onder een arm en schaatste zwaaiend het ijs op, alsof hij een held was. Hij keek naar de goed gevulde tribunes en lachte. Hij mocht dan een hekel hebben aan wedstrijden in de Joe Louis Arena, hij hield wel van ijshockey. Ze waren nu een week onderweg en hij was uitgeput en had last van jetlag, maar vanaf het moment dat de puck op het ijs terechtkwam, was dat allemaal verdwenen. De adrenaline stroomde dan door zijn aderen en deed zijn huid tintelen. Hij was de baas achter de blauwe lijn en gebruikte zijn hele lichaam om de boel op te hitsen en te intimideren. Hij reed gaten dicht en verdedigde scherp, daarom bracht hij vier minuten door op het strafbankje; onterecht vond hij zelf. Kon hij er wat aan doen dat die aanvaller van Detroit over Sams stick was gestruikeld? Dan moest hij maar terug naar Zweden om goed te leren schaatsen.

Aansteller.

De coaches waren wel eens kwaad over stomme penalty's, maar tegelijkertijd wisten ze dat dit nou eenmaal Sams werkwijze was. Het was de prijs voor zijn vechtlust, maar als de Chinooks wonnen, zoals vanavond tegen de Red Wings, dan klaagde niemand. Hij kreeg goed betaald – heel goed: tegenwoordig bestond zijn salaris uit heel veel nullen – om hard te zijn, fel te verdedigen en kansen te creëren voor de voorhoede. Hij was een van de spelers die het hardst konden schieten en haalde als de beste naar rechts uit. Hij wilde graag van zichzelf denken dat hij van beide talenten met beleid gebruikmaakte. Maar dat was natuurlijk niet altijd zo. Meestal begon hij met intimideren en zich te laten gelden, zodat een tegenstander van de wijs werd gebracht. Dan gingen ze fouten maken. Maar soms begon hij te klieren om het klieren. Soms ging hij gewoon de confrontatie aan omdat hij dat leuk vond.

En het was niet zo dat hij net zo vaak vocht als André, maar het was wel zo, zoals Mark Bressler regelmatig aangaf, dat André de laatste man was en vechten was *zíjn* taak.

Na de wedstrijd in Detroit vlogen Sam en de andere Chinooks-leden met het teamvliegtuig naar huis. Hij zou een week in Seattle zijn voordat ze afreisden naar Phoenix, Nashville en Pittsburgh. Zijn tijd in de stad bracht hij door met trainen, dingen doen met Conner en een paar vriendinnen. Maar toen hij weer op het vliegtuig stapte, dacht hij niet aan die vriendinnen. Toen hij een week later in Pittsburgh landde miste hij niet hun gezelschap. Hij miste zijn zoon, ook al sprak hij die week regelmatig met hem via de telefoon. In het verleden belde hij ook wel met Conner als hij op reis was. Hij miste hem altijd al, maar dit keer was het gemis groter. Hoe meer tijd hij met zijn zoon doorbracht, des te meer hij zijn klop-klopmopjes en zijn tekeningen miste. Hij miste zijn permanente vragenvuur over van alles en nog wat en ook zijn lieve omhelzingen.

Die avond begon de wedstrijd tegen de Pittsburgh Penguins beroerd en eindigde nog slechter. Alles ging gewoon verkeerd, vanaf het moment dat de puck voor het eerst het ijs raakte. Pittsburgh was veel sterker op het middenveld en hun nummer 87, Sidney Crosby, speelde een topwedstrijd. Deze jonge speler, afkomstig uit Nova Scotia, scoorde zelfs uit een afdwaler van Sams stick en gaf een goede voorzet na een schermutseling met Sam. Hij was daarop zo kwaad geworden dat hij flink wat strafminuten moest uitzitten, terwijl de Penguins wonnen met vier tegen drie.

Die avond deed Sam in het vliegtuig meteen de koptelefoon op en zette zijn iPod op shuffle. Hij wilde deze wedstrijd zo snel mogelijk vergeten. Hij wilde niet meer aan pucks en strafminuten denken. Hij wilde eigenlijk nergens meer over denken. Dan was het leven een stuk makkelijker.

Maar de afgelopen week moest hij steeds weer denken aan zijn zus, Ella. Vaker dan anders. Misschien kwam het omdat hij graag zo vaak mogelijk optrok met Conner. Zich verantwoordelijker voor hem voelde. Die verantwoordelijkheid vond hij doodeng. Niet dat het gevoel nieuw was; hij had het alleen heel lang niet zo ervaren.

Na de dood van zijn vader werd hij de man in het gezin en was hij verantwoordelijk voor zijn moeder en zijn zus. Niet financieel natuurlijk, maar voor zijn gevoel wel degelijk verantwoordelijk. En hij had zijn taak heel serieus genomen, voor een jongen van zijn leeftijd. Zijn moeder was een sterke vrouw en dat was ze nog steeds. Maar Ella was verloren geweest zonder zijn vader. Verloren en alleen, en Sam had geprobeerd de leegte die ze voelde op te vullen. Hij had voor haar gezorgd en haar beschermd. En als het even kon, nam hij haar mee op sleeptouw. In de lange zomervakanties was haar blonde paardenstaartje altijd in zijn vizier en als ze weer naar school gingen zorgde hij ervoor dat ze haar huiswerk deed en niet met de verkeerde types omging.

Toen hij negentien was werd hij gescout en verhuisde hij naar Edmonton, heel ver van zijn zusje vandaan. Hij ging zo vaak hij kon naar huis en sprak haar bijna elke dag. Toen ze zestien werd, kocht hij een auto voor haar en toen ze haar eindexamen had gehaald, nam hij haar mee naar Cancún om dat te vieren. Diezelfde zomer werd hij verkocht aan de Maple Leafs en Ella ging met hem mee naar Toronto. Ze ging naar de universiteit van York en slaagde daar als onderwijzeres. Toen was hij zo trots op haar. Ze was knap en slim en haar toekomst lag voor haar.

Toen kwam ze Ivan tegen en alles veranderde. Niet lang nadat die twee elkaar leerden kennen, begon ze zich terug te trekken en ging ze geheimzinnig doen. De eerste keer dat hij een blauwe plek in haar gezicht zag, kwam hij verhaal halen bij Ivan. Hij duwde de klootzak tegen de vlakte, hield hem daar tegen met zijn voet en zei dat hij hem zou vermoorden als hij Ella ooit weer zou aanraken. Maar het enige resultaat hiervan was dat hij zijn zus nog minder zag. Na anderhalf jaar in deze vreselijke relatie kon Ella haar beul eindelijk verlaten. Sam was ontzettend opgelucht. Ella trok weer op met oude vrienden en werd langzamerhand weer zichzelf. De laatste keer dat hij haar zag, was ze weer de oude Ella, met haar grote blauwe ogen die straalden.

Hij was in Toronto toen hij het telefoontje kreeg dat zijn leven voor altijd veranderde. Het was 13 juni en hij had net golf gespeeld met wat vrienden, waarna hij aan zijn eigen eettafel een afhaalmaaltijd zat te eten die hij had meegenomen. Toen belde zijn moeder om te zeggen dat Ella was vermoord. Ivan was heel Canada door gereisd om haar te zoeken, en toen ze aangaf dat ze niet langer met hem wilde omgaan, schoot hij haar dood voordat hij de hand sloeg aan zichzelf. De mooie, slimme Ella was dood, had een kogel in haar kop. En het erge was, al was het zeker niet het allerergste, dat Ivan ook dood was. Anders had Sam hem er graag bij geholpen.

Zijn zusje was dood en hij had haar niet kunnen helpen. Hij was er niet bij geweest toen ze hem het hardste nodig had. Hij was de enige man in de familie geweest, maar hij had zijn zus niet kunnen helpen.

De eerste jaren na Ella's dood waren een hel. Eén groot waas, waarin hij alleen maar feestte en zichzelf te gronde richtte. In die donkere periode was het enige waardoor hij min of meer voelde dat hij leefde, waardoor het leven voor hem enige zin had, ijshockey. Op het ijs kon hij het zwarte gevoel eruit vechten. Zijn schuldgevoel kon hij botvieren op iedereen die hem voor de voeten schaatste. Zodra hij het ijs verliet, hield hij iedereen die iets van verantwoordelijkheid van hem opeiste zo ver mogelijk van zich vandaan. Hij kon alleen de verantwoordelijkheid dragen voor Sam, en soms kon hij zelfs dát niet aan.

Toen hij Autumn tegenkwam, was dat rond Ella's sterfdag. Elk jaar weer een dieptepunt, wanneer hij het gapende gat dat zijn zus had achtergelaten het heftigste voelde. Niets kon dat gat opvullen, maar gedurende die dagen in Vegas had hij zijn best gedaan. Hij was zich te buiten gegaan aan veel drank en veel seks. Hij wist niet veel meer over die dagen, maar hij wist wel dat hij zich een paar dagen lang niet zo heel leeg had gevoeld. Toen was hij op stap geweest met een meisje met rood haar en groene ogen. Zij had iets gehad, iets wat hem wellicht kon redden. Daarom had hij haar het hof gemaakt. Maar toen was hij opeens wakker geworden, en bleek hij een kater te hebben en getrouwd te zijn. Tegelijkertijd was hij voor het eerst sinds dagen broodnuchter.

Tegenwoordig had hij niet langer de behoefte om de leegte op te vullen met drank en vrouwen, al was de leegte er nog steeds; niets kon ooit de plaats innemen van zijn zusje. Altijd zou haar dood een grote leegte innemen in zijn leven, maar hij was niet langer bezig zichzelf te gronde te richten. De vrouwen in zijn leven waren niet langer alleen maar goed voor één nacht. Geen ijshockeygroupies meer, al had hij nog steeds geen langdurige relaties. En dat deel van zijn leven hield hij altijd ver weg van dat waarin zijn zoon een hoofdrol speelde. Tenminste, dat dacht hij, tot Conner vertelde over die foto die hij had gezien, waarop hij bier stond uit te gieten over een stel bikinimeiden. Conner was inmiddels oud genoeg om te weten wat hij deed; om in te zien dat zijn vader meer tijd doorbracht met andere mensen dan met hem.

Hij had altijd gedacht dat Conner beter af zou zijn bij Autumn, omdat zij beter voor hem kon zorgen dan Sam ooit zou doen. Dat was vast nog steeds zo, maar Conner had hem ook nodig. Niet een of andere vent die hij wel eens in sportprogramma's zag en soms in het weekend. Het was goed voor zijn zoon als hij beter zijn best deed een echte vader te zijn.

Aan de motoren van het vliegtuig hoorde hij dat ze het vliegveld van Seattle naderden. Het was ongeveer drie uur 's nachts. Sam keek naar de lichten beneden. Hij was van plan de komende tien uur te gaan slapen, daarna wilden wat teamgenoten de stad in, naar een bar waar ze kostuums mochten jureren voor Halloween. Toen hij eerder die dag met Conner sprak, vertelde deze dat hij verkleed zou zijn als ijshockeyer. Een Chinook, net als zijn vader. Hij zou het wel leuk vinden om Conner te zien in een ijshockeyshirt met Sams naam erop, maar het was zijn beurt niet en Autumn stond erop dat hij zich aan de afspraken hield. Normaal gesproken zou hij gewoon gegaan zijn en maar zien hoe boos Autumn op hem zou worden, maar sinds de laatste keer dat hij haar gezien had, gingen ze juist weer een beetje beter met elkaar om. Hoewel 'beter met elkaar omgaan' misschien te veel gezegd was. Die paar keer dat hij zelf Conner had afgeleverd, in plaats van Natalie, hadden ze tenminste een gesprek kunnen voeren zonder dat hij het gevoel had dat hij zijn handen voor zijn kruis moest houden. Zolang hij Conner niet te laat thuisbracht, en niet onverwachts aan kwam zetten, was hij redelijk veilig voor haar woede.

Hij kon Conner ook de dag na Halloween opzoeken en hem meenemen naar die speelhal waar ze laatst zo veel plezier hadden gehad. Veel tijd doorbrengen met zijn zoon was belangrijk voor hem, maar dat wilde nog niet zeggen dat hij andere leuke dingen moest opgeven. Zoals rondhangen in een kroeg gevuld met schaars geklede Sneeuwwitjes of ondeugende verpleegsters.

'Vince?'

'Ja?'

In het licht van een pompoenlantaarn kon Autumn Conner zien hollen naar het volgende huis op zijn Halloweenronde, met een zak snoep in zijn ene hand en een Chinooks-shirt over zijn jas. 'Vind jij dat ik mannen afstoot?'

'Wat?' Vince keek haar verbaasd aan. 'Hoe bedoel je?'

'Een paar weken geleden zei Shiloh dat het leek alsof ik antimannenspray gebruikte.'

Conner kwam op hen af rennen. Het blauwe oog dat ze bij hem met schmink had aangebracht, was inmiddels wat uitgesmeerd, maar het rode litteken op zijn wang zat er nog steeds. 'Ik heb lekkere zure matten!' Geweldig. Nog meer suiker.

Ze liepen naar het volgende huis, toen Vince zei: 'Je moet niet letten op wat Shiloh zegt. Dat is zo'n meisje dat nergens serieus mee bezig is. Zij is heel anders dan jij.'

'Wat bedoel je daarmee?' Conner was bij een voordeur aangekomen die was versierd met spinnen.

'Ik bedoel dat je een moeder bent en nog een zakenvrouw ook.' Hij wierp zijn arm om haar nek en trok haar naar zich toe. 'Je bent een mooie vrouw en als jij wilt dat er een man in jouw leven komt, dan gebeurt dat.'

Vince en zij waren altijd heel close geweest, zelfs toen hij was uitgezonden, maar hij bleef haar broer en hij zou, om haar te sparen, niet altijd de waarheid vertellen. 'Denk je echt?'

'Jazeker. Zolang je maar niet in bars gaat rondhangen, op zoek naar mannen. Dat is de laatste keer niet zo goed uitgepakt.'

Autumn lachte. 'Dat klopt.' Ze liepen de bocht om en in de verte zag ze, naast Vince' Harley Davidson, Sams rode truck op de oprit staan.

'Papa!' riep Conner.

'Inderdaad.' Vince liet zijn arm zakken.

Het was Sams beurt nog niet. Hoezo was hij nu hier? 'Niet hollen,' riep Autumn, maar Conner stoof al op zijn vader af, via een verlichte oprit en daarna via een voortuin vol lachende vogelverschrikkers en pompoenlantaarns.

Achter haar mompelde Vince iets wat ze niet kon verstaan. Dat was maar goed ook. Daarna vroeg hij: 'Wat moet die idioot?'

'Ik weet het niet. Ik dacht dat hij weg was.' Sam verscheen ineens in het licht van de lantaarn onder aan haar trap en Conner begroef zijn gezicht in zijn donkere jas. Zo typisch voor Sam om er maar van uit te gaan dat hij gewoon kon komen aanwaaien.

'Heeft hij ineens besloten vader van het jaar te worden, of zo?'

'Daar lijkt het op, maar het duurt vast niet lang,' zei ze hoofdschuddend. Het geluid van Vince' motorlaarzen echode door de straat terwijl ze vader en zoon naderden. 'Beloof je me dat je niet gaat ruzie zoeken?'

Maar ze hoorde zijn leren jack kraken alsof hij zijn spieren spande als de Hulk. Vince was een lieve broer en een fijne oom. Maar hij was heel beschermend en had wel eens problemen zijn boosheid te bedwingen. Bovendien kon hij er heel lang over doen voordat hij iemand kon vergeven. Nog langer dan zijzelf. Want waar Autumn haar haat voor Sam was kwijtgeraakt, was Vince dat nog niet en dat zou vast ook niet gebeuren. Hoewel hun moeder erg gelovig was geweest, was 'vergeven en vergeten' een moeilijk concept voor de kinderen Haven. Vooral voor Vince. Maar ook voor Autumn; want hoewel ze haar haat voor hem had laten varen, kon ze niet zeggen dat ze Sam al had vergeven. Niet dat hij daarom gevraagd had, integendeel. Maar hij had haar ook nooit gezegd dat het hem speet. En dat zou ze niet vergeten. Nooit. Kennelijk was dat te veel gevraagd. Daarom liet ze het maar voor wat het was en ging ze verder met haar leven.

Toen ze met Vince de oprit op liep, voelde ze de spanning tussen de beide mannen in haar nek; het leek of haar paardenstaart te strak zat. 'Gedraag je,' fluisterde ze, voordat ze op Sam af liepen. Ze keek hem aan, de buitenlamp verlichtte de bovenkant van zijn gezicht, zijn ietwat gebogen neus en zijn bovenlip. 'Ik wist niet dat je in de stad was.'

'Ik ben in de stad.'

Dat was duidelijk. 'Maar ik wist niet dat je langs zou komen.'

'Dat wist ik zelf ook nog niet, tot een halfuur geleden.' Hij maakte een kleine hoofdbeweging. 'Vince.'

'Sam.'

'Ik moet even met je praten,' zei Sam met zijn blik strak op Vince gericht.

'Met mij?'

'Nee, met je broer.'

Daar was ze al bang voor. Ze greep Vince bij zijn arm. 'Niet slaan.'

Vince maakte zich los uit haar greep. 'Behalve als hij eerst slaat.'

Sam grinnikte. 'Je krijgt niet eens de kans om mij terug te slaan, kikvorsman.' Hij stak de straat over en ging in de donkere schaduw van een oude eik staan wachten.

Vince moest ook lachen, maar het was helemaal niet grappig. Vince was getraind om mensen te doden en Sam kon iemand buiten westen slaan, dat had ze zelf gezien. Mannen die groter waren dan Vince.

'Beloof je het?'

Hij liep de oprit af. 'Nee.'

'Wat is een kikvorsman?'

Ze keek neer op Conners glanzende blonde bolletje. Eigenlijk zou ze hem mee naar binnen moeten nemen, maar ze dacht dat beide mannen niet een robbertje zouden gaan vechten waar Conner bij was. Want ook al hadden ze de pest aan elkaar, op Conner waren ze allebei dol. Tenminste, dat hoopte ze. 'Ik denk dat hij bedoelt dat oom Vince bij de marine was.'

'O. Gaat papa nu oom Vince vermoorden?'

'Natuurlijk niet!' Dat hoopte ze tenminste. 'Ze maakten maar een grapje.'

'Waar hebben ze het dan over?'

Ze spande zich in om het gesprek af te luisteren, maar ze hoorde alleen maar zacht gebrom. 'Mannendingen.'

'Wat zijn mannendingen?'

Moest zij dat weten? 'Auto's.'

'Oom Vince heeft geeneens een auto. Hij heeft een motorfiets en een pick-uptruck. Maar die is niet zo groot als die van papa.'

Voor zover ze kon zien, stond Sam met zijn handen op zijn heupen en had Vince nog steeds zijn armen over elkaar.

Weer hoorde ze Sam grinniken, waarna hij vanuit het duister weer in beeld verscheen en de straat overstak. 'Heb jij een Mars in die tas van je?' vroeg hij aan Conner.

'Wel tien of twintig!'

'Mooi zo. Dan kun je er wel eentje aan je vader geven.'

'Ik heb hartstikke veel snoep. Kom maar kijken, binnen.'

Sam keek even naar Autumn. 'Mag dat?'

Alsof het wat uitmaakte. Ze knikte en zag dat Vince ook uit

de duisternis tevoorschijn kwam. 'Zeg nog even dag tegen je oom,' zei ze tegen Conner.

'Oké.' Conner had al voldoende suiker binnen en stoof op Vince af om hem een stevige omhelzing te geven. 'Dag oom Vince.'

'Tot gauw, Nugget. Geef me de vijf.'

Conner strekte zijn hand uit en trok hem net op tijd terug. 'Ha ha, te langzaam.' Hij holde terug naar Sam, pakte diens hand en trok hem mee naar binnen. Autumn wachtte tot ze verdwenen waren en vroeg toen: 'Waar hadden jullie het over?'

'We zijn tot een overeenkomst gekomen.'

'Wat voor overeenkomst? Wat zei hij dan?'

Vince zwaaide zijn been over de Harley en zette zijn motorfiets rechtop. 'Laat maar.'

'Vince! Wat voor overeenkomst?'

Hij zuchtte. 'Hij vertelde dat hij wat vaker zou langskomen en dat ik daar maar vast aan moest wennen.'

'En?'

'Niets.' Hij startte zijn motorfiets en vulde de nachtlucht met luid geronk, waarmee het gesprek ten einde was. Hij reed de motor achteruit de oprit af en vertrok, Autumn met haar vragen achterlatend. Er was zeker meer gezegd dan 'niets'; ze kende Vince goed genoeg om hem niet te geloven.

Ze zuchtte diep en liep de trap op naar haar voordeur, die was versierd met een gezellig spookje. Ze was moe van het uitdelen van snoep en van Conners ronde langs de deuren en hoopte dat Sam niet te lang zou blijven. Ze had morgen een voorbespreking met twee bruidjes en moest dan helder zijn. Ze deed de deur open en kwam net naar binnen tijdens Conners laatste klop-klopmop. Sam lachte hard, alsof het een geweldige grap was.

Dat was het niet.

Conner zat naast Sam op de zachtgroene bank. Zijn jas had hij op de tafel gegooid. De twee blonde hoofden zaten gebogen over de zak met snoep die tussen hen in stond. Niet alleen was het getal 16, dat op Conners kleine ijshockeytrui stond, het nummer van Sam; het behoorde kennelijk ook toe aan ene Bobby Clark. 'Bobby kon geweldig hard schieten,' had Conner haar een paar weken geleden verteld. 'Maar papa kan het nóg harder. Hij heeft drie keer gewonnen voor het hardste schot.'

'Mooi blauw oog,' vond Sam, wijzend op Conners geschminkte gezicht.

'Net als jij, vorig jaar.'

'Maar ik had geen wond in mijn gezicht.'

'Weet ik, maar die krijg je vast nog wel een keer.'

Autumn deed haar jas uit en liep verder naar de eetkamer. 'Zorg je ervoor dat je niet misselijk wordt.'

Conner deed net of hij haar niet hoorde. 'Wil je nog een KitKat, papa?'

'Ik wil liever blauwe Skittles. Die plakte ik vroeger allemaal op mijn tong en dan ging ik achter Ella aan.'

'Wie is Ella?'

'Mijn zusje. Ik heb je wel eens over haar verteld.'

'O ja, die is dood.'

Autumn hing haar jas aan een stoel en liep terug naar het woongedeelte. Ze was het gewend dat er een man in haar huis was. Vince was er vaak, maar Sam bracht een ander soort energie met zich mee. Niet dat het net zo agressief of vijandig aanvoelde als vroeger, maar helemaal op haar gemak was ze ook nog niet. Het was te veel energie. Te veel testosteron zelfs, wat hij uitstraalde.

'Dus ik neem die Skittles wel, anders vallen je tanden er nog uit,' zei Sam, zoekend in de tas. 'En wat van die M&M's natuurlijk. Stel je voor dat je te veel groene eet; ik weet wat voor hekel je aan groene groente hebt.'

'Je mag ze allemaal hebben.'

Sam keek even naar Autumn en bracht zijn blik weer terug naar de zak met zoetigheid. 'Bedankt, maar ik...' Met een ruk bracht hij zijn hoofd weer omhoog en staarde haar aan alsof ze ineens was veranderd in een buitenaards wezen. Hij trok zijn wenkbrauwen hoog op. Een heel eng buitenaards wezen.

Ze draaide zich om en keek achter zich. Niets. Ze draaide zich weer om. 'Wat is er?'

Hij wees naar haar witte shirt. 'Wat draag je in godsnaam?'

'Een hockeyshirt.' Ze wees naar de pinguïn op de voorkant. 'Ons Halloweenthema was ijshockey, dit jaar.'

Hij zweeg even. Zei toen zacht: 'Dat is Pittsburgh.'

'Leuk. Met die pinguïn met schaatsen aan.' Ze keek hem weer aan. 'Schattig.'

'Dat is voor mietjes.'

'Denk om je woorden, Sam.'

'IJshockeyshirts moeten niet schattig zijn.' Hij stak fronsend een belerende vinger op. 'En je draagt het shirt van Crosby.'

Ze keek naar het nummer op haar arm: 87. 'Wie?'

'Jezus. Die eikel scoorde laatst tegen me met een afzwaaier. Daar had hij zich voor moeten schamen, in plaats van rond te schaatsen alsof hij er trots op was.'

Geen idee wat hij daarmee bedoelde. Ze wees naar Conner, die gefascineerd aan Sams lippen hing. 'Denk alsjeblieft aan je taalgebruik.'

Conner schudde zijn hoofd. 'Ik heb het gezegd, hoor papa.'

Autumns mond viel open. 'Wat heb je gezegd?'

'Dat je papa's shirt moest dragen, net als ik.'

Dat ging dus niet gebeuren. 'Ik vind dit shirt mooier.'

Sam vouwde zijn armen over elkaar en leunde achterover. 'Pinguïns dragen geen schaatsen.'

Ze wees naar Conners shirt. 'En vissen kunnen geen pucks slaan met hun staart.'

Sam deed een doosje Smarties open en stak er een paar in zijn mond. Hij keek haar kauwend aan. 'Crosby is een zij- zijden sok.'

Ze haalde haar schouders op. 'Het is een lekker ding.'

'Dat meen je niet.'

Ze had eerlijk gezegd geen idee hoe Crosby eruitzag, maar vond het leuk dat Sam zich zo ergerde. 'Echt wel. Ik vind het wel leuk dat degene wiens shirt ik draag er leuk uitziet.'

'Wiens shirt je draagt? Bedoel je dat je alleen een shirt draagt als je iemand leuk vindt?'

Nee. 'Ja.' Of zou Sam niet weten dat vrouwen zijn shirt, met zíjn nummer, droegen omdat hij een lekker ding was? Zij ging het hem in elk geval niet vertellen. 'Waarom niet?'

'Waarom wel!' Hij stond op en liet het lege doosje snoep op de koffietafel vallen. 'En zijn punten dan? En het aantal jaar dat een speler al meedraait in ijshockey? En of hij tegen een stootje kan of niet? En wat dacht je ervan hoe het voor mij is als de moeder van mijn kind het shirt draagt van een tegenstander?'

Hij keek zo serieus dat ze begon te lachen.

Hij zette zijn handen in zijn zij. 'Wat is er zo grappig?'

Ze legde haar hand op haar buik. 'Jij!' Ze moest nog harder lachen. Ze kon er niets aan doen. 'Je doet belachelijk.' Conner hield zijn adem in, alsof ze heiligschennis had gepleegd.

Hij gebaarde met zijn hand. 'Uittrekken.'

'Tuurlijk.' Alsof hij in háár huis kon bepalen wat zíj ging doen. Echt niet.

Sam liep om de koffietafel heen en kwam op haar af. 'Trek je hem nog uit?'

Ze schudde haar hoofd en deed een stap achteruit. 'Nee.'

'Dan laat je me geen andere keus.' Hij kwam dreigend op haar af. 'Dan moet ík hem uittrekken.' Zijn mondhoeken begonnen omhoog te krullen, maar zijn blik was nog steeds uiterst serieus.

'Dat kun je helemaal niet.'

'Jazeker wel. Ik trek zo vaak een vrouw een shirt over het hoofd.'

'Dat is niets om trots op te zijn, hoor.'

'Ben ik ook niet trots op. Ik kan het gewoon heel goed. Ik tel tot drie.' Hij telde af op zijn vingers.

'Daar ben je zeker heel goed in.' Ze wachtte niet tot hij klaar was met tellen, maar draaide zich om en ging ervandoor richting de keuken. Maar hij had haar al in de kraag gevat en ze kwam hard tot stilstand met haar rug tegen zijn borstkas. 'Sam!'

'Kom eens helpen, Conner,' riep hij en hij sloeg een stevige arm om haar heen, vlak onder haar borsten.

'Nee, Conner!'

Maar de kleine verrader holde de keuken al in en keek naar zijn vader. 'Wat moet ik doen?'

'Hou jij haar andere shirt vast, anders trek ik dat per ongeluk ook uit.'

'Stop!' protesteerde ze lachend. 'Conner, naar je kamer! Ik meen het.'

'Echt niet.' Hij pakte met zijn kleine handen haar ondershirt vast, dat langzaam via haar buik omhoogschoof.

'Ik ben je moeder! Je moet mij helpen!'

'Je kunt meewerken, of je kunt tegenwerken,' zei Sam boven haar hoofd. 'Het is je eigen keuze.'

Ze probeerde zich los te wurmen, maar het had totaal geen zin. 'Ik hou dit shirt aan. Het was hartstikke duur.' Nu ze letterlijk overmand was, verdween het shirt al snel over haar hoofd, waar het even bleef hangen achter haar paardenstaart, daarna volgde een partijtje touwtrekken met haar zoon. 'Laat los.'

'Hou d'r vast, pap.' Conner hijgde en lachte om beurten.

Met allebei zijn armen om haar heen, kon Sam haar nog steviger vasthouden. 'Pak hem af en verstop hem goed,' zei hij tegen Conner.

'Er zwaait straks wat voor je, hoor,' waarschuwde ze haar zoon. 'Geen tekenfilmpjes meer.'

Bij wijze van antwoord trok hij zo hard aan het shirt dat zijn gezicht er helemaal rood van werd. Ze ging op haar tenen staan en trok het shirt omhoog, waarbij ze hem met haar voet tegen zijn buikje tegenhield, maar toch wist hij haar het shirt te ontfutselen. Hij tuimelde naar achteren en ging er toen als een haas vandoor. 'Niet loslaten tot ik het heb verstopt, hè papa?'

'Ik laat haar niet gaan.' Zijn omhelzing werd nog krachtiger en ze was zich heel erg bewust van het feit dat hij zo dicht met zijn lichaam tegen het hare aan stond. Plotseling voelde ze heel sterk hoe ze was omvat door een sterk mannenlichaam, dat veel warmte verspreidde. Ze bleef stokstijf staan, terwijl zijn warmte haar lichaam binnendrong. Twee van zijn vingers lagen op haar buik, die was ontbloot in het heetst van de strijd.

Er waren twee mannen die de laatste vijf jaar haar leven hadden bepaald en hier en daar wisselde ze wel eens een beleefde handdruk uit, maar verder was het lang geleden dat een man haar had aangeraakt. En de laatste keer was dat uitgerekend deze man geweest. Jazeker, ze voelde de warmte en de mannelijke kracht van Sam maar al te goed. Net als al die jaren geleden in Las Vegas. Maar wat ze dit keer niet voelde waren vlinders in haar buik.

'Laat me los, Sam.'

9

De man van mijn dromen…

respecteert mijn grenzen

‘Ben je zover, Conner?’ riep Sam. Hij keek van de deuropening naar Autumns hoofd. Haar paardenstaart was in de war geraakt en haar rode haren kietelden tegen zijn kin. Het was lang geleden dat hij zo dicht bij een vrouw was, met al zijn kleren aan. En dat bij deze vrouw. Hij had eigenlijk een elleboog in zijn buik verwacht, of een kopstoot tegen zijn kin.

‘Nog niet, pap.’

Maar in plaats daarvan liet ze zich zakken en probeerde ze onder zijn armen uit te glijden. Die beweging deed echter een vuur bij hem ontbranden in zijn lendenen. Hij voelde haar naakte huid onder zijn handen en toen kon hij er niets meer aan doen. Het gebeurde gewoon: uit zijn keel ontsnapte een diepe kreun. Het was een geluid dat maar op één ding kon duiden en hij hoopte maar dat ze het in godsnaam niet in de gaten had.

‘Ik wil wat water.’ Ze draaide haar hoofd om en keek hem recht in de ogen. ‘Wil jij ook een glas koud water?’

Van zo dichtbij waren haar ogen echt heel groen. Niet zo groen als edelstenen, maar warmer. Zoals de kleur die bomen in Saskatchewan kregen als het herfst werd. 'Nee.' Hij liet zijn handen vallen en liep de keuken uit. De bomen in Saskatchewan? Waar kwam dat nou weer vandaan? Zeker weten had hij koud water nodig. Om het vuur in zijn kruis mee te doven.

Hij liep naar de woonkamer en pakte zijn jas van de bank. 'Ik moet gaan.' Voordat hij zichzelf belachelijk maakte door aan zoiets idioots te denken als seks met zijn ex. Met Autumn, die vrouw die hem haatte en hem tegelijkertijd meer in de war bracht dan alle andere vrouwen op deze aardbol. 'Conner!' riep hij, terwijl hij zijn dikke jas aanschoot, dankbaar dat deze zijn inmiddels behoorlijke erectie bedekte.

'Ja, pap?' Hij kwam zonder shirt de gang weer in. 'Ga je nu weg?'

'Ik heb een lange week achter de rug.' Dat was waar, al was het niet de ware reden van zijn vertrek. 'Ik bel je maandag wel, na de training, dan kunnen we misschien een keer naar zo'n grote overdekte speeltuin.'

'Of midgetgolf. Dat kan ik goed.'

Autumn kwam ook de keuken uit, haar haren helemaal in de war, alsof ze zojuist een wilde vrijpartij achter de rug had. Haar blauwe ondershirt zat strak om haar bovenlijf en ze had een glas water in haar hand. 'Tuurlijk,' zei hij, met zijn blik strak gericht op de knopen van zijn jas.

'Ik moet werken tot een uur of twee, nieuwe klanten. Dan is hij maandag na school bij de BSO.'

'Ik vraag wel of Natalie hem op komt halen.'

Hij bestudeerde haar vanuit zijn ooghoeken. Ze stond met een schouder geleund tegen de keukendeur. Toch was ze veranderd. Ze deed vriendelijker, leek benaderbaar. Maar dat was niet alles.

'Jij kent mijn nieuwe klanten wel.' Het was hem een paar weken geleden al opgevallen, toen ze boven aan de trap stond en hij beneden. 'De zusjes Ross,' ging ze verder. 'Een van hen trouwt met Mark Bressler. Ik geloof dat hij jullie coach is.'

'Ja, ik ken Bo en Chelsea wel.' Nog maar een paar maanden geleden had hij met Chelsea staan flirten, tijdens het feest ter ere van de Stanley Cup. Hij vond haar leuk en ze was aantrekkelijk, maar destijds deed hij het vooral om Mark te pesten. Daar had je vrienden voor.

'Haar zus, Bo, trouwt met iemand van de organisatie. Iemand die Julian heet.'

'Jules Garcia?' Hij wenkte naar Conner, om hem goedendag te zeggen. 'Dat is dan een verrassing.' Vooral omdat de pittige Bo de meeste ijshockeyers angst aanjoeg en veel van de jongens dachten dat Jules homo was. Sam dacht van niet, maar vond het wel opvallend dat die vent van pastelkleuren hield, en van bodylotion en haargel.

Hij gaf Conner een stevige omhelzing en vertrok. Pas toen hij in zijn truck zat en op weg naar huis was, besefte hij wat er veranderd was aan Autumn.

Helemaal niets.

Hij reed door de wijk Bellevue en de lichten van de stad trokken in veelkleurige strepen langs zijn raam voorbij, terwijl hij dacht aan Autumn en haar donkergroene ogen. Ze had geen enkele emotie in haar ogen getoond toen ze hem had aangekeken. Geen ergernis, geen haat, geen boosheid. Helemaal niets.

Mooi zo. Dat was beter dan de kwaadheid die hij zoveel jaren in haar ogen had gezien. Hij was er de oorzaak van dat ze kwaad was geweest. Had er een groot aandeel in gehad. Maar zoveel haat als Autumn hem geschonken had, had hij niet verdiend. Zelfs de ijshockeyers die hij in de boarding had gewerkt, haatten hem niet zo verschrikkelijk. En dat zij zo'n haat voor hem voelde, had hij al die tijd heel jammer gevonden. Ook omdat het zijn relatie met Conner bemoeilijkte.

Maar nu? Hij zag niet hoe ze ooit bevriend zouden raken. Ten eerste was hij nooit bevriend met vrouwen en ten tweede hadden zij samen een geschiedenis. Ze waren net twee aartsvijanden die te vaak tegenover elkaar in de ring hadden gestaan. Altijd op scherp. Altijd gereed om te knokken. Alleen vanavond niet.

Ze was ontspannen geweest en hij had zijn verdediging laten zakken en heel eventjes leek het allemaal wat makkelijker te gaan. Iets te makkelijk, misschien. Haar lach deed hem denken aan het meisje dat ze lang geleden was geweest. Het meisje dat de hele dag grapjes had gemaakt en had gelachen en had gevreeën. Er was weinig wat hij zich nog herinnerde van die tijd in Vegas, maar het was wel meer dan genoeg om van schaamte weg te willen kruipen en last van zijn geweten te krijgen.

Zij was de moeder van zijn kind. Deze vrouw die zoveel warmte en zoveel kilte kon uitstralen. De laatste vrouw op aarde tegenover wie hij zich wilde schamen, of om wie hij last van zijn geweten wilde krijgen.

Of van iets heel anders...

Autumn zat aan haar bureau tegenover Chelsea en Bo Ross. Ze was erop gekleed en droeg een zwart crêpe jurkje uit de jaren veertig, met kapmouwtjes en kristallen knoopjes.

Vanaf het moment dat de tweelingzusjes haar kantoor binnenkwamen, wist ze dat het dubbele huwelijk dat ze beiden wilden niet zou werken. Met Bo's donkere mantelpakje en zwarte paardenstaartje was ze beter op haar plaats in New York dan in Seattle en Chelsea was een en al kleur in haar paars met roze Pucci-jurk en rode plateauschoenen. Beiden waren klein, maar knap. Allebei hadden ze grote borsten en waren ze erg aanwezig.

Chelsea legde haar handen op het bureau. 'We hebben besloten dat het de derde zaterdag in juli wordt.'

'Dan is het ijshockeyseizoen voorbij,' legde Bo uit.

'En zijn Mark en ik verhuisd naar ons huis in Chapel Hill.'

'En hebben Jules en ik hopelijk een huis gevonden.' Bo legde haar hand over die van haar zus. 'Voor het huwelijk dachten we aan iets bescheidens. Zwart en wit met een tikje loodgrijs.'

'Ik geloof nooit dat Jules voor zwart-wit gaat, en Mark kan het niet schelen, zolang hij maar niets hoeft te regelen.' Chelsea glimlachte en trok haar hand onder die van haar zus uit. 'Ik wil juist een tuinfeest met volop kleur. Paars en roze en hier en daar rood en geel.'

'Nee.'

'Zwart-wit is saai. Jij kunt wel wat kleur in je leven gebruiken.'

'En jij lijkt wel een abstract schilderij dat niemand begrijpt behalve jijzelf.'

'Dames,' interrumpeerde Autumn. 'Hoe belangrijk is het dat jullie samen trouwen?'

Ze keken haar allebei stomverbaasd aan. 'We zijn echt een paar dagen na elkaar verloofd,' zei de een.

'Het zou gewoon zo horen,' vulde de ander haar aan.

'Een dubbele trouwerij is altijd lastig.' Autumn boog zich over haar bureau en vouwde haar handen in elkaar. 'En daarbij is het voor elke bruid leuker als het echt háár dag is. Bo, jij kleedt je zo ingetogen, terwijl Chelsea dat juist kleurrijk doet. Jullie hebben allebei recht op een eigen dag, maar ik ben bang dat jullie smaken zo ver uiteenlopen, dat het onmogelijk is ze samen te voegen tot één geheel.'

'Maar dan moeten onze familieleden twee keer naar Seattle komen.'

Bo schudde haar hoofd. 'Niet als een van ons trouwt op vrijdag en de ander op zaterdag.'

Autumn glimlachte. 'Precies.'

'Ik wil graag de zaterdag.'

Bo schudde haar hoofd. 'Jules heeft een grotere familie. Ik wil graag de zaterdag.'

'Dat hoeven we nog helemaal niet te beslissen,' onderbrak Autumn hen. Ze stapte over op een ander onderwerp; eentje waar alle bruiden dolgraag over praten. 'Hebben jullie al een jurk uitgezocht? Daar kan ik jullie ook bij helpen, of in elk geval wat mooie winkels noemen.'

'Ik ga pas op zoek naar een jurk na Kerstmis,' zei Chelsea. 'Ik heb de negenentwintigste een borstverkleiningsoperatie, dus het heeft voor mij geen zin nu een jurk uit te zoeken.'

Bo keek haar zus aan met een diepe frons boven haar neus. 'Ik heb gelezen dat het aantal mensen dat overlijdt na een cosmetische ingreep heel hoog is.'

'Het is geen cosmetische ingreep.'

'Ja hoor.'

'Nee hoor.'

'Het is een verminkende operatie.'

Chelsea deed haar ogen dicht en haalde diep adem. 'Moeten we daar nu over bakkeleien?' Ze wendde zich tot haar zus. 'Op dit moment?'

'Nee.' Bo schudde haar hoofd. 'Het spijt me. Jij mag de zaterdag.'

Autumn voelde alweer een kloppende hoofdpijn opkomen achter haar slapen. Ze durfde haar volgende vraag bijna niet te stellen. 'Hoeveel tijd kunnen de bruidegoms steken in de organisatie?'

'Mark kan niets doen. Behalve de twee weken die hij heeft vrij genomen voor mijn operatie is hij tot aan het voorjaar op pad met de Chinooks. En hij is ook niet zo'n organisator.'

'Jules kan wel helpen. Alhoewel...' aarzelde Bo, '... zijn voorkeur voor pasteltinten kan wat problematisch zijn.'

Chelsea lachte naar haar zus. 'Jules heeft een geweldige smaak. Je zou hem moeten laten meedenken in plaats van jijzelf.'

Vanaf het moment dat de tweelingzussen het idee van een gezamenlijke ceremonie hadden laten varen en stopten met ruziemaken over wie de slechtste smaak had, verliep de bespreking voorspoedig. Autumn kwam er al snel achter dat beide vrouwen heel erg goed georganiseerd waren en wisten wat ze wilden. Als het aankwam op hoeveel geld ze wilden uitgeven en hoeveel tijd ze aan het eigenlijke weddingplannen konden besteden, leken ze heel erg op elkaar. Al snel waren ze gedrieën vlot door het papierwerk heen gegaan.

De twee zussen gingen trouwen met mannen die veel in de belangstelling stonden. Vooral Chelsea. Mark Bressler was een hockeylegende in Seattle en ze vroeg zich af of de twee het erg zouden vinden als ze hun trouwfoto's in de bruidsbladen gepubliceerd kreeg. Als ze elkaar wat vaker hadden gesproken, zou ze het onderwerp te berde brengen.

Bo maakte haar paardenstaart los en bond haar haren even zorgvuldig weer in de speld. 'Ik geloof dat we hier wel klaar mee zijn en ik moet weer aan het werk.' Vorsend keek ze over Autumns rechterschouder. 'Het lijkt wel of ik dat jongetje ken.'

Autumn keek achter zich naar de foto's van Conner op de planken achter haar.

'Hij lijkt op die jongen die de afgelopen wedstrijden bij de spelers was. Dan komt hij mee met een van die assistentes van Sam, met van die lange donkere haren en volle lippen.'

Chelsea sloeg haar armen over elkaar. 'Sam: een gevaar voor elke vrouw.'

'Dat is mijn zoon, Conner.' Autumn keek van de ene tweelingzus naar de andere en voegde eraan toe: 'LeClaire.'

Nu begreep Bo het. 'Aha.'

'Ik wist niet dat Sam een zoon had. Hoe oud is hij?'

'Vijf,' antwoordde Autumn. 'Sam en ik waren niet lang getrouwd.' En dat was nog voorzichtig uitgedrukt. 'Getrouwd zijn met een ijshockeyer was niets voor mij.' Vanaf het begin hadden Sam en zij vanwege Conner besloten om niet te veel uit te weiden over de details van hun kortstondige verbintenis. Dat was eigenlijk het enige waar ze het echt over eens waren geworden. Er waren maar drie andere mensen die het precies wisten. Vince en twee vrienden van Sam. En voor zover ze wist hadden die vrienden er niets over losgelaten.

'Het is ook een hard leven voor het gezin,' vond Bo. 'Je moet er echt helemaal voor gaan en een sterke vrouw zijn. IJshockeyers zijn geweldige mannen, maar het kunnen soms ook echte honden zijn.'

Chelsea hapte naar adem. 'Bo!'

'Ik bedoel Mark niet, hoor.'

Chelsea wierp snel een blik op Autumn. 'Let op wat je zegt.'

'Het is al goed.' Autumn lachte. 'Sam was ook echt een hondenlul.'

Chelsea glimlachte. 'Maar wel een heel leuke.' Ze schudde spijtig haar hoofd. 'Jammer dat het niets is geworden. Ik vind Sam een leuke kerel. Hij kwam Mark vaak ophalen toen hij niet kon rijden. Hij is echt een goede vriend voor Mark geweest.'

'Ja.' Autumn wist niet hoe ver Sams vriendschap kon gaan, maar dat hij leuk was wist ze maar al te goed. Zo leuk dat ze er zes jaar geleden helemaal voor gevallen was.

Bo stond op en pakte haar zwarte rugzak op. 'Jules en ik zitten meestal in de skybox van Faith tijdens thuiswedstrijden. Als je daar ooit wilt zitten met Conner, moet je het maar laten weten.'

'Vindt Faith dat niet erg?'

'Zij zit meestal binnen en de skybox is vaak leeg, tenzij Jules en ik er zitten.'

Autumn stond op.

'Ik zal het Faith eerst even vragen, maar ik weet zeker dat het mag. Ik denk zelfs dat ze blij zal zijn als hij gebruikt wordt.'

Autumn had geen enkele intentie om naar een wedstrijd van de Chinooks te gaan, ze was geen fan van het spel en ze wilde in geen geval worden aangezien voor een fan van Sam. Hun verstandhouding was op dit moment prima, maar vrienden waren ze allerminst. 'Dankjewel.'

Ze liet de twee zussen uit en liep daarna terug naar haar bureau om de beide contracten op te bergen. Sam zou Conner vandaag ophalen bij de BSO. Ze wist niet hoe ze moest reageren op zijn plotselinge gedaanteverandering van weekendvader naar gescheiden maar geïnteresseerde vader. Ze wist niet waar die verandering ineens vandaan kwam, al was het uiteindelijk het beste voor Conner. Ze miste hem als hij bij Sam was, maar ze moest toegeven dat ze daardoor wel even tot rust kon komen. Zo moest ze vandaag nog een heleboel was wegwerken en het huis schoonmaken; en dat ging altijd makkelijker als haar zoon er niet was om alles achter haar rug weer lekker vies te maken.

Voordat ze haar kantoor verliet, haalde ze nog wat mappen van cateraars en andere toeleveranciers tevoorschijn en legde deze op de stapel spullen die ze mee naar huis wilde nemen. Toen ging haar mobiele telefoon en ze pakte hem van haar bureau. Het was Sam. 'Wat is er?'

'Ik belde even om te zeggen dat ik Conner heb opgehaald.'

Wat vreselijk attent. En wat vreselijk atypisch voor Sam. 'Dank je.'

'Ik speel morgenavond een thuiswedstrijd.'

Ze ging op de rand van haar bureau zitten en staarde naar de parkeerplaats. 'Ja, dat hoorde ik van Conner.'

'Hij wil er graag naartoe.'

Het was overmorgen een schooldag, maar zolang Conners schoolwerk er niet onder leed, kon ze de teugels wel een beetje laten vieren. Sam ging tenslotte een paar weken weg en dan kon Conner hem enige tijd niet zien. 'Zolang hij maar niet al te moe wordt, is het geen punt. Dan moet je maar aan Natalie vragen of ze hem thuisbrengt als hij te moe is.'

'Ja. Precies. Ga jij de wedstrijd volgen op de tv?'

'De wedstrijd?' Wat zat hij nou te bazelen? 'Nee.'

'Ben je dan aan het werk?'

'Morgenavond niet, nee.' Ze had pas een lijmpistool gekocht en wilde lekker allemaal gekleurde steentjes op allerlei spulletjes plakken. 'In november heb ik het nooit druk.'

'Natalie heeft griep.'

‘O, vervelend.’ Misschien wel op die grote vaas, of nee, op die geweldige kandelaars! Dat kon geweldig worden. En dan kon ze die ook gebruiken voor trouwerijen.

‘Dus... zou jij Conner naar de wedstrijd kunnen brengen?’

Of op pennen en opschrijfboekjes, enne... ‘Wat? Wacht even. Nee. Ik moet van alles doen.’

‘Wat dan? Je zei net dat je het niet druk had?’

Wat maakte dat nou uit? Ze hoefde hem toch geen verantwoording af te leggen? ‘Van alles.’

‘Wat dan?’

‘Ik moet een heel lijstje afwerken.’

‘Uiteraard, maar wat staat er dan op je lijstje dat belangrijker is dan je zoon wegbrengen naar een ijshockeywedstrijd om mij te zien?’

Om hem te laten merken hoe weinig hij voor haar betekende, zei ze dus: ‘Mijn lijmpistool.’

‘Je wat?’

‘Ik heb een lijmpistool en ik wil graag allerlei dingen gaan versieren.’

‘Jezus.’

‘Ik ben je geen uitleg schuldig, hoor Sam.’ Ze stond weer op, met een hand op haar heup. ‘Maar als je de waarheid wilt weten, ik haat ijshockey.’

‘Dan kun je net zo goed zeggen dat je Canada haat.’

‘Ik ben geen Canadees,’ legde ze hem uit.

‘Maar Conner wel. Luister eens, ik wilde het eigenlijk niet vragen, maar ik ga dinsdag al voor een week weg.’

Nu hoorde ze op de achtergrond een klein stemmetje smeken: ‘Alsjeblieft, mama.’

‘Dat is niet eerlijk, Sam.’

‘Weet ik.’

Natuurlijk wist hij dat, maar het speet hem niet.

‘Je hoeft niet de hele wedstrijd te blijven,’ ging hij verder. ‘Als Conner of jij het zat zijn, ga je gewoon weg. Het is maar voor één keer, Autumn. Ik wilde het niet vragen, maar Conner wil heel graag zien hoe we gaan knokken.'

'Conner houdt niet van geweld.'

'Het is geen geweld. Het is ijshockey.'

Ja joh. Ze zou hem deze keer zijn zin geven, maar wilde het eigenlijk niet, en ze zou hem niet zomaar zijn zin geven. 'Wat is je tegenprestatie?'

Even was het stil aan de andere kant. Toen klonk opeens in haar oor een sexy 'Wat kan ik voor je doen, schatje?'

Ze draaide met haar ogen. 'Ik wil dat je ophoudt met mij te commanderen. Je bent gewend dat iedereen alles voor jou doet. Maar ik werk niet voor jou en ik ben niet een van je assistentes. Mijn leven draait niet om jou en al jouw nukken en grillen.'

'Autumn,' klonk het zuchtend aan de andere kant. 'Van alle vrouwen op de hele wereld ben jij de enige waarvan ik zeker weet dat ik er mijn nukken en grillen niet op kan botvieren.'

De lucht in de KeyArena in het centrum van Seattle dreunde op het ritme van 'Welcome to the Jungle'. Het was de tweede minuut van de tweede periode, de tegenstanders hadden elk twee goals gemaakt. Aanvoerder Walker en zijn tegenpool van Vancouver waren bezig met een face-off achter de blauwe lijn van de Chinooks. De puck viel, de muziek stopte en het stemgeluid van Axl Rose maakte plaats voor het geluid van sticks die op het ijs slaan.

Sam zat op de bank en spoot water in zijn mond. Hij spuugde het uit tussen zijn voeten en veegde zijn mond schoon met zijn hand.

'Henrik maakt ruimte en vult de ruimte voor onze goal,' zei Mark Bressler achter hem. 'Hou hem vast en zorg dat-ie Marty niet in de weg zit.'

Sam knikte en volgde met zijn blik de actie op het ijs. De Vancouver Canucks waren snel in de frontlinie, maar hun verdediging was lang niet zo snel. Als de Chinooks druk zouden zetten op hun achterhoede, dan konden ze hen flink op hun lazer geven.

Naast hem floot André naar zijn tegenspeler, die langs hun bank schaatste. 'Jij bent zo aan de beurt, vriend.'

Sam lachte en verplaatste zijn blik naar het publiek iets links van hun goal, daar bleef hij rusten op Autumns roze baseballpet. Het leek wel alsof ze niet herkend wilde worden, met die pet op en haar kraag omhoog. Hij was ook een beetje verbaasd dat ze niet het Pittsburgh-shirt had aangedaan om hem te stangen.

Sam voelde een hand op zijn rug, hij stond op en schoof zijn bitje weer in zijn mond. Hij en Vlad klommen over de boarding en hij schaatste naar het verre doel.

Een speler van de tegenpartij bracht de puck mee over het midden, hield het gevulkaniseerde rubberen schijfje in de kromming van zijn stick. Sam hield zijn blik gericht op het gezicht van de ander, probeerde zijn bedoelingen in te schatten. Op het moment dat hij zijn blik naar het ijs richtte, duwde Sam hem met zijn heup in de boarding. Het plexiglas rammelde terwijl hij naar de puck zocht met zijn eigen stick. 'Je vindt het vast heerlijk als ze je tegen het ijs drukken,' zei hij, al hakkend en stotend.

'Lik mijn reet, LeClaire.'

'Lik eerst de mijne maar, schijterd.' Hij schoot de puck naar Daniel en zette koers naar de rode lijn. Er werd gefloten en de scheids gaf buitenspel aan. Hij keek weer even naar Conner en Autumn. Zijn zoon zwaaide naar hem met zijn hand van schuimrubber. Autumns gezicht kon hij niet zien, omdat de schaduw van de klep van haar pet tot over haar neus reikte. Hij was blij dat ze met Conner was meegekomen, ook al hield ze duidelijk niet van ijshockey, en zeker niet van hem.

Hij draaide zich weer om en schaatste naar de doellijn, terwijl hij de tape op zijn stick even nakeek. Hij kon zich eigenlijk geen betere moeder voor zijn kind wensen dan zij. Onderweg passeerde hij zijn tegenstander van daarnet en gaf hem een beuk met zijn schouder. 'Ik heb een grotere lul dan jij,' zei hij.

'Dat komt omdat je zo'n ouwe zak bent.'

Sam glimlachte. Hij kon zich de tijd dat hij vijfentwintig was en zo'n grote bek had nog goed herinneren. Ha, hij had nog steeds een grote bek. 'Pas maar op, pikkie. Het seizoen moet nog beginnen en het ijs is glad.'

Hij bleef vlak bij de doellijn staan, waar hij de weg voor harde aanvallen blokkeerde, en wachtte af. De puck viel, Henrik Sedin schoof hem door naar een medespeler. Sam kreeg een harde knal van rechts, waardoor hij op zijn kont viel. Hij schoot door op het ijs. Zijn rechterschouder ramde hard in de boarding en hij hoorde iets breken vlak voordat hij een pijnscheut voelde, die vanaf zijn schouder door zijn arm trok. 'Fuck.'

Hij probeerde rechtop te zitten en rolde zich op zijn linkerzij. Ineens zag hij sterretjes en hij hoorde gefluit in de verte. Hij schudde zijn andere handschoen uit en beet op zijn tanden. 'Godverdomme!' De pijn benam hem de adem en hij ging op zijn rug liggen. Boven zijn hoofd zag hij de gietijzeren balken die het dak van de arena omhooghielden. Dit is goed mis, dacht hij. De tent was tot de nok toe gevuld met duizenden Chinooks-fans en boven het lawaai uit, boven de pijn en de shock uit, dacht hij Conner te horen gillen. Hij hoorde het angstige gehuil van zijn zoon, maar dat was onmogelijk. Het rumoer in de hal was te groot. Toen verschenen Daniel en Vlad ineens in zijn blikveld, en even later Mark Bressler en de hoofdtrainer, Scott Silverman.

'Waar heb je pijn?' vroeg Scott.

'Mijn schouder. Mijn sleutelbeen. Ik hoorde het breken.'

'Kun je je handen en voeten bewegen?'

'Ja.' Hij had in zijn leven genoeg gebroken om te weten wat nog in orde was, en hij vroeg zich af hoelang hij met deze breuk uit de roulatie zou zijn. Hoelang zou het duren voor hij weer het ijs op kon om die klootzak van daarnet zijn vet te geven? 'Help me eens overeind.'

Mark knielde naast hem neer. 'Blijf gewoon stilliggen en laat Scott zijn werk doen.'

Sam schudde zijn hoofd en grimaste tegen de pijn die hij voelde bij die simpele hoofdbeweging. 'Mijn zoon zit hier. Ik wil niet dat hij ziet hoe ze me hier op het ijs behandelen.' En hij wilde niet dat die klootzak die het had gedaan kon zien hoe erg het was. 'Scott mag zijn werk doen in de kleedkamer.' Met zijn rechterhand duwde hij zichzelf overeind. Het deed meer pijn dan hij liet merken. Het laatste wat hij wilde was afgevoerd worden op een brancard.

Scott zette zijn schouder onder Sams rechterarm en zo kon hij op zijn knieën zitten.

Godver! Fuck! Shit!

'Gaat het?'

'Ja. Ja.' Godverdegodver! Hij ging staan en er barstte een daverend applaus los. Heel langzaam schaatste hij naar de bank, met zijn linkerarm dicht tegen zijn borstkas aan. Het deed zoveel pijn, dat hij niets meer om zich heen kon zien. Maar nog meer dan pijn, voelde hij kwaadheid. Kwaadheid omdat zo'n domme lul hem van achteren onderuit had geschaatst. Kwaadheid dat hij een maand het ijs niet op kon – als hij mazzel had. Kwaadheid dat het was gebeurd waar zijn zoon bij was.

10

De man van mijn dromen...

heeft geen andere vriendinnetjes (en zeker geen hele slanke)

Conner liet Autumns hand los en drukte op de liftknop. In zijn andere hand droeg hij een doosje waarin een cupcake zat. Het was een chocoladecupcake, die ze die ochtend hadden gemaakt en die hij zelf had versierd met spikkels, snoepjes en stukjes snoepveter. De deur gleed achter hen dicht en zo bracht de lift hen naar het appartement op de tiende verdieping. Het was iets na tienen. Normaal gesproken zou Conner nu op school zitten, maar na de afgelopen avond was het belangrijk dat hij zijn vader zou zien.

Het was al een uur 's nachts toen hij zichzelf eindelijk in slaap had gehuild. Hij was ervan overtuigd geweest dat Sam doodging. 'Hij moest in een amb-amb-ambulans,' snikte hij steeds.

'Maar dat is het beste, want dan ligt hij veel lekkerder,' had ze hem wijsgemaakt, in een poging hem te troosten. Vlak nadat Sam zelf het ijs had verlaten, was iemand van de Chinooks naar Autumn en Conner gekomen en had hun verteld dat hij naar het Harborview-ziekenhuis was vervoerd voor foto's en verdere behandeling.

'Echt niet hoor, ma-ma-ma.'

Conner werd ouder en was daardoor niet zo makkelijk meer voor de gek te houden. Daarom waren de minuten waarin ze hadden gezien dat Sam gestrekt op het ijs lag, verschrikkelijk geweest voor Conner. Hij was heel hard gaan huilen en Autumn moest toegeven dat het haar, hoezeer ze Sam ook wat had willen aandoen op andere momenten, ook pijn had gedaan.

'Ik wil naar mijn pa-a-pa-a.'

'Morgenochtend mag je hem zien,' had ze hem beloofd, al was langsgaan bij Sam het laatste wat ze zou willen doen.

De lift ging open en ze stapten de korte gang in. 'Denk eraan dat we niet te lang blijven. Alleen even om te kijken hoe het met je vader is.'

Conner drukte op de bel en binnen een paar tellen deed Faith Savage open. Ze zag er geweldig uit: lang, elegant en duidelijk zwanger. Autumn kon niet inschatten wie er het meest verbaasd was, zijzelf of de eigenaresse van de Chinooks.

'Hé, hallo, Autumn. Ken jij Sam?'

'Ja, we hebben een kind samen.'

'O, dat wist ik niet.' Ze glimlachte naar Conners blonde haar.

'Dat weten ook maar weinig mensen.' Ze legde haar hand op zijn hoofd. 'Zeg je even hallo tegen mevrouw Savage?'

'Hoi.' Conner probeerde om haar heen naar binnen te kijken. 'Ik ben Conner.'

Faith moest lachen. 'Dag, ik ben Faith.' Ze deed een stapje opzij en Conner stoof naar binnen.

'Papa!'

Autumn stapte ook naar binnen en deed de deur achter zich dicht. 'Hoe gaat het met hem?'

'Hij is chagrijnig.' Faith keek achterom. 'Ik ben blij dat jij er bent.'

Kennelijk wist ze niets over hun verstandhouding. 'En hoe

gaat het met jou?' vroeg Autumn belangstellend. Ze waren inmiddels beland in een grote woonkamer, gedomineerd door zware leren meubelen en een enorme tv en spelcomputer. Een wand bestond uit louter ramen die uitkeken over de binnenstad. Het was een open ruimte, waarin ook plaats was voor dure raambekleding, vloerkleden en objecten. Echt een vrijgezellenflat en echt iets voor Sam.

'Nu gaat het goed. De eerste drie maanden waren nogal zwaar. Ik kan me niet voorstellen hoe sommige vrouwen negen maanden lang misselijk kunnen zijn.'

Autumn stak lachend haar hand op. 'Ik was er zo een, en het was vreselijk.' Ze ritste haar zwarte fleecejack open en ze liepen naar de open keuken, waar Sam en Conner bij het aanrecht stonden. 'Weet je wat het wordt, een jongen of een meisje?'

'Nog niet. We hebben net de eerste echo gehad.'

'O, die kan ik me nog goed herinneren. Conner leek net een kipnugget.' Ze lachte. 'Daarom noemen we hem nog steeds Nugget.'

Sam keek op van zijn cupcake, die op het marmeren aanrecht stond. Over zijn witte shirt droeg hij een mitella, om zijn linkerarm strak tegen zijn bovenlichaam aan te houden. De rechterkant van zijn shirt had hij in zijn joggingbroek kunnen stoppen, links hing zijn shirt uit zijn broek. Zijn haar zat niet in model en hij had zich niet kunnen scheren. 'Ik dacht dat hij zo heette omdat hij in Las Vegas was verwekt en echte goudzoekers daar regelmatig gouden *nuggets* vinden?'

Ze wierp snel een blik op Faith en schudde haar hoofd. De nacht waarop Conner was verwekt in Vegas, was niet iets waar ze graag over nadacht, laat staan praatte. En zeker niet nu, waar Faith Savage bij was.

'Ik laat jullie met zijn drietjes alleen,' zei Faith. Ze pakte haar rode jas en Hermès-tas van een keukenkruk. 'Sam, laat je het me weten als er iets is wat je nodig hebt?'

'Bedankt voor je hulp. Ik loop even met je mee.' Hij liep op haar af, maar ze hield haar hand omhoog. 'Ik weet de weg. Rust jij maar uit.' Ze glimlachte naar Autumn. 'Leuk je weer eens te zien.'

'Vond ik ook.'

En toen was Faith verdwenen, een spoor van haar dure parfum achterlatend. Achter haar sloot de deur en zo bevond Autumn zich ineens onbeschermd op Sams gebied. In zijn appartement.

'Kun je je arm bewegen?' vroeg Conner aan zijn vader.

'Ja hoor,' stelde deze zijn zoon gerust. 'Ik heb alleen mijn sleutelbeen gebroken.' Hij wees naar de plek. 'Ik hoef alleen een speciale sleutelbeenbrace en deze mitella te dragen om mijn arm stil te houden.'

Conner keek op naar zijn vader en schudde zijn hoofd. 'Die man deed het expres.'

'Dit was nog niets vergeleken met die keer dat ik mijn enkel bezeerde. Nu kan ik tenminste nog rondlopen.'

Autumn legde haar nep-Hermès-tas neer op de barkruk waar Conners winterjas al lag. Zelf hield ze haar jas aan; ze zou niet lang genoeg blijven om het zich gemakkelijk te maken. 'Maar je mag wel rondlopen?' Ze vond het veel prettiger als Sam in haar eigen huis rondliep. Daar had ze tenminste nog het idee dat ze de controle had. Hoewel, met Sam had je eigenlijk nooit helemaal de controle.

'Ja, maar nu ga ik even zitten.' Sam wees naar de cupcake. 'Als jij die rode wurm opeet, dan eet ik de groene.'

'Oké.' Conner plukte een rode sliert van het taartje en stak hem in zijn mond.

'Ik neem die van mij wel later.' Sam sloot het deksel; het leek alsof hij een donkerbruine cupcake waarop allemaal spikkels, snoepjes en sliertjes zaten niet appetijtelijk vond. 'Ik weet niet zeker of het wel goed valt met de medicijnen die ik net heb ingenomen.' Voorzichtig liep hij langs haar heen, met Conner achter zich aan. Misschien moest ze nu al weggaan en over een uurtje terugkomen. Ze hoorde hier niet, in deze vrijgezellenflat.

'Autumn, zou jij een zak doperwtjes uit de vriezer kunnen halen?'

'Tuurlijk.' Ze begaf zich naar de rvs koelkast en deed de deur open van de vriezer. De ijzige kou benam haar de adem. Ze zag bevroren sinaasappelsap, een doos Toaster Sticks en ongeveer tien zakken doperwten. Ze pakte de bovenste en liep ermee naar de kamer, waar Sam op een leren bank zat met Conner naast zich. Met zijn arm in bedwang door de mitella en de pleisters op zijn schouder, zag hij er bijna hulpeloos uit. Nou ja, zo hulpeloos als een reus van een man, ruim honderd kilo schoon aan de haak, eruit kon zien.

Ze overhandigde hem de zak doperwten. 'Moet ik Natalie even voor je bellen?'

Met ingehouden adem legde hij de zak op zijn schouder. 'Waarom?'

'Ze is toch je "assistente"? Misschien kan zij je assisteren.'

'Ze is vooral Conners oppas. Ik heb geen oppas nodig.'

Nu ze zag hoeveel pijn hij had, zag hij er niet alleen hulpeloos uit, maar voldeed hij ook totaal niet aan het beeld dat ze van hem had. Het beeld van een man met heel veel vriendinnetjes en evenzovele seksuele escapades. Nu zag hij er vooral uit als een gewone vent. Nou, een beetje dan. Een gewone, ongeschoren vent die er verder uitzag als een filmster. 'Heb je nog iets nodig?'

'Nee hoor.' Hij schudde zijn hoofd en keek naar haar op met een slaperige blik in zijn blauwe ogen. Ze wist niet of hij echt moe was, of dat hij onder de medicijnen zat. Waarschijnlijk allebei.

Ze keek op het horloge aan de binnenkant van haar pols. Nog vijf minuutjes.

'Papa, wat betekent "verwekt"?'

Autumn en Sam keken allebei naar Conner en toen naar elkaar.

'Wat?'

'Jij zei dat ik verwekt was. Wat betekent dat?'

'Nou, eh...' stamelde Sam, met zijn blik weer op zijn zoon gericht. 'Dat betekent dat als twee mensen... Dat betekent dat...' Hij verplaatste de zak doperwten op zijn schouder. Voor iemand die zoveel had geoefend op het verwekken van kinderen, had hij het behoorlijk moeilijk met uitleggen hoe het precies in zijn werk ging. Niet dat zijzelf het graag zou overnemen. En zeker niet waar Sam bij was. Als zij ooit moest uitleggen hoe 'het' werkte, dan kon ze zijn aanwezigheid missen als kiespijn. 'Tja, dat is als...' Hij kromp ineen, alsof hij ineens verschrikkelijke pijn leed en niet meer kon nadenken. 'Au. Mijn schouder doet pijn. Vraag maar aan je moeder.'

'Ja, dag.'

Hij wees naar zijn sleutelbeen. 'Help me alsjeblieft. Ik heb zo'n pijn.'

Maar dat was geen excuus. 'Goed.' Ze kon deze vraag waarschijnlijk ook beter beantwoorden dan Sam. In elk geval zou haar antwoord wat kindvriendelijker zijn. Ze ging op de bank zitten en keek Conner aan. 'Het betekent "gemaakt".' Zo, klaar.

'O.' Hij keek haar aan met blauwe ogen die zo sprekend op die van zijn vader leken, dat het bijna eng was. 'Ik ben gemaakt in Las Vegas?'

'Ja.'

'O.' Hij slikte en ze kon de kleine radertjes in zijn hoofd bijna zien draaien. 'Hoe dan?'

Ze had altijd geweten dat ze deze vraag op een dag zou moeten beantwoorden. Ze was erop voorbereid. Ze had in gedachten al verschillende keren zo'n gesprek gevoerd, al had ze zich daar nooit bij voorgesteld dat Sam erbij aanwezig zou zijn, met een zak doppers op zijn schouder, die naar haar keek alsof hij het antwoord óók heel graag uit haar mond wilde horen.

‘Nou, als twee mensen van elkaar houden, dan maken ze soms een baby.’

‘O.’ Autumn hield haar adem in, wachtend op de volgende vraag. Die zou ongetwijfeld moeilijker worden. Hij draaide zich om en keek naar Sam. ‘Mag ik jouw snoepwormpje?’

‘Pak maar.’

Conner sprong op en rende naar de keuken zo snel als zijn kleine gympjes hem konden dragen.

Ze slaakte een zucht van verlichting en wreef met twee handen in haar gezicht. ‘Zooo… dat was ongemakkelijk.’

‘Ik was ook heel benieuwd hoe jij al zijn moeilijke vragen zou gaan beantwoorden.’

Fronsend liet ze haar handen vallen. ‘En jij was al helemaal geen hulp.’ Ze boog zich voorover om te kijken of Conner nog in de keuken was en zei toen zacht tegen Sam: ‘Hij vroeg het aan jou en jij weet als de beste wat “verwekt” betekent. Mijn god, jij bent de grootste viespeuk op deze aardbol!’

Hij lachte, en het klonk niet alsof hij zich schaamde. Natuurlijk niet. Hij was toch Sam? ‘Niet de grootste.’

‘Je zit wel aan de top.’

‘Daarom zou ik dat soort lastige vragen ook niet moeten beantwoorden.’

Conner keerde terug, kauwend op een sliert snoep. De radertjes in zijn hoofd waren nog volop aan het draaien. Dat hij even een snoepje was gaan halen, betekende niet dat hij klaar was met het onderwerp.

‘Oké.’ Autumn sprong overeind. ‘We moesten maar weer eens opstappen.’

‘We zijn er net.’

‘Hier hebben we het over gehad, Conner. Je wist dat we niet lang zouden blijven. Je vader moet beter worden.’

‘Ik moet nu vooral onder de douche.’

Ze liep naar de keuken. ‘We gaan je jas even pakken, Conner.’

‘Ik heb je nodig.’

Nu bleef ze stilstaan en ze draaide zich langzaam om naar Sam. Hij keek haar vragend aan. 'Mij? Je hebt mij nodig om te douchen?'

Hij grinnikte en duwde zich met zijn goede hand omhoog. 'Nee hoor, tenzij je dat graag wilt.' Hij gooide de zak doperwten op de koffietafel en wees naar zijn brace. 'Alleen heeft iemand dit ding achter op mijn rug vastgemaakt en ik krijg het niet los.' Hij liep op haar af, alsof hij er gewoon van uitging dat ze hem zou helpen. 'Ik weet niet eens of ik die brace wel nodig heb.'

'Mag ik je cupcake, pap?'

'Ga je gang, maar zorg er wel voor dat je aan de bar eet. Ik kan vandaag niet met de stofzuiger in de weer.' Hij keek naar Autumn. 'Kom.' Toen ze niet in beweging kwam, bleef hij staan en draaide zich om. 'Ik wil echt niets van je, behalve je hulp.'

Maar dat was niet de reden dat ze als vastgenageld aan de grond stond. Dat ze hem uit zijn brace moest helpen, vond ze ineens te intiem. Veel te intiem.

En alsof hij haar gedachten kon lezen, vroeg hij: 'Of denk je dat ik met je flirt?'

Als hij het zei, klonk het zo belachelijk dat ze eigenlijk maar één ding kon doen. Ze schudde haar hoofd en trok haar fleecejack uit, wierp die boven op haar tas en liep Sam achterna. 'Natuurlijk denk ik dat niet.'

Ze liepen door een gang en kwamen als eerste langs Conners kamer.

'Gelukkig maar, want ik ben nu niet in staat te beginnen aan dingen die ik niet kan afmaken,' zei hij over zijn schouder. 'Al vraag je het nog zo lief.'

Als hij niet geblesseerd was geweest en zich zo traag had bewogen, dan zou ze in de verleiding kunnen komen hem een oplawaai te verkopen. In plaats daarvan hield ze haar aandacht gericht op de donkere brace die in een achtvorm om zijn schouders was bevestigd en de mitella eroverheen. Hij had gelijk, zowel de donkere brace als de mitella zat op zijn rug met klittenband vast.

Ze kwamen terecht in zijn grote slaapkamer, met een geweldig uitzicht op Elliot Bay. Het bed was niet opgemaakt en zag er beslapen uit. Op de grond lagen een sportbroek, sokken en grote lichaamsbeschermers. Zijn inloopkast was net zo groot als haar eigen badkamer en zijn badkamer zo groot als haar keuken. Maar dan mooier. Veel mooier.

Hij knipte de lamp aan met zijn goede hand en een grote luchter deed het zwarte marmer glimmen. In de douche kon je met gemak een gezin met vier kinderen kwijt.

Hij bleef staan op een vloerkleed met zebrastrepen. Ze wist bijna zeker dat het een beschilderde en bewerkte koeienhuid was, maar ze vond het resultaat toch nogal verontrustend.

Hij keek haar aan. 'Wat is er?'

Ze liet haar blik van het kleed omhooggaan, langs zijn benen, middel, de arm die strak tegen zijn borstkas hing en zijn gezicht. 'Dat is een koeienhuid.'

'Ja, en?'

Ze schudde haar hoofd. 'Vind je dat niet zielig?'

'Niet zieliger dan jouw eigen leren schoenen.'

Dat was niet hetzelfde, vond ze. Haar schoenen hadden een doel, waren nuttig, maar dierenhuiden die werden gebruikt ter decoratie vond ze eng. Net als schedels of opgezette koppen. Bah. Maar gelukkig was ze hem geen verantwoording schuldig over haar gevoeligheden. Ze ging achter hem staan en reikte naar de sluiting boven zijn rechterschouderblad. 'Heeft Conner hem gezien?'

'Ja hoor.'

Ze voelde zijn lichaamswarmte door zijn T-shirt heen. 'Vond hij het niet naar?'

'Dat niet, maar hij loopt er niet graag overheen.'

Prima kind. 'Hij is gewoon heel lief. Hij vindt het vreselijk als mensen of dieren iets wordt aangedaan.' En dat bracht haar op een onderwerp waarover ze graag met hem wilde praten. 'Gisteravond was hij helemaal overstuur.' Ze moest op haar tenen staan om hem zo min mogelijk aan te raken. Toch streek haar handpalm over zijn rug toen ze een van de banden van zijn schouder duwde. 'Hij was echt compleet overstuur.'

'Ik weet het, maar er is altijd een risico op een blessure zodra ik op het ijs stap.' Ze liep om hem heen terwijl hij langzaam zijn arm liet zakken. 'Wat gisteravond gebeurde was uniek.'

Ze trok voorzichtig de beige mitella van zijn arm en schoof hem over zijn elleboog. Ze wilde eigenlijk dat Conner een tijdje niet naar wedstrijden zou gaan, maar dat gebeurde voorlopig natuurlijk ook niet. Tenminste, niet totdat Sam het ijs weer op ging. 'Ik dacht dat hij het expres deed.' Ze keek naar hem op en zag dat hij een grimas van pijn maakte. Ze stond zo dicht bij hem dat ze elke stoppel op zijn kin kon zien.

'O, hij deed het zeker expres.' Hij hield zijn adem even in en keek vervolgens naar haar. 'Maar dat ik gewond raakte, was een vervelend toeval. Ik kwam gewoon verkeerd tegen de boarding aan.'

Ze legde de mitella op de rand van de wastafel en ging weer achter hem staan en trok het klittenband van de brace los. Voorzichtig legde ze haar vingers onder het steunverband.

'Shit.'

'Gaat het?'

'Het kan beter.'

Langzaam liet ze de brace van zijn schouders glijden en ze legde hem naast de mitella.

'Conner weet nu dat je ook gewond kunt raken bij het spelen van ijshockey. Het hoort erbij. Hij komt er wel overheen.'

Daar twijfelde ze aan. Ze draaide weer om hem heen. 'Hij is heel vredelievend.'

'Hij is een LeClaire.'

Maar hij was ook een Haven. Die waren geweldloos. Nou

ja, behalve Vince dan. 'Conner houdt van mensen, hij vecht niet.'

Sam trok met zijn goede hand zijn shirt uit zijn broek. 'Dat zeg je alsof het of-of is. Hij is een LeClaire.' Hij richtte zijn blik weer op en ze zag een kleine glimlach om zijn lippen spelen. 'Wij kunnen het allebei goed.'

Ze schudde verbaasd haar hoofd. 'Na al die jaren ben ik nog steeds verbaasd over jouw ongelooflijke arrogantie.'

'Dat is geen arrogantie.' Hij gebaarde haar dat ze hem moest helpen zijn shirt uit te trekken. 'Niet als het waar is. Ik heb alleen geen last van valse bescheidenheid.'

Maar ook gewone bescheidenheid was hem vreemd. Ze kwam dichterbij en trok aan het katoenen shirt. Ze kleedde voortdurend Conner uit. Dit was precies hetzelfde. Het was niets bijzonders. Ze trok zijn shirt omhoog, voorbij zijn middel, langs zijn borstkas. Zie je wel, niets bijzonders. Echt. Nee hoor– Godsamme! Ze was vergeten hoe gespierd zijn buik en borstkas waren, en hoe deze er van dichtbij uitzagen. Het water liep haar in de mond. 'Kun je je arm uitsteken?' Ze vond hem toch niet leuk. Ze had geen hekel aan hem, maar emotioneel voelde ze niets voor hem. Geen versnelling van de hartslag, geen vlinders... maar fysiek voelde ze de lust in haar onderbuik branden als een razend vuurtje. Voor het eerst in een heel lange tijd voelde ze zich meer vrouw dan Conners moeder. Ze was een vrouw van dertig die al vijf jaar lang geen seks had gehad.

Hij pakte haar hand en legde haar handpalm tegen zijn borstkas. Zijn warme, gespierde, ontblote borst. Een eeuwigheid geleden was ze met haar tong over deze borstkas gegaan. Had ze met haar mond alle plekjes van zijn buik bedekt, alsof hij een lopend buffet was. 'Heb ik je pijn gedaan?' Toen hij niet antwoordde legde ze haar hoofd in haar nek en keek omhoog. Daar trof ze zijn gespierde kaken aan en zijn iets openstaande mond en zijn knalblauwe ogen.

'De eerste keer dat ik jou zag,' zei hij, 'vond ik je haar het mooiste wat ik ooit had gezien.'

Wat? Terwijl zij dacht aan zijn gespierde bovenlijf, was hij bezig met haar haren. 'Ben je high of zo?'

Hij grinnikte. 'Heel erg.'

Hij deed gewoon gek omdat hij medicijnen gebruikte tegen de pijn. En hij kon zich echt niet bewegen en daarom deed hij zo hulpeloos. Zij, daarentegen, had geen enkel excuus voor haar onzedige gedachten.

'Toch vind ik je haar heel mooi.'

Dat kwam natuurlijk door zijn medicijnen. 'Zeg nou maar niets waar je morgen spijt van hebt.'

Hij streelde haar hand met zijn duim. 'Waarom zou ik daar spijt van krijgen?'

'Omdat je me helemaal niet mag.'

'Ik mag jou wel.'

Hij tilde zijn goede hand op en schoof deze grote, warme hand via haar schouders naar haar hals. Ineens zag hij er niet zo gek of hulpeloos uit.

'Sam.'

'Je ruikt lekker. Naar cupcakes.' Hij bracht zijn gezicht dichterbij en legde zijn voorhoofd tegen het hare aan. 'Ik ben dol op cupcakes.'

Ze lachte zacht en pakte met beide handen zijn shirt stevig vast. 'Die van mij heb je nog nooit gegeten.'

'Schatje, ik heb die van jou wel degelijk in mijn mond gehad.' Zijn vingers kamden door haar haren en haar hoofd rustte nu in zijn warme hand.

Met een stem die wat buiten adem en gespannen op haarzelf overkwam, zei ze: 'Die bedoelde ik niet.'

Hij klonk daarentegen helemaal niet gespannen. 'Ik wel.'

'Pap?' Toen ze Conners stem hoorden tilde Sam zijn hoofd op en Autumn maakte een sprongetje naar achteren. Ze liet haar handen zakken.

'Ja, makker.' Sam liet zijn blik over Autumns gezicht gaan voordat ook hij zijn hand liet vallen.

'De deurbel ging.'

'Dat is vast Howie. Doe maar open en laat hem binnenkomen.'

'Wat doen jullie?' klonk zijn stemmetje nieuwsgierig.

'We kletsen wat.' Autumn deed een stap opzij. 'En ik help je vader even met uitkleden, zodat hij onder de douche kan.'

'O.' Onderzoekend keek hij van de een naar de ander. 'Oké.'

'Wie is Howie?' vroeg Autumn in een poging hen beiden op andere gedachten te brengen. Ver weg van spieren en cupcakes en hun zoon die alles had gezien... Alles? Ja, dat zijn vader en moeder stonden te kletsen. Inderdaad, over cupcakes.

'Een van de trainers. Hij komt vandaag even kijken en me helpen met mijn brace en mitella.'

Ze keek hem recht aan. Hij had zijn shirt weer omlaag getrokken, boven zijn borstspieren zag ze de kreukels in de katoen, waar ze de stof had vastgegrepen. 'Dus je had mij niet eens nodig?'

'Tuurlijk wel. Ik wist dat hij zou komen, alleen wist ik niet wanneer. En ik stink.'

Hij stonk helemaal niet; deed hij dat maar. Ze wou dat hij zo erg stonk dat ze alleen maar kon denken aan stukken zeep, in plaats van aan hoe het zou zijn om weer met haar tong over zijn sixpack te gaan. 'Nou, hij weet vast beter wat hij doet dan ik, en dus kan hij beter jouw shirt uittrekken dan ik.'

'Vast, maar hij heeft niet zulke mooie krullen als jij.' Hij grijnsde. 'En hij ruikt niet naar cupcakes.'

'Sam?'

Autumn keek snel naar de deuropening en de oogverblindend mooie vrouw die regelrecht uit een modeblad leek te zijn gestapt. Autumn herkende haar direct.

Heel langzaam draaide Sam zich om. 'Veronica? Wat doe jij hier?'

'Ik ben op het vliegtuig gesprongen toen ik hoorde dat je gewond was.'

'Je had even moeten bellen.'

'Dat heb ik geprobeerd.' Nu gingen haar donkere ogen van Sam naar Autumn. Binnen twee tellen had het supermodel Autumn bestudeerd en afgedaan als niet bedreigend en onbeduidend. Autumn vond het nogal grappig en was niet echt beledigd. Pas toen Veronica haar een vraag stelde, voelde ze dat haar bloed ging koken: 'Ben jij een van die assistentes?'

Autumn deed haar uiterste best er een glimlach uit te persen. 'Het wordt hoog tijd dat ik vertrek. Nu heb je genoeg assistentie.' Ze liep naar de badkamerdeur en glipte langs de lange, magere vrouw. Ze wist niet dat er tegenwoordig spijkerbroeken voor volwassen vrouwen bestonden in zulke smalle maatjes. 'Pardon.'

'Autumn,' riep Sam haar nog achterna, maar ze bleef doorlopen. Ze voelde zich ineens ontzettend te veel, dus pakte ze Conner bij zijn hand en liep met hem de gang door. 'Nu heeft je vader bezoek en gaan we weg.'

'Gaan we nog langs de McDonald's? Ik heb honger.'

'Heb jij je vaders cupcake niet opgegeten?' Ze griste hun jassen en haar tas van de keukenkruk.

'Ja, maar er zit een dino in het Happy Meal.'

'Je hebt al genoeg dino's.' Ze voelde haar wangen gloeien. Ze was niet kwaad; er was ook niets om kwaad over te zijn. Nee, ze bloosde van schaamte.

'Wacht even.' Sam had hen ingehaald en stak zijn arm uit. 'Krijg ik nog een knuffel?' vroeg hij aan Conner. Die omklemde Sams goede kant vol overgave, terwijl Sam vorsend naar Autumn keek. 'Waarom ben je boos?'

'Ben ik niet.'

'Maar je gaat nu zo snel weg dat het lijkt of je kwaad bent.'

Ze stak haar handen in haar fleecejack. 'Ik vind het gewoon

niet prettig als een van jouw vriendinnetjes mij aanziet voor een van je andere vriendinnetjes.'

'Natalie is mijn vriendinnetje niet.' Hij ging zachter praten. 'Veronica ook niet. Die is alleen...'

'Sam, het kan me niet schelen,' onderbrak ze hem.

'Maar je kijkt alsof het je wel kan schelen.'

'Echt niet. Dit is jouw huis. Je kunt hier elke vrouw ontvangen die je wilt. Net zo goed als ik iedereen in mijn huis kan ontvangen.' Ze hing haar goedkope tasje om haar schouder. 'Ik vind het alleen niet fijn om te worden verward met een of ander vriendinnetje. Ik heb het idee dat ik er daar te slim voor uitzie. Dat ik daar te slim voor bén.' En dat was ze ook. Alleen had ze een minuut eerder in zijn badkamer tegen zijn borstspieren aan geleund, denkend aan haar tong over zijn bovenlijf en pratend over haar cupcakes. Verwarde hij haar weer met zijn mooie praatjes. Daar was ze toch écht te slim voor. Ze wist uit eigen ervaring dat er niets dan ellende zou komen als ze viel voor Sam LeClaires mooie praatjes.

11

De man van mijn dromen...

is dol op muffins

Wat gebeurde er nou net? Sam stond in de lege deuropening van zijn appartement, te staren naar de voordeur. Oké, hij was behoorlijk onder de invloed van de pijnstillers en hij had voortdurend pijn, maar dat verklaarde niet dat hij zo in de war was van wat er net gebeurd was.

Het kwam door Autumn. Het ene moment was ze warm, het volgende ijskoud. Het ene moment legde ze haar hand op zijn borstkas, was het warm en fijn, en het volgende duwde ze zijn zoon de deur uit, omdat ze kwaad was omdat Veronica haar had aangezien voor Natalie.

Ik vind het alleen niet fijn om te worden verward met een of ander vriendinnetje. Ik heb het idee dat ik er daar te slim voor uitzie. Dat ik daar te slim voor bén. Wat bedoelde ze daar mee? Geen enkele vrouw met wie hij ooit was uitgegaan zag er stom uit, maar ze konden er ook niets aan doen dat ze niet allemaal even slim waren. Sommige mensen beschuldigden hem ervan dat hij alleen bepaalde vrouwen uitkoos, en dat was waar. Hij zocht vrouwen uit met net zoveel diepgang als een hovercraft, die snel doorstoomden naar de volgende sportman of rockster als hun relatie beëindigd was. Hij wilde nooit meer de pijn in iemands ogen zien als destijds in die van Autumn.

'Kan ik iets voor je doen?'

Sam deed zijn ogen even dicht. Hij haatte verrassingsbezoekjes. Was een belletje vooraf soms te veel gevraagd? 'Nee.' Hij draaide zich om en liep naar de woonkamer om daar op Howie te wachten. Zijn schouder deed verschrikkelijk veel pijn. Het was dom geweest om de brace eraf te halen, maar hij dacht dat hij even snel zou douchen en hem dan meteen weer zou aandoen.

Hij pakte de zak doperwten en legde deze weer op zijn schouder terwijl hij heel voorzichtig ging zitten. Hij beet op zijn tanden en probeerde lekker te zitten. 'Ik ben geen leuk gezelschap, V.'

'Geeft niks. Wil je iets eten of drinken?'

Hij keek op naar Veronica, met haar mooie gezicht en geweldige lijf, met haar dikke, donkere haar en volle rode lippen. Hij wilde het liefste dat ze vertrok. 'Nee.'

'Was dat je zoontje?'

'Ja.'

'Knap mannetje.'

'Dank je.'

Ze ging op de bank naast hem zitten. 'Dus dat was zijn oppas?'

'Zijn moeder.'

Een van haar perfect gevormde wenkbrauwen kroop omhoog over haar rimpelloze voorhoofd. 'Dat had ik niet gedacht.'

De pijn dreunde door zijn schouder en arm. Hij legde zijn hoofd achterover en verschoof de zak met erwtjes een klein stukje. 'Waarom niet?'

'Ze is zo...' Ze haalde haar schouders op en zocht naar het goede woord. 'Gewoontjes, denk ik.'

Gewoontjes? Autumn? Met haar rode haren en zeegroene

ogen en brutale mond. Autumn was helemaal niet gewoontjes, maar hij realiseerde zich dat hij dat zelf ook wel eens gedacht had. Maar dan waren er nog die andere keren. De keren dat hij zijn ogen niet van haar af kon houden. Niet van haar af wílde houden. Zoals daarnet, toen ze in zijn badkamer stond, met het licht van de luchter in haar haren. Die zeldzame momenten dat ze niet eerst warm deed en vervolgens kil, maar alleen maar warmte uitstraalde; hitte zelfs.

'Waarvan ken je haar?'

Hij wilde niet praten over Autumn. Hij wilde niet eens aan haar denken. Want als hij aan haar dacht moest hij ook weer denken aan die keren dat hij met haar had 'verwekt'. Op de een of andere manier hadden Conners vragen de herinneringen aan seks met Autumn weer opgerakeld. Aan seks in een hotelkamer, tegen een muur, in de douche en in een limo die door Vegas reed.

'Heb je haar leren kennen toen je hier in Seattle kwam wonen?'

'Alsjeblieft, V.' Hij had pijn, slikte zware pijnstillers en hij was in gedachten bij Autumn, hun gedeelde verleden en hun huidige relatie, bij hun seks en haar grillige gedrag. En hij was nog steeds in de war.

Veronica deed net haar mond open om een discussie te beginnen, toen de bel ging en hij werd gered van haar kruisverhoor. Dat moest Howie zijn; hij hoopte van harte dat het Howie was, en niet weer een of andere ex. Hij had genoeg drama meegemaakt voor één dag. 'Wil jij alsjeblieft opendoen, V.?'

Ze wierp hem een blik toe die aangaf dat ze hier nog niet mee klaar was, maar uiteindelijk tilde ze haar magere billen van de bank en liep naar de deur. Ze keerde terug met Howie achter haar aan. Sam had de kalende assistent-trainer wel kunnen zoenen.

'Waarom draag jij je brace niet?'

Sam hield de zak doperwten stevig tegen zijn schouder en stond op. 'Ik wilde gaan douchen.'

Howie keek fronsend naar Veronica en vroeg. 'Wat was er onduidelijk aan mijn mededeling dat je geen enkele lichamelijke activiteit mocht ondernemen?'

Sam grinnikte. Howie zag het helemaal verkeerd en had nog de verkeerde vrouw voor ogen ook. 'Ik dacht, dat red ik wel.'

'Jullie ijshockeyers denken ook allemaal dat je Superman bent.'

Dat was wel een beetje waar. Ze vochten hun hele leven elke wedstrijd een zware strijd, maar pas als ze geblesseerd raakten, realiseerden ze zich dat ze in werkelijkheid maar mensen waren. Dat ze niet onoverwinnelijk waren. Het was een gegeven waar Sam vaker mee geconfronteerd werd, nu hij wat ouder werd.

Hij bleef vier dagen alleen thuis – om bij te komen, al werd hij vooral gillend gek – terwijl de Chinooks twee weken op tour waren om zes wedstrijden te spelen. De maandag erop liep hij naar het stadion, waar Howie hem hielp zijn schaatsen onder te binden. Hij schaatste wat mee met de jongens die ook te geblesseerd waren om wedstrijden te spelen. Omdat hij rechtshandig was, kon hij zelfs een paar eenhandige shots maken. Hij hoefde de mitella niet langer te dragen, maar de brace droeg hij nog steeds. Hij had zijn lesje geleerd.

Sam vond het vreselijk dat hij niet mee op reis was, al was hij wel vaker niet mee op stap geweest. In het seizoen waren er tweeëntachtig wedstrijden te spelen en de meeste spelers konden om verschillende redenen niet alle wedstrijden spelen. Desalniettemin had hij er een hekel aan lang op de blessurelijst te staan.

Na een week deed zijn schouder veel minder pijn, maar het zou nog een maand duren voordat hij weer een wedstrijd kon spelen. Hij haalde Conner op van school, waar zijn zoon hem voorstelde aan de juf en een paar van zijn vrienden. De jongen liep zo trots als een pauw met zijn vader rond, alsof hij wilde zeggen: 'Zie je wel dat ik een papa heb.'

Sam nam hem mee naar de ijsbaan, waar ze het ijs voor zichzelf hadden. Conner had moeite overeind te blijven, maar als dat wel lukte had hij een aardig schot in huis, voor een vijfjarige. Woensdag ging Sam naar de sportschool om zijn beenspieren te trainen en op donderdag vroeg hij Autumn of ze Conner naar de baan kon brengen. Hij vertelde haar dat Natalie naar college was en hem niet kon wegbrengen. Dat was een beetje een leugen. Natalie ging wel naar college, maar niet op donderdag. Hij wist niet helemaal zeker waarom hij daarover had zitten liegen; de enige reden die hij kon bedenken was dat hij graag wilde weten of ze echt zou komen opdagen. Na die eerste dag dat hij vol pijnstillers wilde praten over haar cupcakes, wist hij niet zeker of ze weer net als eerst normaal tegen elkaar konden doen. Of wat normaal mocht heten tussen hem en Autumn.

Hij had geregeld dat iemand van kantoor haar en Conner zou opvangen en naar de kleedkamer zou brengen. Hij was aangenaam verrast toen ze inderdaad kwam opdagen. Ze droeg een donkerblauwe jas over zo'n ouderwets jurkje dat ze wel vaker droeg. Al had hij eerlijk gezegd verwacht dat ze zou komen opdraven in dat shirt van Crosby.

Conner zat op de bank en zij zat op haar hurken zijn schaatsen vast te maken. Haar rode haar viel over haar schouders en voor haar ogen en ze veegde het ongeduldig achter haar oor. De zoom van haar ouderwetse stippeltjesjurk schoof over haar dijen omhoog. Ze droeg geen panty, dat vond hij erg aantrekkelijk; hij zag liever kousen en jarretelles.

'Klop-klop, papa.'

Sam kreunde inwendig en wendde zijn blik af van Autumns bovenbenen. 'Wie is daar?'

Hij antwoordde grijnzend: 'Sam.'

'Sam wie?'
'Sammitella.'
Sam lachte. 'Dat was een goeie.'
'Weet ik.'
Autumn grinnikte en keek even samenzweerderig naar hem met haar grote groene ogen, voordat ze haar blik weer richtte op de schaatsen. 'Hoe gaat het met je?'
'Gaat wel, als ik niet te veel doe.' Hij ging op de bank zitten en hielp Conner in zijn elleboogbeschermers.
Autumn legde een dubbele knoop in de veters en keek naar Sam, met zijn blonde hoofd gebogen over zijn zoon, die hij met één hand probeerde te helpen. Ze was vanuit haar werk rechtstreeks naar de BSO gereden om Conner op te halen. Eerder die dag was ze met Shiloh naar haar vriendinnen Lisa en Jen gegaan, om hun huwelijk te plannen. Het was niet de eerste keer dat ze de bruiloft van een homostel deden, maar het was wel de eerste keer dat het bekenden waren en ze wilden een perfecte dag voor het stel organiseren.
Nadat ze Conner had opgehaald, was ze naar de KeyArena gereden. Daar waren ze opgevangen door iemand van de organisatie rondom de Chinooks, die hen door het complex had geleid naar de baan waar ze nu waren. Vlak daarna kwam Sam eraan geschaatst. Hij droeg een zwart joggingpak en zag er enorm groot uit op zijn schaatsen. Hij droeg geen beschermers en droeg geen mitella meer. Hij zag er warm en bezweet uit en zijn haar stond alle kanten op. Alsof hij net uitgebreid getraind had. Vanwege zijn sport of gewoon voor zijn plezier, misschien wel met een van zijn supermodellen. Ze wist maar al te goed hoe uitputtend lichaamsbeweging met Sam kon zijn; hij had het uithoudingsvermogen en de vasthoudendheid van een topsporter.
Er verscheen een frons op haar voorhoofd. Dit was niet het moment om aan Sams prestaties te denken, behalve aan zijn sportieve. 'Moet je geen beschermers om?'

'Nee hoor, tenzij Conner me een zet geeft en me met mijn gezicht in het plexiglas duwt is er niets aan de hand.'

Conner lachte. 'Ik zal je niet duwen, papa.'

Autumn pakte een kniebeschermer van de bank en deed ook deze om.

'Die heb ik niet nodig.'

'Je wilt ze niet om, maar je hebt ze wel nodig.'

'Je went er vanzelf aan. Net als aan je helm. Het hoort er allemaal bij,' zei Sam en hij gaf Autumn de tweede kniebeschermer. 'Vroeger hielp mijn moeder me altijd met alles aantrekken.'

'En je vader ook?'

Sam schudde zijn hoofd. 'Hij was er niet in geïnteresseerd.'

Niet geïnteresseerd in zijn eigen zoon? Autumns handen vielen stil. Dat geloofde ze niet.

Hij keek haar aan, alsof hij zag wat ze dacht. 'Hij was een politieman. Een heel goede zelfs, maar hij was geen goede vader.' Net als ik. Hij liet zijn blik weer zakken, maar niet voordat Autumn die gedachte duidelijk zag weerspiegeld in zijn ogen. Maar Sam was wat haar betreft een betere vader. Hij had de laatste tijd veel meer aandacht aan Conner gegeven. Hij deed echt zijn best en hield zijn woord. Als je haar dat van tevoren had gevraagd, dan had ze het niet gedacht. Dan zou ze hebben gezegd dat hij het niet had volgehouden. Maar goed, er waren pas zes weken verstreken sinds de komst van Sam 2.0, de nieuwe, verbeterde versie.

Ze deed het laatste bandje vast en stond op. Met zijn goede hand zette Sam Conner zijn helm op en hielp hem overeind.

'Het ijs is niet pas geveegd, zoals laatst. Nu zul je vast minder vaak vallen.'

'Fijn.' Conner klonk opgelucht en zo stapten ze samen op het ijs, waar hij direct tussen Sams lange benen ging staan. 'Ik vind het niet fijn om steeds te vallen. Dat doet pijn aan mijn bips.'

'We hadden toch iets afgesproken over "bips"?'

'Ja.'

Ze bewogen hun schaatsen gelijktijdig en gleden over het ijs. Ze zagen eruit als – ze durfde het niet eens te dénken – twee pinguïns.

'Wat hadden we dan afgesproken?'

'Dat mama niet zo slim is als jongens, omdat ze een meisje is.'

Autumn verplaatste haar blik van hun schaatsen naar Sams gezicht, die schuldig naar haar keek.

'Eh... ik kan me niet herinneren dat ik dat heb gezegd.' Hij keek er heel schaapachtig bij.

Ze tilde een wenkbrauw op en probeerde niet in lachen uit te barsten. 'Wat ben jij een slechte leugenaar.'

Sam grinnikte en de twee mannen staken gezamenlijk al schaatsend de baan over. Hij liet Conner halverwege de middenlijn en de goal staan, daarna legde hij wat pucks voor hem neer. Zelfs met een helm op en zijn schouderbeschermingen aan, zag Conner er heel klein uit naast zijn vader.

'Kun je mij die sticks geven?' vroeg Sam en hij wees op de bank achter haar. Ze deed haar dikke winterjas uit en legde die op de bank. Daarna trok ze de mouwen van haar vestje omlaag en schoof haar brede rode riem weer op zijn plaats. Toen pakte ze de twee ijshockeysticks. De ene was groot en de andere klein. Bij allebei zat er tape over de handgreep en om de kromming van de stick. Sams nummer, 16, stond in het zwart op de grote én de kleine stick.

Heel voorzichtig stapte ze van de rubbermat op het ijs. Ze bleef een paar tellen stilstaan om ervoor te zorgen dat ze niet op haar gat zou vallen. Maar de zolen van haar rode flatjes schoten niet onder haar benen vandaan en ze bewoog zich voorzichtig in de richting van Conner. De ijskoude lucht verplaatste zich via haar blote benen naar haar lijf en er schoven ijsschilfers in haar schoenen. Als je aan de andere kant van het plexiglas stond, zag het ijsveld er veel groter uit dan vanaf de tribune.

Ze overhandigde Sam en Conner hun sticks en voelde ineens haar schoenen wegschuiven, waarna ze haar armen uitstak om in evenwicht te blijven. 'Hoo!'

Sam liet zijn stick vallen en pakte haar arm vast. 'Nu snap ik waar Conner zijn gebrekkige evenwichtsgevoel vandaan heeft.'

'Ik kan mijn evenwicht heel goed bewaren.' Ze keek in zijn ogen. Zijn knalblauwe ogen. Door de schaatsen was hij nog groter dan anders. Ze moest haar hoofd bijna in haar nek leggen. 'Alleen niet op het ijs.' Ze wilde zich omdraaien, maar hij hield haar tegen.

'Steek je arm door de mijne.'

'Ik wil jou niet mee omlaag trekken.'

Hij liet haar arm los en stak zijn rechterarm uit. 'Je bent niet groot genoeg om mij omver te trekken.'

Heel voorzichtig, om hem zo min mogelijk aan te raken, stak ze haar arm door de zijne en pakte hem bij zijn bovenarm. De warmte straalde van zijn lijf af en haar vingers omklemden zijn biceps. Zijn hete, bezwete bovenlichaam straalde een warmte af die haar deed denken aan de keren dat hij met zijn ontblote, bezwete huid tegen de hare rustte. Haar hart sloeg op hol. Het was een puur fysieke herinnering en haar lichaam gloeide op. 'Jeetje, wat ben jij heet,' liet ze zich ontvallen.

Hij grinnikte. 'Dank je. Jij ziet er ook lekker uit in dat jurkje, al heb ik geen idee waarom. Het is nogal ouderwets.'

Ze keek omlaag naar haar stippeljurk. 'Het is een vintage jurkje.'

'O, een tweedehandsje.'

'Soms krijgen dingen meer waarde als ze wat ouder worden. Zoals wijn en kaas.'

'En whisky en seks ook.'

Ze besloot er niet op in te gaan. 'Ik bedoelde natuurlijk je lichaamstemperatuur.'

'Weet ik.'

Ze liet haar blik van zijn sterke biceps naar zijn gespierde kaak en zijn blauwe ogen gaan. 'Het is koud hier.'

'Valt wel mee,' zei de man die warmte uitstraalde als een kolenkachel.

Ze waren bij de rubbermatten aanbeland en ze liet zijn arm los. Ze balde haar vuist en voelde zijn warmte nog nagloeien in haar handpalm.

'Wil je naar de vipbox? Daar is het warmer.'

Ze keek langs hem heen naar Conner die tegen pucks stond te slaan. Ineens viel hij hard op zijn billen. 'Ik blijf wel naar Conner en jou kijken.' Ze ging op een bank zitten en sloeg de jas om haar blote benen.

'Blijf zitten.' Hij schaatste naar de spelerstunnel, terwijl zij toekeek hoe Conner pogingen deed weer op te staan. 'Gaat het?' riep ze.

Hij knikte, zijn helm wiebelde op zijn hoofd. Hij schoof beide voeten weer bij elkaar en stond op. Nu ze erover nadacht, had ze beter wat anders aan kunnen trekken voordat ze Conner ging brengen. Een skibroek en sneeuwlaarzen bijvoorbeeld, maar haar hoofd zat zo vol met dingen die ze nog moest doen voor het vijftigjarig huwelijksfeest van het echtpaar Kramer, dat morgen gevierd werd.

Vijftig jaar. Ze vouwde haar armen over elkaar en trok haar schouders op tegen de kou. Haar ouders hadden het nog geen vijftien jaar met elkaar uitgehouden. Haar grootmoeder was overleden voordat ze haar gouden bruiloft kon vieren. En Autumns huwelijk... tja, dat kon je niet eens een echt huwelijk noemen. Als ze niet zwanger was geraakt had ze Sam nooit meer gezien. Maar dat er mensen waren die wél een vijftigjarig huwelijk vierden zette haar aan het denken, ondanks haar cynische kant.

'Sta eens op.' Sams zwarte kleding met het vissenlogo verscheen weer in haar blikveld. Onder zijn goede arm hield hij een donkergroene deken.

Ze stond op en hij drapeerde de deken om haar schouders. Haar jas viel naar beneden en zakte over haar voeten. De deken trok ze op tot onder haar kin. 'Weet je zeker dat je het nou warm genoeg hebt?'

Toen ze knikte veegde hij met zijn knokkels langs haar kin. 'Je beweegt je arm.'

'Ik mag mijn arm wel bewegen,' zei hij met zijn blik op haar gericht. 'Alleen mijn schouder niet.'

'Ik ben klaar, papa,' riep Conner.

'Ik kom er zo aan, jongen,' Hij streek met zijn duim over haar kaak. 'Weet je nog dat we in mijn badkamer stonden te praten over je muffin?'

'Je bedoelt mijn cupcakes.'

Hij grijnsde. 'Ik dacht dat we het hadden over je muffin.'

'Dat komt door je medicijnen.' Ze hield haar lachen met moeite in. 'Het waren cupcakes.'

'Ik hou wel van een muffin.'

Ja, dat wist iedereen op deze aardbol wel. 'Waar wil je heen?'

'Nou, dat het misschien wat te ver ging als we het over je muffin hadden. Maar nu blijkt dat we het over cupcakes hadden, had ik...'

'Sam, wat doe je daar met die arme vrouw?' onderbrak een mannelijke stem zijn betoog. Autumn draaide zich om en zag de man de spelerstunnel uit komen. Verrast bleef Ty Savage staan. 'Zit je nou Autumn de weddingplanner lastig te vallen?'

'Hallo,' zei Autumn verrast. 'Hoe gaat het met je?'

'Goed.' Hij keek van de een naar de ander. 'Kennelijk ken je Sam.'

Sam liet zijn handen vallen. 'Autumn is mijn ex-vrouw.'

Ex-vrouw? Meestal stelde hij haar voor als 'de moeder van Conner'.

Ty's donkere wenkbrauwen schoten omhoog. 'O.'

Zijn verbazing kwam Autumn bekend voor. Ze was duidelijk niet het type waar Sam meestal op viel.

'Wat kom jij doen?' vroeg Sam aan zijn vroegere teammaat.

'Ik kom wat video's bekijken met jong talent.'

'Zit er nog wat tussen?' vroeg Sam, heel nonchalant, alsof hij het daarnet niet over haar muffin en cupcakes had.

'Een knul uit Rusland en een jonge student uit Syracuse met een heel goede slag.'

'Alleen jonge kerels dus?'

'Ja, we hebben al genoeg verwende veteranen zoals jij.'

'Pap!'

Sam draaide zich om naar Conner. 'Ik kom eraan.'

'Leuk je weer te zien, Autumn.' Ty draaide zich om en zei over zijn schouder: 'Als jullie Jules ergens zien, zeg hem dan dat ik hem zoek.' Toen was hij verdwenen.

'Denk je dat je het nu warm genoeg hebt?'

Autumn knikte en toen Sam het ijs op stapte, boog ze zich voorover en raapte haar jas op. Sam schaatste naar Conner en raapte zijn stick op. Vader en zoon sloegen de puck naar elkaar over. Ze zag hoe Sam zijn zoon af en toe aanraakte en hem geduldig hielp als hij viel. Als ze een stuk moesten schaatsen, dan bleef hij naast Conner. Sam gleed met gemak over het ijs, terwijl Conner worstelde, wankelde en vele malen bijna viel. Als ze spraken, mengde Sams lage stem zich met Conners kindergeluid. Ze moesten allebei lachen en dat geluid sneed door haar ziel.

Autumn greep naar de BlackBerry in haar jaszak, voordat ze helemaal verdrietig werd. Haar deken viel van haar schouders. Stel je voor dat ze nu ging huilen. Ze las haar e-mailberichten, stuurde er een paar terug en sms'te met Shiloh. Daarna opende ze haar agenda. De vrijdag na Thanksgiving zou ze met Conner vertrekken voor een lang weekend weg. Daarvoor moesten ze vrijdagochtend vroeg al vertrekken, al was het Sams beurt voor die vakantiedag; dus moest ze hem om toestemming vragen. Dat was irritant, want Sam was een Canadees en hij vierde niet eens Thanksgiving op de vierde donderdag in november! Maar meestal was het zo dat Sam tijdens zijn vakantiebeurt de stad niet verliet. Hopelijk zou hij Conner die avond naar haar huis brengen, zodat ze voor dag en dauw konden vertrekken. Het zou de eerste Thanksgiving zijn dat ze geen uitgebreid feestmaal maakte voor haar broer en Conner. Want Conner zou bij Sam zijn, Vince was aan het werk; zij had dus de hele dag voor zichzelf.

'Zit u op iemand te wachten?'

Ze keek op en zag een zwart met bruin geruite broek, een zwart overhemd met een das, en daaroverheen een zalmroze trui. De man was zeer goed getraind, had een donkere huid, zwart kort haar en diepgroene ogen.

'Ik wacht op mijn zoon.' Ze wees naar het ijs, waar Conner weer tussen Sams benen stond.

'Ben je Conners moeder?'

'Ja.'

'Ik ben Julian.' Hij ging naast haar zitten. 'En volgens mij ben je bezig met mijn huwelijk.'

'O.' Ineens begreep ze de roze trui. 'Jij bent de verloofde van Bo Ross.' Ze stak haar hand uit. 'Leuk je te ontmoeten.'

Hij schudde haar hand. 'Ik ben blij dat je Chelsea en Bo een gezamenlijk huwelijk uit het hoofd hebt gepraat. Soms maken ze zelfs elkaars zinnen af en ik was al bang dat ik de verkeerde zou trouwen.'

Autumn glimlachte. Zo lang kende ze de tweelingzussen nog niet, maar ze dacht wel dat Julians bezorgdheid terecht was. Daarbij dacht ze, gezien Julians gedurfde kledingcombinaties, dat het maar goed was dat Bo dol was op zwart en wit.

'Wat een leuk polkadotje.'

Verbaasd liet ze zijn hand los. Wist hij hoe dat heette? 'Dank je. Ik heb hem gevonden in een klein tweedehandswinkeltje op Pine Street.'

'Dat ken ik. Daar heb ik vorig jaar een mooi jarenvijftigpak op de kop getikt.'

'Dat blauwe?'

'Precies.'

'Dat pak herinner ik me nog. Staat je vast heel goed.'

'Ik ben de enige die het mooi vindt.' Hij haalde zijn schouders op. 'Ik heb Conner een paar weken geleden leren kennen, toen we tegen de Stars moesten spelen.' Hij bestudeerde haar gezicht aandachtig. 'Je ziet er heel anders uit dan ik had verwacht van een ex van Sam.'

'Je bedoelt dat ik geen heel lange benen heb en collageenlippen en een supermodel ben?'

'Nee, je bent veel mooier dan zijn supermodellen.'

Autumn moest lachen. 'Ja ja.'

'Echt waar. Tot vandaag dacht ik dat Sam een vreselijke smaak had wat vrouwen betreft, maar jij bent een aangename verrassing. Een prachtige roodharige.'

Dat was zo'n ongelooflijke leugen, dat ze nog harder moest lachen. Ze legde haar hand tegen zijn schouder en gaf hem een plagerig zetje, zoals ze ook bij Vince zou doen. Hij voelde net zo aan als Vince.

Pas toen ze het geluid van schaatsen op het ijs hoorde keek ze op. Sam remde en een regen van ijsdeeltjes dwarrelde om hem heen. Met een ijzig blauwe blik keek hij Julian aan.

'Savage heeft je nodig, slijmjurk.'

Sam pakte een zak diepvriesdoppers en deed de vriezer weer dicht. Hij schoof de zak onder zijn sweater en drukte hem tegen zijn schouder. Daarna liep hij zijn woonkamer in en ging bij de enorme ruit staan die uitkeek over de baai. Toen hij Autumn had zien lachen met Julian, zo op haar gemak dat ze hem aanraakte, was hij ineens zo geïrriteerd geraakt, zo kwaad, dat hij Julian een slijmjurk had genoemd. Niet dat hij het erg vond om mensen uit te schelden, ook mensen die hij graag mocht. En hij mocht Julian echt graag, maar meestal wist hij precies waarom hij de ander uitschold.

Je kunt hier elke vrouw ontvangen die je wilt, zei Autumn laatst nog tegen hem. *Net zo goed als ik iedereen in mijn huis kan ontvangen.* Tot die dag had hij er nooit over nagedacht dat zij ook wel eens mensen zou kunnen ontvangen. Bij haar thuis bijvoorbeeld. Dat kwam vast omdat Conner het nooit over een andere man had gehad dan Vince. Dus had Sam de conclusie getrokken dat er verder niemand was die een rol speelde in haar leven. Hij had zich nooit afgevraagd of er een man was in haar leven, een langdurige relatie of een scharrel, of af en toe een vriendje.

Nu vroeg hij zich dat wel af en daarbij waarom hij zich zo ongemakkelijk voelde bij de gedachte van haar met iemand anders. Hij wilde zichzelf graag wijsmaken dat het kwam omdat hij niet wilde dat zijn zoon met al die mannen in aanraking kwam. Dat Vince al meer dan genoeg man was in het leven van zijn zoon.

Maar er was meer aan de hand. Misschien was het de gedachte dat er iemand in haar bed zou liggen, dicht tegen haar zachte lichaam aan, in een huis dat feitelijk gezien zijn eigendom was.

Nee, er was meer aan de hand. Het geld dat hij haar gaf om voor Conner te zorgen deed hem niets. Maar dat was iets heel anders dan iemand die tegen haar zachte lichaam aan zou liggen. Van alle mannen op deze wereld had híj echter wel het minste recht om zich te bemoeien met degene die 's nachts in bed tegen haar aan kroop. Dat wist hij best. Toch weerhield hem dat er niet van om de laatste tijd zoveel over haar na te denken.

Autumn en hun weekend in Vegas bleven hem door het hoofd spoken; hij kon het niet van zich af schudden. Als een boze, maar hete droom die hem vervulde met een roekeloos en allesomvattend verlangen.

Misschien kwam het omdat hij meer tijd doorbracht met Conner en haar dus ook vaker zag. Misschien kwam het omdat hij anders zoveel op pad was, en de afgelopen dagen te veel tijd had gehad om na te denken. Hij kon de gedachte om haar overal aan te raken niet uit zijn hoofd zetten.

Misschien kwam dat omdat hij de laatste weken helemaal niemand had aangeraakt. Misschien verveelde hij zich gewoon.

Wat het ook was, het werd tijd om het uit te vogelen.

12

De man van mijn dromen...

doet de afwas

Autumn zat aan het hoofd van haar eettafel met haar hoofd gebogen over haar bord. Ze had Vince' hand vast met haar linkerhand en die van Sam met haar rechterhand. Conner zat tussen de beide mannen in aan de andere kant. 'Dank u voor dit feestmaal,' bad ze, terwijl Vince en Sam elkaar van achter hun oogleden zaten aan te staren, over de gevulde kalkoen heen die midden op tafel stond, op haar moeders damasten tafellaken. 'En voor alles wat we mogen ontvangen, zowel in letterlijke als in overdrachtelijke zin.' Ze kneep in de hand van haar broer en voegde eraan toe: 'En ook dat we hier in vrede kunnen eten. Amen.'

Sam liet haar hand los en glimlachte. 'Amen. Wat een mooi gebed.'

'Vooral dat laatste stuk, heel toepasselijk,' voegde Vince eraan toe.

'Klop-klop.'

'Wie is daar?' vroegen ze alle drie tegelijk.

'Mag ik?'

'Mag ik wie?'

Conner haalde zijn schouders op. 'Mag ik de puree, alsjeblieft. Ik heb honger.'

Hoofdschuddend schepte Sam wat aardappelpuree op Conners bord. 'Jij moet nog heel hard werken aan je klop-kloppmoppen.' Daarna schepte hij wat bij zichzelf op en overhandigde de schaal aan Autumn. Zijn vingertoppen schampten langs de hare voordat hij zijn hand terugtrok.

Meestal had Autumn als het een feestdag was iets gemakkelijks aan, maar dit was niet zomaar een feestdag, dus droeg ze een getailleerde witte blouse en een lange zwarte kokerrok met hoge taille. Ze zag eruit als een pin-upmodel uit de jaren vijftig. Eerst voelde ze zich er niet helemaal lekker bij dat ze zich zo had opgedoft omdat Sam was langsgekomen. Aan de ene kant wilde ze niet dat hij zou denken dat ze speciaal voor hem haar best had gedaan. Aan de andere kant wilde ze hem niet ontvangen in een oude joggingbroek. Maar toen ze de deur voor hem opendeed, was ze blij dat ze haar best had gedaan. Hij zag er koeltjes uit vandaag, in een zwarte broek met grijze trui en daaronder een wit T-shirt. Heel anders dan de laatste keer, toen hij er zo bezweet had uitgezien, met zijn haar door de war, en de hitte die van hem afsloeg.

'Ben jij geen Canadees?' Vince legde wat stukken kalkoen op zijn bord.

'Ja.'

'Waarom ben je dan hier?'

Autumn gaf hem een schop onder de tafel. 'We houden het gezellig, Vince,' waarschuwde ze hem.

Vince draaide zich om en keek haar aan met een onschuldige blik in zijn ogen. 'Ik vraag gewoon wat. Ik weet zeker dat Sam zo'n makkelijke vraag graag beantwoordt.'

'Uiteraard.' Hij keek Vince aan met een grote grijns die zei 'mij maak je niet gek'. 'Autumn en Conner waren zo vriendelijk mij uit te nodigen.'

Dat was niet helemaal waar. Ze was niet eens van plan geweest voor Thanksgiving een kalkoen te bereiden. Conner zou namelijk bij Sam zijn en Vince op zijn werk.

'Ik dacht dat je alleen thuis zou zijn, om te pakken,' zei Vince, die de aardappelpuree van haar overnam.

En dat was ook het plan geweest, totdat ze plotseling hoorde dat Conner Sam had uitgenodigd voor Thanksgiving bij hen thuis, en dat zíj de kalkoen zou maken. Ze wist nog steeds niet precies hoe het allemaal zo gekomen was. Natuurlijk had ze toen ook Vince moeten uitnodigen, die gelukkig, of helaas – ze wist nog steeds niet hoe ze het moest zien – een uurtje vrij had kunnen nemen om te komen eten. Ze bedacht dat ze maar blij moest zijn dat Vince niet langer dan een uur kon blijven. Dat was niet lang genoeg om Sam te bedwelmen met zijn eigen pijnstillers en vervolgens als een commando met hem af te rekenen.

'Waar gaan jullie morgen naartoe?' vroeg Sam, terwijl hij stukken kalkoen op zijn eigen bord en dat van Conner legde.

'Ik heb een strandhuis gehuurd in Moclips.' Autumn schepte wat cranberrycompote op haar bord. 'Dat is maar twee uurtjes rijden van Seattle.'

'Nooit van gehoord.'

'Dat is omdat jij jouw vakantie doorbrengt in achterafkamertjes in nachtclubs in New York,' zei Vince.

Sam fronste zijn voorhoofd. 'Wat weet jij van die achterafkamertjes in nachtclubs?'

'Wat er in de bladen staat.'

'Heb jij je hersentjes gepijnigd met moeilijke woorden als "lapdance"?'

'Precies, en woorden die beginnen met een F en een Y.'

'Heren, kleine oortjes.' Autumn wees naar Conner. 'Vorig jaar hebben we dit huis ook al eens gehuurd en er genoten, al schijnt het er in deze tijd van het jaar nogal te stormen.' Ze sprak verder over mosselen zoeken en lekker op het strand zitten. En over Conner die met zijn vlieger had gespeeld en het museumpje in het dorp. Ze had nog nooit zoveel gepraat in haar leven, maar hield vol tot beide mannen weer in hun hol terug gekropen waren.

'Ben je uitgesproken?' vroeg Vince voordat hij een hap maïsbrood nam.

'Jij?'

'Nog lang niet.'

'Dan vraag ik nu aan Conner of hij al zijn klop-klopmopjes wil vertellen.' Ze stak een bezwerende hand op. 'Ik meen het, Vince.'

Deze zuchtte diep en ademde langdurig uit, alsof hij zich gewonnen gaf. Sam lachte even, maar Vince schonk hem een blik die zei dat hij zich wel gewonnen gaf, maar dat de strijd nog niet gestreden was.

'Klop-klop.'

'Nu niet, Conner. Eet je bord liever leeg.'

'Waar zijn de zoete aardappels?' vroeg Conner.

En natuurlijk had ze juist dat gerecht niet klaargemaakt. Omdat ze de volgende ochtend vroeg zouden vertrekken, had ze niet alles gemaakt wat ze altijd maakte. Alleen de basisgerechten, en ook niet zoveel, anders zouden de restjes maar wegrotten als ze in Moclips waren. 'Die maak ik voor Kerstmis wel.'

Vince goot jus op zijn puree en kalkoen en keek naar Sam. 'Hoe is het met je schouder?'

'Voor de helft beter.' Sam tilde grijnzend zijn elleboog op. 'Bedankt voor je belangstelling, kikvorsman.'

Conner moest lachen, maar Vince keek zuur en Autumn voelde de spanning weer stijgen. Ze wist niet precies wat hij daarmee bedoelde, maar was ervan overtuigd dat het niet aardig bedoeld was. Nu wees ze naar Sam. 'Heb je niet gehoord wat ik tegen Vince zei?' Ze deed alsof ze op een deur klopte. 'Tot je er horendol van wordt.'

Hij wierp zijn hoofd in zijn nek en lachte alsof het een grote grap was. Toen ging hij ervoor zitten en at met smaak. Hij zag er tevreden en ontspannen uit, alsof hij hier elke avond at. Alsof ze vrienden waren. Alsof ze een paar maanden geleden elkaars bloed niet konden drinken. En alsof haar broer hem niet wilde vermorzelen. Hij leek zich niets van dat alles aan te trekken en een paar keer betrapte ze hem erop dat hij onderzoekend naar haar keek.

'Wat is er?' vroeg ze.

'Helemaal niets.' Hij schepte nog meer kalkoen en vulling op. 'Je kunt goed koken. Dat wist ik niet.'

Waarom zou hij? 'Dank je.'

'Hé pap, je moet hier gewoon komen wonen.' Conner duwde wat groente onder zijn brood, alsof zijn moeder het niet zou zien. 'We hebben beneden nog een kamer.'

Autumn voelde haar slapen al bonzen.

Sam kauwde en slikte alsof hij even over het voorstel moest nadenken. 'Ik weet het niet. Ik heb zoveel spullen. En waar zou ik die watermuur moeten laten die jij zo mooi vindt?'

Vince mompelde iets over waar Sam die watermuur wel zou kunnen stoppen, al leek haar dat een onmogelijke opgave.

Toen het etentje eindelijk voorbij was, voelde Autumn zich zo gespannen dat ze in duizend stukjes uiteen zou kunnen vallen.

Vince keek op zijn horloge en legde zijn servet neer. 'Ik moet weer aan de slag.'

Vince was haar broer, haar vriend en haar beschermer. Naast Conner was hij de enige familie die ze had, toch was ze blij dat hij weer vertrok.

'Ik heb een tekening voor je gemaakt, oom Vince. Hij ligt in mijn kamer.' Conner sprong van zijn stoel en rende de kamer uit.

Vince stond ook op en stopte het overhemd van het beveiligingsbedrijf waarvoor hij werkte netjes in zijn broek.

Sam leunde achterover en wees naar Vince' riem. 'Waar is je wapen, cowboy?'

'Ik heb geen wapen nodig, eikel. Ik ken wel honderd manieren om iemand te doden.' Hij glimlachte. 'En honderd manieren om me van het lichaam te ontdoen zodat het nooit gevonden zal worden.'

Autumn wist dat hij geen grapje maakte. Tenminste, deels. 'Nou, ik hoop dat je nog langskomt als ik weg ben en de restjes opeet. Of wil je wat meenemen? De taart?'

Vince negeerde haar. 'Ik was er niet bij, de vorige keer dat je Autumn pijn hebt gedaan. Nu ben ik er wel en ik laat het niet nog een keer gebeuren.'

Sam vouwde zijn armen voor zijn borst en liet de stoel op twee poten tegen de muur leunen. 'Ik hoorde je de vorige keer ook wel.'

Was er een vorige keer geweest? Wanneer was dat gebeurd? Ze stond op en liep met haar broer de woonkamer uit. 'Waar sloeg dat nou op?'

Hij gaf haar een berenomhelzing, zo eentje waarbij ze tot diep in haar botten voelde hoeveel hij om haar gaf. Een ware broederliefde, die eeuwig duurde. Hoe kwaad hij haar ook maakte. 'Bel me als je bent aangekomen, morgen, dan weet ik dat je veilig bent.'

Het had geen zin hem te zeggen dat hij zich geen zorgen hoefde te maken. Dat deed hij toch. 'Zal ik doen.'

'Hier is ie.' Conner kwam de kamer weer binnen en overhandigde Vince zijn tekening. 'Hier spelen we memory, zie je?'

'Ja hoor, ik zie jou.' Vince wees op het blonde poppetje, toen vouwde hij het papier dubbel en stak het in zijn borstzak. 'Ik zal hem op mijn werk eens goed bekijken.' Toen gaf hij Conner snel een knuffel en liep de trap af. 'Ik kom wel kijken als jullie weg zijn, om te zien of alles goed is en om de restjes op te eten.'

'Bedankt.' Ze stak haar hand op, hij liep de deur uit en sloot deze achter zich.

Het voelde alsof er een lading van haar schouders was gelicht. Nu de andere lading nog, die zat nog in de woonkamer. 'Kom je me helpen opruimen?' vroeg ze aan Conner.

Hij schudde zijn hoofd. 'Ik moet nog een tekening voor papa maken.' Hij rende de gang door naar zijn slaapkamer. Typisch. 'Roep maar als het toetje klaar is,' riep hij achterom.

Autumn liep naar de eetkamer en bleef als aan de grond genageld staan. Sam stond aan het aanrecht, met de sproeikop in zijn handen. Autumns blik ging naar de bewegingen van zijn gespierde rug en armen, die goed zichtbaar waren vanwege zijn dunne lamswollen trui. Fluitend spoelde hij de borden een voor een om voordat hij zich vooroverboog en ze in de afwasmachine stopte. Nog nooit had een man haar borden gewassen. Dat Sam daar zo stond borden te spoelen en zich vervolgens vooroverboog om ze weg te zetten was wel de meest sexy handeling die ze ooit had gezien bij een man.

Hij rechtte zijn rug en keek achterom. 'Dat was gezellig.'

'Dat was helemaal niet gezellig,' gaf ze terug, terwijl ze het mandje met brood oppakte en naar de keuken bracht. Haar rode pumps maakten amper geluid op de vinylvloer. 'Dat zou ik nooit achter je hebben gezocht, dat je zo goed bent met de afwas.'

'Vroeger bracht ik veel tijd door in de keuken. Nadat mijn vader overleed ging mijn moeder fulltime werken, dus Ella en ik moesten samen de klusjes doen.'

Ze had geen beeld van Sam als kind; een kind dat zijn vader verloor en in diens voetsporen moest treden. Een beetje zoals Vince en zij. Alleen was hun vader niet gestorven, maar weggelopen.

'Meestal gaf ik Ella geld om mijn klusjes te doen,' grinnikte Sam. 'Daar werd mijn moeder woest om, want dan kwam ik bij haar weer zeuren om geld.'

Ze had zijn moeder een paar keer ontmoet toen deze in Seattle was om Sam en Conner te zien. 'Hoe gaat het met je moeder?' vroeg ze, terwijl ze het broodmandje op het aanrecht zette.

Hij richtte zijn blik op haar en zijn blauwe ogen daalden af naar haar mond. 'Goed.' Zijn blik vervolgde zijn pad naar haar lichaam, haar borsten, via de rondingen van haar heupen en billen in de strakke rok naar haar rode schoenen. 'Ze is er met Kerstmis waarschijnlijk.'

'O, da's leuk voor Conner.' Ze negeerde de tintelingen bij haar polsen en trok een la open rechts van hem, waaruit ze een rol aluminiumfolie tevoorschijn haalde. 'Je hoeft niet op te ruimen, hoor.'

'Dat is wel het minste wat je kunt doen als je jezelf uitnodigt.' Hij richtte zijn blik weer op haar gezicht en droogde zijn handen af aan een theedoek.

Aangezien ze de spullen had opgeruimd terwijl ze aan het koken was, was er niet meer zoveel te doen. 'Ik dacht dat Conner jou had uitgenodigd.'

'Conner is vijf.' Hij trok een mondhoek op. Bij zijn ooghoeken verschenen lachrimpeltjes. 'Het kan zijn dat ik hem op een idee heb gebracht.'

Haar hand, die net bezig was een stuk folie af te scheuren, stokte.

'Waarom?' Waarom was hij hier? Stond hij haar borden te wassen, vulde hij haar keuken met zijn enorme schouders en nog grotere aanwezigheid? De manier waarop hij zijn blik over haar hele lichaam liet gaan deed de vlinders buitelingen maken in haar buik.

Hij wierp de theedoek over zijn schouder en liep naar de eetkamer. Haar ogen maakten daarop ook een reis en dwaalden van zijn brede rug in de grijze trui, naar de kontzakken op zijn donkere broek. Sommige mannen konden een broek naar behoren vullen. Sam was er zo een.

'Nieuwsgierig?' zei hij toen hij terugkeerde met de kalkoen.

'Nee hoor.' Ze was helemaal niet nieuwsgierig. Ze had zijn

kont wel eens vaker gezien, al was het een hele tijd geleden. Maar ze stelde zich zo voor dat deze er nog net zo strak uitzag als toen. Strak van het vele trainen.

'Wat?'

'Wat?' Ze keek op, recht in zijn ogen, en scheurde een stuk folie af.

'Je vroeg waarom ik mezelf had uitgenodigd.'

O ja. Ze gooide de rol weer terug in de la en duwde hem dicht met haar heup.

Hij zette de kalkoen neer op het aanrecht. 'En toen zei ik dat ik nieuwsgierig was.'

'Waarnaar?'

'Naar wat Conner en jij doen met Thanksgiving.'

Natuurlijk. Ze was afgeleid, maar dat kwam door de omstandigheden. 'Waarschijnlijk hetzelfde als jij. Maar dan op een andere dag.' Ze bedekte de schotel met de kalkoen met de aluminiumfolie en drukte die vast om de randen.

'Ik heb al jaren geen Thanksgiving gevierd.' Hij duwde de afwasmachine dicht met zijn voet. 'Niet in de VS en niet in Canada.'

'Wat ongezellig.'

'Valt wel mee. Ik weet gewoon nooit zeker waar ik op die maandag of donderdag in november zal zijn.'

Dat verklaarde zijn aanwezigheid; door zijn blessure had hij niets beters te doen. 'Je hoeft echt niet te blijven om te helpen.'

'Hoe sneller die borden weg zijn, des te sneller krijg ik taart.'

'O?' Ze was zo gespannen geweest, en nog steeds, dat ze niet veel had gegeten. Maar daar had Sam geen last van gehad. Hij had het meeste gegeten van iedereen. 'Wil je taart dan?'

'Schatje, taart lust ik altijd.' Hij keek haar aan en trok de theedoek van zijn schouder. 'Het is al een hele tijd geleden dat ik een lekkere taart heb gehad.'

Op de een of andere manier had ze daar haar twijfels over.

'Geen grappen over gebak, alsjeblieft.' Ze bracht haar hand omhoog en wreef over haar schouders.

'Daar maak ik nooit grappen over.' Hij wierp de theedoek op het aanrecht en ging achter haar staan. 'Gebak is iets wat je heel serieus moet nemen.'

'Wat doe je?'

'Je bent heel erg gespannen.' Hij legde zijn duimen tegen haar nek en bewoog ze zachtjes heen en weer. 'Je was zo gespannen tijdens het eten dat ik dacht dat je in zou storten.'

Dat had ze zelf ook gedacht, en o, wat voelde het goed wat hij deed. Zo goed dat ze bijna hardop wilde kreunen. Maar het was totaal ongepast en ze zou hem zo meteen vragen of hij ermee kon ophouden. 'Dat kwam omdat jij en mijn broer zich als een stel idioten gedroegen.' Nu bewoog hij zijn duimen richting de aanhechting van haar schouderspieren, vlak bij haar schedel, waar hij kleine ronde bewegingen maakte. Ze moest zich vasthouden aan het aanrecht om niet in elkaar te zakken aan zijn voeten.

'Het had nog erger gekund.'

Ze liet haar hoofd vooorovervallen en haar lokken vielen voor haar gezicht. 'Inderdaad, dan waren jullie elkaar over de tafel te lijf gegaan met het vleesmes.'

Hij lachte en verplaatste zijn vingers naar haar kraag. 'Knoop je blouse eens los.'

'Heb je weer te veel pillen geslikt?'

'Vandaag niet.' Hij kneep in haar schouders met zijn warme handen. 'Vertrouw je me soms niet?'

'Natuurlijk niet.'

'Wel zo verstandig.' Hij grinnikte zacht, een geluid dat zich tegelijkertijd met zijn warme aanrakingen over haar hele huid verspreidde.

'Je boord zit in de weg.'

'Ik doe mijn blouse niet uit.'

'Nee, maar je kunt wel een knoopje losdoen, je boord zit in

de weg.' Hij duwde zijn vingers in haar gespannen schouderspieren en ze kermde het bijna uit van genot. 'Ik laat me wel vaker masseren, ik weet heus wel hoe het moet.'

Twee knoopjes los dan. Ze tilde haar handen op en deed werktuigelijk de beide knopen los, tot ze het strikje midden op haar beha zag.

Zijn stem klonk een stuk dieper toen hij zei: 'Schuif je haar eens opzij.'

Gehoorzaam veegde ze haar haren over haar rechterschouder.

Hij duwde de boord van haar blouse opzij. 'Nog eentje. Ik beloof dat ik niet zal gluren.'

Ze knoopte er nog eentje open en op de een of andere manier zat haar blouse vervolgens halverwege haar schouders.

'Zo beter?' Hij kneep zachtjes in haar ontblote schouders.

'Ja.' Maar zeker niet veiliger. Jezus, wat voelde dat heerlijk, zijn handen die over haar huid gleden en in haar strakgespannen spieren knepen. De toppen van zijn vingers gleden over haar sleutelbeenderen en zijn duimen drukten precies op de plek waar de nek en schouders in elkaar overgaan. De spanning vloeide weg en ze kon zich eindelijk ontspannen. Bij elke magische aanraking van zijn warme handen liet ze haar verdediging meer en meer zakken en voelde ze dat haar lichaam zich openstelde voor de massage.

Zijn handen verplaatsten zich verder naar buiten, knepen zacht in haar schouders en gleden toen langs haar armen naar beneden. Toen omvatten zijn handen haar ribbenkast en duwde hij zijn duimen in de spieren langs haar ruggengraat. 'Weet je zeker dat je je blouse niet uit wilt trekken?'

Nee, dat wist ze helemaal niet zeker. Ze wist ook niet zeker of ze niet heerlijk tegen hem aan wilde leunen; tegen zijn brede borstkas, om zich daar eens tegenaan te vlijen. 'Ja, zeker weten.'

Verder gingen zijn handen, langs haar taille naar haar heupen. Ze voelde zijn warme adem tegen haar oor. 'Je hebt een mooie rok aan.'

Haar tong plakte tegen haar gehemelte en ze moest eerst slikken. 'Hij is tweedehands.'

'Hij zit zo strak,' fluisterde hij tegen het gevoelige plekje in haar nek. 'Je hebt er een prachtige kont in.' Zijn handpalmen gleden naar haar buik en drukten haar tegen zich aan. De ronding van haar billen kwam tegen zijn kruis terecht. 'Daar krijg ik hele verkeerde gedachten bij.' Dwars door de stof van zijn broek en haar rok voelde ze zijn stijve penis tegen haar billen aan drukken. 'Zal ik daar wat meer over vertellen?'

Ja, dat wilde ze wel, maar ze wist ook dat het een heel slecht idee zou zijn. Haar stem klonk zwakjes en in het geheel niet overtuigend toen ze zijn vraag beantwoordde: 'Nee.'

Hij kuste de zijkant van haar hals. 'Is dit nog steeds een van je gevoelige plekjes?' De zachte druk van zijn warme, vochtige mond bracht een siddering van genot teweeg. 'Mmm,' bromde hij zachtjes tegen haar huid, waardoor de siddering zich verspreidde en ze niet meer wist waar ze het zoeken moest.

Ze draaide zich om en hield haar handen omhoog om hem tegen te houden. Door de dunne wol van zijn trui en zijn gespierde borstkas voelde ze zijn hart kloppen, dat veel sneller ging dan de langzame aanraking van zijn handen deed vermoeden. 'Dit moeten we niet doen.'

Een van zijn handen streek van haar blote schouder naar haar gezicht. 'Ik heb de laatste tijd zoveel aan je gedacht.' Hij raakte haar lippen aan met de zijne en benam haar daarmee de adem. 'Aan je gedacht en het me vaak afgevraagd.'

'Wat?' Haar vingers begroeven zich in zijn trui.

'Me afgevraagd hoe het kwam dat je mij zes jaar geleden zo het hoofd op hol bracht.' Zijn mond bewoog zich over de hare en de sidderingen liepen via haar ruggengraat naar beneden. Ze kon er niets aan doen. Het gebeurde vanzelf, net als haar handen die via zijn borst naar zijn schouders gleden. Ze wilde hem het hoofd niet op hol brengen. En zelf wilde ze haar hoofd er graag bij houden.

'Me afgevraagd of dat je nu weer zou lukken.' Hij streelde haar billen en pakte ze vervolgens beet. 'Me afgevraagd of het net zo zou zijn als de eerste keer.'

Ze wist niet of hij zich dat nog kon herinneren.

Hij drukte haar tegen zich aan, tegen de volle lengte van zijn gezwollen geslacht, links van zijn gulp. 'Toen we zo hard tekeergingen dat we van het bed vielen. Zo hard dat we allebei schaafwonden hadden.'

Oké, dus dat wist hij nog.

Hij bewoog zijn heupen langzaam heen en weer. 'Wat denk je, zou het weer zijn als toen?'

De adem stokte in haar keel, toen kreunde ze zacht en mompelde: 'Ja.' Ze wist niet of ze nou bedoelde dat ze het zelf nog wist, of hetzelfde dacht, of nog meer van hetzelfde wilde. Misschien wel alle drie. Ze kon niet meer fatsoenlijk nadenken. En toen kuste hij haar. Het begon met een voorzichtige aanraking die ze tot in haar knieholtes en voetzolen kon voelen. Haar hart maakte overuren en ze opende haar mond voor de zijne. Zijn tong, vochtig en heet, beroerde de hare en ze proefde zijn onverholen mannelijkheid; iets waarvan ze de smaak was vergeten, omdat het zo lang was geleden dat ze het voor het laatst had geproefd. Zo lang dat ze ook was vergeten hoe lekker het was.

Gepassioneerde seks met een opwindende man.

Haar hart begon nu als een waanzinnige te kloppen, waardoor haar hele lichaam in vuur en vlam werd gezet. Haar gevoelens deden niet mee aan de langzame, zalige zoen, maar haar hele lijf ten volle. Haar lichaam deed pijn van het verlangen. Het was een zoete pijn die haar compleet in zijn greep had en die pas zou verdwijnen als hij haar had bevrijd.

Zijn borstspieren spanden zich toen ze haar handen verplaatste naar zijn schouders en ze op haar tenen ging staan. Ze duwde haar onderlichaam tegen het zijne. Tegen haar ontblote decolleté voelde ze elke vezel van zijn lamswollen trui. Tegen haar onderlijf voelde ze zijn keiharde penis en ze opende haar mond nog wijder om hem te verslinden met haar gepassioneerde kussen. Ze kon niets anders meer voelen dan de hete lust in haar onderbuik. Het was heel lang geleden dat ze zich zo springlevend had gevoeld. Zo vol passie om hem overal aan te raken. En verlangen om door hem aangeraakt te worden. Hem op te eten en haar mond over zijn hele lijf te laten gaan. Ze bewoog haar handen omhoog en ging met haar vingers door zijn haar. Ze wilde hem zo graag. Haar lust bevredigen met een vurige vrijpartij met Sam. Gehoor geven aan haar fysieke verlangens tot ze tegelijkertijd explodeerde en implodeerde.

Net als toen.

Ze zette zich schrap tegen de realiteit en hapte naar adem. Maar dit kon niet. Niet met Sam, uitgerekend Sam. Niet nu hun zoon op zijn kamertje zat te kleuren.

Ze voelde zijn grip om haar taille en hij trok haar weer naar zich toe.

'Nee, Sam.'

Hij pakte haar steviger vast en hijgde alsof hij zojuist een uurtje duurtraining had gedaan. 'Ja, Autumn.'

'Nee.' Nee zeggen tegen Sam was niet makkelijk, maar het was onmogelijk aan hem toe te geven. De laatste keer dat ze dat had gedaan was ze verlaten en moederziel alleen achtergebleven. Ze slikte en schudde haar hoofd. 'Nee.'

Hij keek haar diep in de ogen, met een blik die brandde van verlangen en wilskracht... Die blik kende ze, van jaren geleden. Toen was ze voor de bijl gegaan. Nu was ze ouder. En wijzer.

'Wat doe je, Sam?'

'Wat jij ook doet. Echt heel erg geil worden.'

'Maar Conner kan elk moment binnenlopen.' Al was dat maar deels waarom ze hem nu tegenhield.

'Je hebt vast wel een kamer in dit huis waar een slot op zit.'

'Wat ordinair.'

'Zo lossen grote mensen dat op.'

Ze deed een stap achteruit en smakte tegen de ijskast. 'Los jij dat zo op in jouw huis? Door jezelf in een van je slaapkamers op te sluiten met een of andere vlam?'

Zijn blik verstrakte en zijn kaakspieren spanden zich. 'Ik ben nog nooit met een vlam in de buurt van Conner geweest.'

Ze trok haar blouse stevig om zich heen. 'Wat doe je hier eigenlijk? Waarom wilde je uitgenodigd worden voor Thanksgiving? Net doen alsof we een gezinnetje zijn?'

Hij haalde zijn handen door zijn korte blonde haar en liet ze daarna langs haar zij vallen. 'Ik weet het niet. Ik denk dat ik me verveelde, of zo.'

Ze dacht het al. 'Ga maar iemand anders zoeken die met je wil spelen.' Ze keek omlaag en knoopte haar blouse weer dicht. 'De laatste keer dat je je verveelde bleef ik zwanger en in mijn uppie in Vegas achter.'

13

De man van mijn dromen...

kent mij van voor tot achter

De regen sloeg tegen de ruiten van het strandhuis dat Autumn gehuurd had. De branding, opgestuwd door de storm, sloeg hard tegen het strand en kwam tot aan het helmgras, dat wild heen en weer sloeg in de wind met orkaankracht. Alleen het licht in de keuken brandde en ze stond in haar teckelpyjama voor de schuifpui van het houten huis naar buiten te kijken.

Aan die donkere hemel weerlichtte het fel, voordat een tel later de donder boven het huis tekeerging. Haar voeten voelden het op de houten vloer vibreren.

Boven lag Conner te slapen, dwars door het natuurgeweld heen. Hij was een uurtje geleden in slaap gevallen, na een hele dag jutten op het strand in zijn laarzen en regenjas. Toen was het weer een stuk rustiger geweest. Zo'n drie uur geleden was het begonnen met stormen. Autumn was dol op dit weer, en dit zag eruit alsof het een pittige storm zou zijn.

Ze sloeg haar armen over elkaar. Als ze niet alleen met haar zoon was geweest, dan was nu het moment aangebroken om de fles cabernet sauvignon open te trekken die ze eigenlijk had gekocht voor Shiloh. Dan had ze de haard aangestoken en dan zou ze van de donder en bliksem genieten met haar hoofd gevlijd tegen de schouder van een man.

Gisteren was een dag vol spanning geweest, vanaf het moment dat Sam was gearriveerd tot het moment dat hij weer was vertrokken. Behalve de algehele nervositeit die ze in zijn omgeving voelde, waren hij en Vince ook nog aan het bekvechten geslagen, wat haar zelfbeheersing enorm op de proef had gesteld.

Ze trok haar schouders op nu de lucht ineens killer werd; ze voelde het aan haar huid onder haar pyjamashirt. Toch waren er ook momenten geweest dat ze zich had kunnen ontspannen. Bijvoorbeeld toen Sam haar spanning had weggenomen met zijn zachte handen. Maar toen had hij ineens haar hals gezoend en was er een heel nieuwe spanning voor de oude in de plaats gekomen. En in die paar tellen dat hij haar had gekust en zij hem, met een gevoel dat ze er bijna in zou blijven, was elke cel in haar lichaam ontwaakt. Hij had haar er weer aan herinnerd dat ze net dertig was. Dat ze het heerlijk vond om te worden aangeraakt. Te worden begeerd. Dat ze meer nodig had dan een vriendje op batterijen dat ze moest verstoppen op de bovenste plank van een kast met slot, omdat haar vijfjarige zoontje hem anders zou vinden. Hij had haar er weer aan doen denken dat een stoel slepen naar die bewuste kast om haar eigen plastic vriendje tevoorschijn te halen maar een mager substituut was voor het echte werk van vlees en bloed.

Want dat wilde ze: een toyboy. Een echte, een lekkere. Zo een als Sam.

Het donderde opnieuw en het hele huis dreunde. Het weerlicht deed de wolken oplichten. Nee, niet zo een als Sam. Dat zijn naam weer in haar hoofd was opgekomen zei al genoeg. Het was hoog tijd dat ze weer eens echte seks had. Het was veel te lang geleden dat ze met een man naakt onder de dekens had gelegen.

Weer hoorde ze het donderen. Waar was de bliksem geweest? En opnieuw donderde het terwijl de lucht donker bleef. Het was een ritmisch *boem-boem-boem* en ineens besefte ze dat iemand op de voordeur stond te bonzen. Ze keek bedenkelijk en liep door het woongedeelte, langs de trap naar de voordeur. Het stormde toch niet zo hard dat ze geëvacueerd moesten worden? Ze deed de veiligheidsketting vast voordat ze de deur opendeed en knipte het licht in de gang aan. Door de kier van de deur zag ze Sam in de regen staan. Hij was van top tot teen drijfnat.

'Wat doe jij hier?' riep ze boven het geluid van de regen uit.

'Ik weet het niet.'

Ze deed de deur weer dicht en trok de ketting los, waarna ze de deur helemaal opentrok. 'Er is een verkeerswaarschuwing afgegeven vanwege de storm.'

Het water droop van zijn hoofd en bleef in zijn wimpers hangen. Hij bewoog zich niet. Hij stond daar maar en keek naar haar alsof hij de weg kwijt was.

Ze draaide haar arm om en keek op haar horloge. 'Het is tien uur, Sam.'

Regendruppels liepen over zijn wangen. Hij verplaatste zijn blik naar haar mond. 'Echt waar?'

'Waarom ben je hier?'

'Weet ik niet.'

'Echt niet?'

Hij schudde zijn hoofd. 'Ik heb geen idee waarom ik daarstraks nog in een bar zat met Ty, Darby en nog wat jongens en ineens opstond en wegging.' Zijn capuchonsweater was drijfnat. Zijn blik vervolgde zijn weg naar beneden; langs haar hals tot haar borsten, waarvan haar tepels zichtbaar waren vanwege de kou. 'Ik weet echt niet waarom ik in mijn pick-uptruck stapte en twee uur lang door die godvergeten storm reed.' Hij richtte zijn blauwe ogen weer op de hare. 'Ik weet ook niet waarom ik hier tien minuten voor dit huis heb stilgestaan voordat ik op die klotedeur durfde te kloppen.'

Ze zou het maar niet nog een keer vragen. Hij sloeg duidelijk wartaal uit. Misschien werd hij wel gek als hij geen ijshockey kon spelen. 'Sam, ik snap er niets van.'

'Kan ik me voorstellen.' Hij pakte haar shirt vast en trok haar naar zich toe. 'Want ik snap geen bal van jou.' Voor ze wist wat er gebeurde stond ze ook buiten, in de regen.

Koude druppels plensden op haar gezicht en armen. Ze wilde hem zeggen dat hij gek geworden was, maar zijn mond belandde op de hare. Warm, nat en dwingend. Ze bleef stokstijf staan terwijl hij haar kuste, wachtend tot hij zou ophouden. Wachtend tot ze de moed verzameld had om hem van zich af te duwen en de deur in zijn gezicht dicht te slaan. Maar zijn kus was zo lustopwekkend, zo verrukkelijk, en iets van zijn verwarring moest in haar zijn geslopen, want ze richtte zich op en kuste hem terug. Haar tong zocht naar de zijne, vol hunkering en passie. De aanraking van zijn mond en hand deden het vuur in haar buik en tussen haar benen weer oplaaien, terwijl de koude regendruppels op haar hoofd en armen neerkwamen. De donder ging weer tekeer en de regen mengde zich met hun vochtige lippen. Ze pakte zijn haren beet met haar vingers en de adem stokte hem in de keel door haar vurigheid.

Hij was de eerste die losliet en in de duisternis kon ze zijn ogen amper zien. Haar hart ging net zo tekeer als het onweer en ze snakte naar adem, waarbij ze niet alleen de koude regenlucht inademde, maar ook zijn mannelijke geur. En hoewel ze hem niet goed kon zien, voelde ze zijn begerige blik op haar branden. Ze werden allebei overspoeld door golven van geilheid, een diepe geilheid die vroeg om bevrediging. Een lust die alleen kon worden bevredigd door huid-op-huidcontact.

'Kom erin, Sam.' Ze had dit gevoel wel eens eerder gehad. Jaren geleden. Het was allesomvattend en overheersend. Net als de man die het opriep.

'Waar is Conner?'

'Die slaapt.' Dit was levensgevaarlijk. Ze had het spel al een keer verloren, maar nu was ze ouder. Wijs genoeg om haar hartstocht te bevredigen, maar haar hart te behouden.

'Je weet wat ik wil.'

Dat wist ze. En ze wist ook dat ze het waarschijnlijk zou betreuren, de volgende ochtend. Maar dat was nog zo ver weg en ze wilde in de tussenliggende uren de zoete pijn die haar had overrompeld op alle mogelijke manieren uit haar lichaam verdrijven.

Ze pakte zijn hand vast en trok hem over de drempel. Ze duwde de deur achter hem dicht en ging er met haar rug tegenaan staan, terwijl hij snel zijn sweater vastpakte en over zijn hoofd trok. Onder de sweater kwam een oude, laaghangende spijkerbroek tevoorschijn. Boven de broek begon zijn klimopje, dat zijn navel omcirkelde en verder omhoogging langs zijn sixpack. Hij veegde zijn gezicht af aan het shirt en stond zo voor haar, in zijn natte broek, zijn dampende bovenlijf, met de brace nog om zijn schouders. Hij schudde zijn hoofd als een hond, waardoor hij overal druppels verspreidde.

Enkele daarvan belandden op haar wang en bovenlip. Ze haalde heel even diep adem, in een poging haar bonzende hartslag wat tot bedaren te brengen. 'Hoe gaat het met je schouder?'

'Met mijn schouder gaat het goed. Jouw shirt is ook nat.'

Met moeite maakte ze haar blik los van de korte haartjes op zijn enorm gespierde borstkas, die eruitzag alsof hij een in steen gehouwen klassieke godheid was. Ze tuurde naar de teckel op haar shirt, dat vastgeplakt zat aan haar natte vel. Midden in het lange lijf van de hond staken haar harde tepels door de klamme stof.

'Misschien moet je het maar uittrekken om geen kou te vatten.'

Ze hield haar hoofd een beetje schuin en keek hem weer aan, haar blik verdronk in zijn blauwe ogen, die haar verlangend aankeken. 'Maak je je zorgen om mij?'

'Ik maak me zorgen als je dat shirt niet uittrekt.'

'Doe jij het maar.' Ze stak haar armen omhoog en toen hij

op haar af liep, voelde ze de pijn tussen haar benen verhevigen. Zijn vingers pakten de onderkant van haar shirt beet en streelden daarbij haar gevoelige taille. Zacht trok hij het natte shirt over haar hoofd en wierp het naast zijn eigen sweater.

Nu was er geen weg meer terug. Ze leunde naar voren en drukte haar lippen in het kuiltje van zijn kin. Het was warm en smaakte zilt en nat. Haar stijve tepels raakten zijn warme borstkas en hij kreunde. Voordat ze alle besef van tijd en ruimte verloor, fluisterde ze in zijn oor: 'Verveel je je nu?'

'Ik verveelde me niet, gisteren. Ik was bloedgeil.' Hij schoof zijn hand van haar rug en pakte haar zachte borst beet. 'En ik wilde jou. Ik kon niet verder denken dan aan alles wat ik wilde aanraken en in welke volgorde.'

Ze streek met haar handen over zijn bovenlijf. 'Wat wilde je als eerste aanraken?'

Zijn brommende stemgeluid vibreerde tegen haar huid. 'Deze hier.' Hij streelde haar harde tepels met zijn warme duimen. Ze kreunde zacht. 'Deze wil ik verkennen met mijn mond, voordat ik verder zuidwaarts ga; naar mijn favoriete plekje.'

Dat wilde zij ook. Zo graag, dat ze hem het liefst ter plekke tegen de grond had gesmeten om te nemen wat ze hebben wilde. Ze grinnikte zacht, alsof ze helemaal niet geil was en hongerig naar seks. 'Mijn tenen?' Ze hadden alle tijd.

Hij duwde zijn andere hand via haar pyjamabroek tot onder haar slipje. 'Dit.' Met zijn hand omvatte hij haar gloeiende kruis en ze ging bijna tegen de vlakte. 'Je bent zo nat, en niet van de regen.' Zijn vingers zochten verder, naar haar vochtige warmte. En alles werd zo heet, zo intens. Een waas. 'Ik wil diep in je zijn, je bent zo lekker strak. Ik wil je klit strelen met mijn lul tot je mijn naam uitschreeuwt, net als toen.'

Ze wist niet of ze ooit zijn naam had uitgeschreeuwd, maar het kon haar niets schelen. Het kon haar ook niets schelen dat ze nu zijn kleren van zijn lijf rukte, en hij haar pyjamabroek en slipje naar beneden trok. Ze maakte haar voeten los uit de bundel kleding en reikte naar zijn stijve pik. Ze wilde hem en ze wilde hem nu. Ze wilde het niet langzaam aan doen.

Met het bovenlicht van de gang aan zag hij er prachtig uit in zijn naaktheid. Ze had zijn penis vast. Hij was zo groot en heet. Veel groter dan ze zich kon herinneren. De gezwollen aderen klopten in haar hand. Achter Sam weerlichtte het opnieuw. De donder klapte boven hun hoofd en deed het strandhuis op zijn funderingen schudden. 'Dat wil ik ook, Sam.'

Sam keek naar Autumn, die voor hem stond, met haar natte rode krullen, haar groene ogen vol onverholen lust. De begeerte klopte door zijn aderen. Haar aanblik benam hem de adem en hij voelde zijn lendenen branden. Zijn lul was zo stijf dat het pijn deed. Haar lippen weken uiteen terwijl ze op en neer streek over zijn erectie. Hij moest zijn knieën tegen elkaar duwen om staande te blijven. Hij bracht zijn mond omlaag. Hij wilde langzaam beginnen, dat verdiende ze, langzame, heerlijke seks, maar vanaf het moment dat zijn lippen de hare raakten, voelde hij die rauwe, allesomvattende begeerte op die plek in zijn binnenste die van hem verlangde dat hij er nu voor ging. Niet wachtte. Maar haar op de grond smeet en haar als een neanderthaler nam.

Ze haalde adem, beroofde hem van de zijne en hij kon zich niet meer inhouden, een hete geilheid nam bezit van zijn lichaam en hield zijn ballen in een ijzeren greep. Haar mond ging open en ze zoende hem. Een zoete, vochtige warmte. Net als de vochtige warmte die diep in haar op hem wachtte. Hun tongen vonden elkaar weer en hij streelde haar borsten, haar buik, haar dijen. Weer ging zijn hand naar de vochtige plek tussen haar benen. Ze had haar schaamhaar geschoren tot een smal streepje. Lekker strak, precies zoals hij het lekker vond. Hij vond wat hij zocht, daar waar ze nat en warm was en wachtte tot hij bij haar naar binnen zou stoten. Hij duwde zijn harde penis tegen haar hand, in en uit, als voorbode van wat ze zo zouden doen. Haar duim vond een druppel voorvocht boven op zijn eikel en hij kreunde hard en hevig, trok haar achter zich aan naar de vloer. Daar kuste hij haar mond en haar borsten en zocht naar zijn portemonnee in zijn achterzak. Daarna kwam hij op zijn rug terecht, met haar boven op hem, en voor hij het wist was ze al bezig met het condoom.

'Ik wil je geen pijn doen,' zei ze met een stem die trilde van verlangen.

'Schatje, je doet me alleen maar pijn als je er nu mee ophoudt.'

Ze grinnikte schor en even torende ze boven hem uit, waarna ze zich langzaam liet zakken en hij bij haar naar binnen gleed. Hij bewoog zijn heupen en ze wierp haar hoofd kreunend in haar nek. Het licht van buiten bescheen haar ronde borsten, haar stijve tepels en haar vlakke buik met de rode strook. Hij ging volledig op in het genot en gromde: 'Dat is zo lekker, Autumn.' Ze kwam weer omhoog en hij draaide haar heupen en stootte hard. 'Ja.' Hij duwde verder, kwam diep bij haar naar binnen en vulde haar op. Hij pakte haar bij haar dijen en ze bereed hem als de koningin van de Amazonen. Na een paar korte stoten voelde hij haar samentrekken onder de eerste golf van haar orgasme, waardoor hij op zijn tanden moest bijten om niet meteen ook te komen.

'O, mijn god,' klonk er hijgerig uit haar mond en ze zette haar beide handen op zijn borstkas. Haar haren vielen naar voren. 'Niet stoppen. Alsjeblieft, niet stoppen. Ik maak je af als je nu stopt.'

Maar hij dacht er niet aan om te stoppen en toen de laatste golf van genot door haar lichaam trok, pakte hij haar schouders vast en draaide haar om, zodat hij bovenop lag. Met zijn penis diep in haar keek hij in haar groene ogen, trok zich los en stootte nog dieper. 'Leg je benen om mij heen.' Toen hij haar benen om zijn taille voelde, begon hij zachte, pompende bewegingen te maken in een aangenaam ritme. 'Meer?'

'Ja.'

Hij liet zijn lichaamsgewicht rusten op zijn rechterarm en hield haar gezicht met zijn andere hand vast. Toen gaf hij haar wat ze wilde, en kwam diep bij haar naar binnen, waar hij het juiste plekje raakte.

'Harder,' kreunde ze.

'Weet je het zeker?'

Haar rozerode lippen gingen uiteen en ze hapte naar adem. 'Ja.'

Hij stootte harder, sneller, dieper. Bereikte alle hoeken van haar vagina, raakte haar speciale plekje met zijn harde penis en kloppende eikel. Steeds weer, tot hij het bekende samentrekken voelde van haar tweede climax. Het begon diep binnenin en het vibreerde tegen zijn erectie, waardoor hij nog erger dan eerst op de proef werd gesteld. Zo erg dat hij zijn mond vertrok in een grimas om zijn eigen genot nog langer uit te stellen.

Toen schreeuwde ze het weer uit. Hij hoorde zijn naam, maar die ging op in het gedreun van de donder buiten en eindelijk, eindelijk kon hij de volle intensiteit van zijn climax voelen aanzwellen in zijn kruis en sidderen door zijn hele lijf. Het had hem in een stevige greep en verhevigde bij elke samentrekking van haar vagina. Hij hoorde zichzelf diep kreunen en voelde toen zijn orgasme in volle hevigheid. Het overspoelde zijn lichaam, zijn ziel, en was net zo allesomvattend als het onweer buiten. Het spoelde keer op keer over hem heen, tot hij zo leeg was dat hij amper kon ademhalen. Hij was net zo leeg als na een periode van drie minuten in een belangrijke wedstrijd, afgerond met een fikse vechtpartij. Hij liet zijn hoofd zakken en leunde met zijn voorhoofd op de grond, naast haar gezicht. Hij had al heel vaak seks gehad in zijn leven, maar dit voelde totaal anders. Grootser, lekkerder, dierlijker.

'Jezus christus,' zei hij, nog nahijgend. 'Ik ben helemaal gesloopt. Jezus, als jij ook zo klaarkwam in Las Vegas, verbaast het me niets dat ik met je getrouwd ben.'

Autumn stond in de keuken en bracht het glas rode wijn naar haar lippen. Er gingen zoveel emoties in haar om. Zo streden shock en schaamte om de eerste plaats, maar was ze vooral verrast door haar volkomen gebrek aan zelfcontrole. Dat soort schaamteloos gedrag had ze verwacht van Sam. Sam was tenslotte... Sam. Maar zij, zij rolde tijdens een vrijpartij niet over de vloer. Tenminste, tegenwoordig niet meer.

En al helemaal niet met Sam!

Verderop in het huis werd de wc doorgetrokken en ging de deur van de badkamer open. Ze keek naar beneden om zich ervan te vergewissen dat ze haar badjas stevig had dichtgeknoopt. Toen Sam zijn kleren had opgeraapt en zich had teruggetrokken in de badkamer, had ze haar pyjama gepakt en was ze naar boven gehold. Daar had ze haar badjas aangetrokken en bijna de deur achter zich op slot gedraaid om zich onder de dekens te verstoppen totdat ze wist wat ze moest doen. Of totdat Sam weg zou gaan.

Maar helaas was het allebei geen optie. Ze was een volwassen vrouw en moest de consequenties onder ogen zien.

Sam kwam de keuken binnenlopen, zonder shirt aan en met zijn sixpack duidelijk zichtbaar. Hij pakte de wijnfles van het aanrecht en keek op het etiket. 'Ik drink liever bier.' Hij deed een kastje open en pakte een glas. 'Maar ik zal jou een plezier doen en met je meedrinken.'

Ze wou dat hij haar het plezier had gedaan met zijn hand uit haar pyjamabroek te blijven. Ze sloeg haar glas achterover en hield het op zodat hij haar kon bijschenken.

Hij liet zijn hoofd een tikje zakken en richtte zijn blauwe ogen op de hare. 'Ben je boos om wat ik zei?'

Ze schudde haar hoofd. Ze had niets gehoord behalve haar eigen bloed dat door haar aderen kolkte en haar eigen stemgeluid toen ze zijn naam noemde. Goddank was Conner niet wakker geworden. 'Wat zei je dan?'

'Als je het niet meer weet, laat dan maar zitten.' Hij keek

lichtelijk opgelucht en vulde haar glas bij. 'Maar als je niet boos bent, waarom bloos je dan?'

Ze legde een hand tegen haar gloeiende wang. 'De wijn.'

'En krijg je een frons op je voorhoofd van wijn?' Hij schonk de cabernet ook in zijn eigen glas. 'Wil je dat ik me verontschuldig?'

Als hij daar zelf om ging vragen, dan zou hij het vast niet menen. En trouwens, een verontschuldiging van Sam zou zoiets onverwachts zijn dat ze het waarschijnlijk niet te boven kwam. 'Nee. Ik ben niet boos.'

'Wat ben je dan wel?' Hij zette de fles terug op het aanrecht en nam een slok.

'Ik ben vooral nogal beschaamd omdat ik mezelf zo volledig heb laten gaan.'

Hij liet glimlachend zijn glas zakken. 'Het was inderdaad nogal spectaculair.'

Hoofdschuddend vocht ze tegen de neiging om hem een klap te verkopen. 'Weet je hoe vaak ik mezelf heb verteld dat jij wel de laatste persoon op deze aardbol bent met wie ik in bed zou duiken?'

Zijn mondhoeken krulden naar beneden. 'Een paar keer, denk ik.'

'Iets meer dan dat. Weet je dan ook hoe vaak ik tegen mezelf heb gezegd dat ik nóóit met jou het bed in zou duiken, al zou het mijn leven kunnen redden?' Ze nam een flinke slok. 'Als je mij een maand geleden had gevraagd wat ik zou doen als ik moest kiezen tussen overreden worden door een tientonner of met jou naar bed, dan had ik gekozen voor de tientonner.'

'Ja, ik geloof dat je zoiets de afgelopen vijf jaar wel een paar keer hebt laten blijken.' Hij maakte een weids armgebaar. 'En toch heb je voor mij én een spectaculaire vrijpartij gekozen.'

'Ik bedoelde dat het verlies van mijn zelfbeheersing spectaculair was.'

'De seks is spectaculair.' Hij wees naar haar. 'En jij bent twee keer klaargekomen.'

Ze haalde snel haar schouders op en draaide haar gezicht af om te voorkomen dat haar wangen weer zouden opvlammen. 'Het was een tijdje geleden.'

'Hoelang?'

'Doet er niet toe.'

Hij legde zijn vinger tegen haar gloeiende wang en keek haar vorsend aan. 'Een paar maanden?'

'Laat maar.' Ze nam weer een slok. Misschien moest ze veel drinken, dan zou ze alles op een gegeven moment wel grappig vinden. Maar ze had niet genoeg alcohol in huis om dat te bewerkstelligen.

'Een jaar?' Toen ze bleef zwijgen fronste hij vragend zijn wenkbrauwen. 'Anderhalf jaar?'

'Ik ben moeder. Ik werk en ik zorg voor Conner. Als ik wat tijd voor mezelf heb, dan ga ik naar de pedicure.'

'Een pedicure is toch geen vervanging van een goede vrijpartij.'

'Dat hangt helemaal af van de kwaliteit van de behandeling. Sommige mensen kunnen het ontzettend goed, terwijl andere de juiste plekjes overslaan.'

'Daar heb ik geen verstand van.' Hij grinnikte zacht. 'En hoe lang is het dan geleden dat iemand bij jou de juiste plekjes vond?'

'Heel lang geleden.' Ze liep naar de woonkamer en zei over haar schouder: 'Ik heb een zoon. Jouw zoon. Weet je nog wel?'

Hij volgde haar en ging ook bij het raam staan. Even verderop bulderde de branding tegen het helmgras. Ze voelde dat hij naast haar een slok wijn nam.

'Het lijkt erop dat de wind gaat liggen,' zei ze.

'Twee jaar?'

'Gaan we het weer daarover hebben?'

'We hebben het nog niet afgesloten, want jij hebt nog geen antwoord gegeven.'

In de verte zagen ze het bliksemen. Bij hen regende het alleen nog maar. 'Meer dan vijf jaar, maar minder dan zes.'

Het duurde even voor hij het sommetje gemaakt had. Maar toen hij dat had gedaan, verslikte hij zich in zijn wijn. 'Dat geloof ik niet. Niemand kan zo lang zonder.'

'Waarom geloof je dat niet?' Ze telde af op haar linkerhand. 'Ik was negen maanden zwanger, zat daarna zowat een jaar lang onder de babykots terwijl ik probeerde mijn eigen zaak op te zetten, met voortdurend slaap tekort. De eerste drie jaren na Conners geboorte was ik voortdurend moe en het laatste wat ik nodig had was een tweede persoon in mijn leven die mijn aandacht nodig had. Het leven van een werkende moeder is niet makkelijk.'

'Heb je zes jaar lang geen seks gehad?' Van alles wat ze zojuist had gezegd, had hij vooral het getal onthouden. 'Jezus, geen wonder dat je zo onaardig doet.'

'Ik doe niet onaardig.' Ze nam nog een slok wijn en de mouw van haar badjas streek langs zijn ontblote arm. 'Jij kunt gewoon moeilijk geloven dat iemand zo lang zonder kan, omdat je zelf nog geen zes dagen zonder kunt.'

'Het is soms wel langer dan zes dagen. Ik ben wel eens twee weken op reis.'

'Tjonge jonge.'

'Maar ik kan je wel vertellen,' ging hij verder, 'dat als ik zes jaar geen seks had gehad, ik allang blind was geweest. En wat zou ik dan moeten doen? Ik ben ijshockeyer en je kunt geen ijshockey spelen als je blind bent. Dus.'

Ze vroeg zich af of hij zijn eigen idiote redenering wel kon volgen. Waarschijnlijk wel, en dat was al triest genoeg. 'Als het af en toe zo uitkomt dat ik vrij ben als Conner bij jou is, dan ga ik niet de kroeg in om een of andere kerel op te pikken.' Had ze dit gesprek niet onlangs ook gevoerd met Shiloh en Vince?

Zijn stem was niet meer dan een zacht gebrom in de duisternis. 'Sommige vrouwen doen dat wel.'

'Nou, ik niet. En ook al heb jij een ander beeld van mij, gezien mijn handelwijze in Las Vegas, ik ben nooit zo'n vrouw geweest.'

'Zo heb ik je ook nooit gezien.'

Uiteraard niet. 'Maar je wilde honderd procent zekerheid dat het wel jouw kind was.' Hij deed zijn mond open om zich te verdedigen, maar ze stak haar hand op. 'Maar ik begreep wel waarom. Toen was ik er laaiend over, maar ik begreep het wel.'

'Als ik Conner meteen had gezien, zou ik het je nooit hebben gevraagd.'

'Het doet er niet toe. Maar mijn punt is dat het de laatste keer dat ik een vent oppikte in een kroeg, niet helemaal goed is afgelopen.'

'Ja.' Het bleef even stil, toen zei hij: 'Maar we hebben wel Conner. Ik ben niet altijd een topvader geweest, maar ik ben wel dol op hem. Ik heb er nooit spijt van gehad dat hij er was.'

En dat bracht het gesprek weer op zijn verantwoordelijkheidsbesef. 'En is het tijdens de rit hiernaartoe niet in je opgekomen even te bellen?'

'Tuurlijk wel, maar dan had jij gezegd dat ik niet hoefde te komen.'

'Klopt. Want je kunt jezelf niet zomaar uitnodigen voor een vakantiereisje, gewoon omdat je Conner wil zien.'

'Dit heeft niets met Conner te maken.'

Ze keek hem schuin aan, maar kon alleen zijn profiel in het donker onderscheiden. 'Waar heeft het dan wel mee te maken?'

'Dat probeer ik nog steeds uit te vissen.' Hij keek nu ook haar kant op en leunde met een schouder tegen de ruit. 'Ik denk dat het te maken heeft met iets tussen ons wat we nog niet hebben afgerond.'

'Wat er ook "tussen ons" was, dat hebben we al lang geleden afgerond.' Toen hij van haar gescheiden was.

Hij streelde haar wang en streek haar haren achter een oor.

'Die eerste keer dat ik je zag, bij Pure, deed je me denken aan die keer toen ik tien of elf was en mijn moeder Ella en mij naar Washington, D.C., meenam.' Zijn blik dwaalde over haar gezicht en haar haren. 'Het was avond en we stonden bij het gedenkteken voor de Vietnamoorlog en ik zag allemaal lichtjes schitteren in het donker. Mijn moeder vertelde dat het vuurvliegjes waren en ik raakte er zo van in de ban dat ik ze achternaholde, om ze te vangen.'

Ze probeerde zijn aanrakingen te negeren. 'Vergelijk je mij nou met een vuurvliegje?'

'Met een lichtpunt. Een helder, intrigerend licht dat ik wilde vangen en vasthouden.'

De manier waarop hij dingen uitlegde herinnerde haar aan het feit waarom ze zo gemakkelijk voor hem was gevallen. Als ze hem niet zou kennen, zou ze opnieuw voor hem vallen. 'Ik duik niet weer met jou de koffer in, Sam.'

Hij glimlachte en liet zijn hand zakken. 'Oké.'

Het was duidelijk dat hij haar niet geloofde en het zou het slimste zijn om hem nu naar huis te sturen. Of te zorgen dat hij een hotel nam. Ze wees naar de bank. 'Dat is een slaapbank.'

Ze had verwacht dat hij zou tegenstribbelen, of haar zou proberen te bewerken, of te kussen tot ze zou toegeven en hij bij haar in bed mocht kruipen. Maar in plaats daarvan grijnsde hij tevreden, alsof hij precies kreeg wat hij wilde.

'Tot morgen.'

14

De man van mijn dromen...

weet precies wanneer hij wat moet doen

Sam stond in de keuken en deed net wat wentelteefjes in de pan. De storm was inmiddels weggewaaid en een helder zonnetje stroomde door het keukenraam naar binnen.

'Mijn moeder maakt altijd pannenkoekjes in de vorm van een hart.' Conner zat op zijn knieën in een stoel naast hem.

'Dat heb je me al eerder verteld, maar dat moet je niet aan iedereen vertellen, hoor.'

'Waarom niet?'

'Omdat de jongens op school dat misschien niet begrijpen en denken dat je een watje bent omdat je van hartjes houdt. En je wilt toch niet dat ze je daarmee gaan plagen?' Hij legde zijn hand op Conners hoofd en woelde door diens blonde haar. Sam was wakker geworden van de zon die door de schuifpui naar binnen scheen, daarna was hij tien kilometer gaan joggen op het strand. Dat had hij nodig om helder te blijven. En om eens goed na te denken over de afgelopen twee dagen. Het etentje met Thanksgiving en gisteravond. Was hij echt alleen maar verveeld geweest?

Jazeker. De Chinooks waren weer op pad en hij popelde om weer aan de wedstrijden mee te doen, maar toch was dat niet de enige reden. Hij kon zichzelf ook wijsmaken dat het met Conner te maken had. Dat hij meer tijd wilde doorbrengen met zijn zoon voordat hij weer wegging, voor meerdere weken. Maar Conner was niet de enige reden. Als Sam heel eerlijk was, dan moest hij toegeven dat zijn zoon niet de reden was dat hij gisteravond in zijn pick-uptruck was gesprongen en door de storm hiernaartoe was gereden. De ware reden was Autumn en de enorme spanning die hij voelde als zij in de buurt was. Die paar dagen in Vegas die hij niet uit zijn hoofd kon zetten en die hem naar meer deden verlangen.

Hij was gisteravond op haar terras beland, drijfnat van de regen, starend naar haar deur. Met die spanning en herinnering in zijn achterhoofd. Hij bleef maar naar de deur staren, vol verwarring en vol verlangen. Voor het eerst in een heel lange tijd was hij onzeker over een vrouw. Misschien zou ze de deur wel in zijn gezicht dichtgooien. Of zou ze toestaan dat hij haar overal zou strelen en kussen. Zichzelf ontdoen van haar kleding en iets doen met de erectie die ze hem de avond ervoor al bezorgd had.

Sam had al heel wat vrijpartijen gehad in zijn leven. Heel veel seks met heel veel vrouwen. Maar nog nooit had hij zo gevreeën als met Autumn. Ze was zo geil en opgewonden geweest. Zo wild, en dat had niets te maken met zwepen en handboeien en spannende pakjes, maar gewoon met het feit dat ze hém wilde. Misschien had het te maken met het gegeven dat ze langer dan vijf jaar geen seks had gehad. Misschien ook niet. In elk geval wilde hij meer.

Een heleboel meer.

Eerder die ochtend, toen hij was thuisgekomen na het hardlopen, had hij Conner aangetroffen, die midden op de bedbank naar tekenfilmpjes zat te kijken.

'Pap?' Hij had een of andere blauwe fruitstengel uit zijn mond hangen. 'Ben jij ook op vakantie?'

Sam veegde het zweet van zijn voorhoofd. 'Ja. Is je moeder al wakker?'

Conner sabbelde intussen door en er droop blauw spuug over zijn kin. 'Nog niet.'

'Wat eet je eigenlijk?' vroeg hij.

'Een fruitsnack. Wil je er ook eentje?'

'Nee.' Hij had in de kast gekeken en was verbaasd toen bleek dat ze geen eten in huis hadden. Alleen koffie, melk en wat snoepgoed. 'Aankleden maar, dan gaan we inkopen doen.' Het kostte ze twintig minuten voordat ze een klein supermarktje vonden, waar het een beetje merkwaardig rook.

'Zet jij de borden maar op tafel.' Sam gaf Conner een duwtje in zijn rug.

Deze klom op het aanrecht en trok een kastje open. 'Ik zag gisteren een slak. Bah. Ik haat slakken.'

'Ik ruik wentelteefjes,' zei Autumn vanuit de woonkamer. 'Maar we zouden deze vakantie toch niet koken? Waar hebben jullie al die spullen vandaan?'

Sam keek achterom naar Autumn, die aan kwam lopen in haar inmiddels droge teckelpyjama, en het water liep hem in de mond. Hij had al heel wat sexy lingerie gezien in zijn leven, maar om de een of andere reden vond hij die teckel enorm opwindend. Misschien had het te maken met de gedachte aan haar koude, natte borsten van de avond ervoor.

Conner keek om het kastdeurtje heen. 'Mama, papa is er ook,' kondigde hij aan. Alsof ze dat zelf nog niet wist. Alsof ze hem niet besprongen had, toen hij gisteravond aan was komen zetten.

'Dat zie ik.'

'We zijn naar een supermarkt gereden toen jij nog sliep.' Sam wees naar de pan. 'Wentelteefje?'

Ze duwde haar rode haren achter haar oren. 'Eerst koffie.'

Haar blote voeten bewogen zich geluidloos over de keukenvloer en ze greep naar een mok boven het koffiezetapparaat. De ochtendzon zette haar lokken in vuur en vlam.

'Wat gaan we doen vandaag?'

Ze keek hem aan en schonk de koffie in. 'Nou, *wij* zouden vanochtend ontbijten bij de Piratenhut, even verderop.'

'O.' Hij legde snel de toast op de borden die Conner had klaargezet. 'Gelukkig maar dan, nu hoef je daar niet naartoe.' Hij strooide wat suiker op de wentelteefjes. 'En verder?' Hij overhandigde een bord aan Autumn, maar zij schudde haar hoofd. Haar haren vielen weer over haar schouder.

'Vliegeren.' Ze blies in haar mok koffie. 'En later vissoep bij de Piratenhut.'

Hij droeg de borden naar de kleine keukentafel. Hij was uiteraard niet verrast dat ze alles volledig had gepland. In Vegas was ze een heel lange lijst aan het afwerken. Maar het meeste daarvan had ze niet kunnen doen. Hij moest er weer om glimlachen. 'En dat zandkasteel dan?'

'Daar hebben we geen spullen voor meegenomen.'

Hij nam een hap. 'Maar die hebben wij vanochtend gekocht.' Ze keek hem aan met dichtgeknepen ogen. Hij maakte een verontschuldigend gebaar. 'Ik weet dat de wereld niet om mij draait, maar het was Conners idee om een zandkasteel te bouwen.'

'Net zoals het Conners idee was om jou uit te nodigen voor Thanksgiving?'

Hij nam nog een hap en kauwde. Inderdaad, zoiets, maar zandkastelen bouwen was nu eenmaal leuker dan vliegeren.

Ze bracht haar koffiemok naar haar lippen en liet hem meteen weer zakken. 'Waar heb je die kleren vandaan?'

Hij keek naar zijn Chinooks T-shirt en spijkerbroek. 'Ik had een tas bij me.' Hij was gisteravond dan op stel en sprong vertrokken, hij had zich wel voorbereid. Voorbereid om te ontdekken wie ze nou eigenlijk was. Maar zowel gisteravond als zes jaar geleden had hij zich weer een tiener gevoeld, fantaserend over het meisje verderop in de straat, terwijl hij langs haar huis reed op zijn fiets in de hoop een glimp van haar op te vangen. Maar tegenwoordig had hij een pick-uptruck en geen fiets. En hij was geen tiener meer. Hij wilde zelf graag geloven dat hij inmiddels beter kon omgaan met vrouwen. Met wat meer finesse. Of zelfs een beetje charme. Zodat hij een vrouw niet achterna hoefde te zitten, op een stormachtige avond.

Ja, zo dacht hij graag over zichzelf, maar toch zat hij hier, bij Autumn in Moclips, en voelde hij zich weer als een tiener. Vol onzekerheden.

'Ik dacht dat je rechtstreeks vanuit die kroeg hiernaartoe was gereden,' zei ze.

Ze tuitte haar lippen en bracht daarmee zijn hoofd op hol; zo graag wilde hij haar vragen iets anders te doen met die mooie mond. Dingen waarover hij zo vroeg in de ochtend niet eens wilde nadenken. Al kon hij het niet tegenhouden. 'Ik ben dan wel nooit bij de padvinders geweest, maar ik ben altijd voorbereid op toevalligheden.'

Hij keek haar recht in haar groene ogen en glimlachte haar al kauwend toe, denkend aan het moment dat ze het condoom uit zijn handen had gegrist en de verpakking met haar tanden had opengescheurd. 'Ik heb altijd een tas klaarstaan in mijn truck. Meestal vanwege de trainingen.'

'Goed, meneer de onofficiële padvinder, ik heb niet zo'n zin om in het koude zand te wroeten vandaag.' Ze nam nog een slok. 'Dus kijk ik wel toe vanaf het terras.'

'Mag ik wat sap, mama?'

Ze liep naar de koelkast en trok de deur open. Sam volgde haar met zijn blik, die afdwaalde naar haar geweldige kont. 'Wil jij, Sam?'

O, ja! 'Ja, graag.'

Ze schonk het vruchtensap in twee glazen en hij had grote

moeite zijn ogen af te houden van de teckel. Ze zette de glazen op tafel en hij streek met zijn handen over de achterkant van haar bovenbeen.

Ze sperde haar ogen open. 'Wat doe je?'

'Ik eet mijn wentelteefje,' antwoordde Conner.

Sam wist het niet zo goed en liet zijn hand zakken. Het was helemaal niet zijn bedoeling geweest om haar zo aan te raken. Het was gewoon gebeurd, alsof het een natuurlijke handeling was. Alsof ze een stel waren. Een gezin, maar dat was uiteraard helemaal niet het geval.

Autumn was wel de moeder van zijn zoon, maar dat maakte hen nog geen gezin. Ze was opwindend en sexy, maar ze waren geen stelletje. Ze was wel het meisje waar hij van droomde, maar ze was niet zijn vriendin.

Dus wat betekende ze dan voor hem?

Het was tien graden en de wind woei Autumns haren in haar gezicht. Ze lag op een strandstoel met een dikke trui, een spijkerbroek en haar Uggs. Ze was blij dat ze niet hoefde te graven in het natte zand met de kleine plastic schepjes. Vliegeren was wat haar betrof beter geweest, maar ze moest toegeven dat ze wel een klein beetje blij was dat ze niet op het strand hoefde rondhollen met een vlieger en de hele tijd bijsmeren. Dichter bij het huis was de wind veel rustiger.

Ze liet het tijdschrift *Bride* zakken en keek over de rand naar Conner en Sam. Ze waren al een paar uur bezig. Veel langer dan ze had gedacht. Vanaf haar zitplaats zag hun kasteel eruit als een berg zand met een slotgracht. Flarden van hun gesprekken, vermengd met brandinggeluiden en geschreeuw van zeemeeuwen, kwamen haar kant op waaien. Conners kinderlijke gelach mengde dan met Sams diepere gelach. Haar hart maakte een sprongetje, en dat kwam dit keer niet door zijn charmante verschijning of de lust in zijn blauwe ogen, of de manier waarop hij zijn handen liet gaan over haar hunkerende lichaam, of zijn pure schoonheid, maar door die twee blonde hoofden boven een berg vochtig zand. Ze liep geen gevaar om verliefd te worden op Sam. Dat was ze tenslotte al een keer geweest; ze had haar lesje geleerd. Maar ze liep wel gevaar hem aardig te gaan vinden, en dat was nogal eng.

Het was twee maanden geleden sinds het huwelijk van de Savages en die middag dat Sam Conner te laat had thuisgebracht. Twee maanden waarin Sam steeds meer betrokken was geraakt bij Conners doen en laten. Op de een of andere manier was hij daarbij steeds meer haar leven binnengedrongen. Zo erg zelfs dat ze haar onthouding van ruim vijf jaar gisteravond met hem had verbroken op de vloer van de woonkamer.

Ze was niet trots op zichzelf, maar ook niet zo ontzet als ze zou moeten zijn. Het was zoals ze gisteravond had gezegd; ze schaamde zich vooral. En ze was in de war omdat ze het had gedaan met de enige man op de hele aardbol van wie ze had gezworen dat hij haar nooit meer zou mogen aanraken. Ze wist nog steeds niet waarom hij gisteravond bij haar voor de deur had gestaan. En waarom ze hem had binnengelaten en hij er nog steeds was.

'Hé, mam,' riep Conner, die het pad op holde. 'Kom naar ons kasteel kijken.'

Ze legde haar tijdschrift opzij; ze had geweten dat hij op een zeker moment zou komen vragen of ze kwam kijken. Dus stond ze op en liep het pad af naar het strand. Halverwege ontmoetten ze elkaar en ze legde haar handen over zijn rode oren. 'Je voelt koud. Wil je nu niet naar binnen?'

Hij schudde zijn hoofd. 'Papa heeft een draak gemaakt. Kom gauw kijken.'

Ze nam zijn koude hand in de hare en zo vervolgden ze het paadje. Sam stond voor het 'kasteel' met zijn handen in zijn zij. Net als bij Conner waren de knieën van zijn spijkerbroek helemaal nat en zanderig en ook zíjn oren waren rood.

Zijn haar woei omhoog door een windvlaag en zijn wangen waren vies van het zand. 'Wat vind je ervan?'

Ze hield haar hoofd schuin en bekeek het kasteel. Van dichtbij leek het vooral op een hoop zand. Het was vierkant, had vier torens en een slotgracht, maar het was met name imposant vanwege de grootte. Het was, zoals alles wat Sam deed, te groot en te veel. 'Ik heb er altijd al van gedroomd om langs de kastelen van Europa te trekken. Nooit geweten dat ik er eentje zou vinden in Moclips.'

'Droom jij van oude stenen gebouwen?'

'O, ja. Ik heb gelezen dat je de mooiste en engste vindt in Europa.'

'Heb je de draak gezien?' Conner wees op een soort slang met een groot hoofd die door het zand naar het kasteel gleed. 'Hij beschermt de jongen in het kasteel.'

'Waartegen?'

Hij keek op naar zijn vader en kneep zijn ogen halfdicht tegen het zonlicht. 'Waartegen, papa?'

'Meisjes.'

Ze moest lachen en gaf hem een zachte duw. Hij pakte haar hand vast voordat ze hem kon terugtrekken. 'Wat ben je koud,' zei ze.

'Laatst, in het stadion, vond je me nog heet.'

Met haar vrije hand duwde ze de haren uit haar gezicht. 'En vandaag ben je vies.'

Sam sloeg zijn armen om haar heen en tilde haar op. Hij duwde zijn vieze shirt tegen haar aan en lachte. 'Jij bent veel te schoon. Ik vind je een stuk leuker als je vies bent.'

'Sam!' Ze zette zich af tegen zijn schouders en probeerde zich los te wurmen. Maar Sam was veel groter en langer en ze had geen schijn van kans.

Hij hield haar nog steviger beet en tilde haar nog hoger, zodat ze de grond niet langer onder haar voeten kon voelen.

Zijn warme adem blies zachtjes tegen haar koude wangen. 'Zullen we ons samen echt vies gaan maken?'

Ze pakte zijn schouders vast, bang dat ze het heel moeilijk zou krijgen als hij nu niet zou ophouden. Dat ze het lekker vond dat zo'n sterke vent haar stevig vasthield. Dat Sam haar vasthield. 'Niet waar Conner bij is!'

Zijn lippen veegden langs haar mondhoek. 'Ook niet een klein beetje vies?'

'Stop, Sam. Je brengt hem in de war.' Net zoals ze zelf in de war was, wat te voelen was aan de vlinders in haar buik.

Hij tilde zijn hoofd op en keek haar recht in de ogen. 'Ben je in de war, Conner?'

'Ja.'

Sam keek over haar schouder naar hun zoon, maar liet haar niet los. 'Waarover?'

'Als het kasteel geen deur heeft, hoe kan de jongen dan naar buiten om op de draak te rijden?'

Sam glimlachte en liet Autumn heel langzaam naar beneden zakken, totdat haar voeten weer de grond raakten. 'Er is een geheime deur die alleen de kasteelbewoners kennen.'

'O.' Conner knikte alsof dat vanzelfsprekend was. 'Nu heb ik het koud.'

Autumn keek achterom naar Conner. 'Wil je in bad?'

'Ja.'

Ze liet Sams warme arm los en gedrieën liepen ze het pad naar het strandhuis op. Alsof ze een gezin waren. Het gezin waarnaar ze had verlangd toen ze in verwachting was van Conner. Het gezin waarnaar ze had verlangd voor haar kind, maar dat er nooit was gekomen. Ze waren geen gezin en zouden het nooit worden. Sam was nou eenmaal Sam. Een verwende sportman, die gewend was altijd alles te krijgen wat zijn hart begeerde en zichzelf nooit beperkingen oplegde.

Autumn was een werkende moeder, die zichzelf voortdurend beperkingen oplegde. Tenminste, als Sam niet in de buurt was om haar aan te raken en dingen in haar oren te fluisteren. Hij manipuleerde haar voordat ze het zelf in de gaten had.

Net als vroeger.

'Gaan we nog naar de Piratenhut?' vroeg Conner, toen ze binnen waren.

Autumn schoof de schuifpui achter zich dicht. 'Ik denk dat je vader wel betere dingen te doen heeft.'

Sam keek Autumn aan.

'Thuis.'

Hij fronste en keek Autumn dieper in de ogen. 'Precies. Ik moest maar eens naar huis.'

'Nee papa.' Conner omklemde zijn vieze broek. 'Je mag wel in mijn bed slapen.'

'Dank je.' Hij legde zijn hand op Conners hoofd. 'Maar ik moet dingen doen.'

'Neem maar afscheid van je vader, dan laat ik het bad vast vollopen.'

Ze liep naar de achterkant van het huis, waar de badkamer was. Ze deed hier het beste aan. Beperkingen opleggen aan Sam. Een duidelijke afstand tussen hen beiden bewaren. Dat was het beste voor haar. En ook voor Conner. Het was het beste om hem niet in de war te brengen; al gaf hij nu niet aan dat dat het geval was, het zou niet goed voor hem zijn. Ze liet een laag water in het bad lopen en draaide vervolgens de kraan dicht.

'Kom erin en spoel ook het zand uit je oren,' riep ze, terwijl ze weer naar de woonkamer liep.

'Oké. Dag pap.'

'Dag gozer.' Sam had een droge broek aangetrokken en een zwarte polo en stond voor de bank zijn tas in te pakken. Hij keek toen Conner naar de badkamer rende. 'Ik heb nog nooit een vrouw gekend die zo kan aantrekken en afstoten.'

'En ik nog nooit een man die zo kan flirten. Maar we weten allebei dat het bij jou maar tijdelijk is, Sam.'

'Ik heb geen idee waar je het over hebt.'

'We hebben het over mijn angst dat Conner op een ochtend wakker wordt en jij verdwenen bent.'

'Kom je daar nu weer op terug?'

Daar kwam het altijd op terug. En misschien ook wel op haarzelf.

'Conner is mijn kind. Ik ga nergens heen. Ik weet dat ik niet altijd de beste vader ben geweest, maar ik ben ook niet zo slecht geweest als je mij afschildert.' Hij stak zijn sweater in zijn tas. 'Maar dit gaat helemaal niet over Conner. Het gaat over gisteravond.'

Dat was deels waar. 'Dat gaat niet nog een keer gebeuren.'

Hij keek op van zijn bezigheden. 'Waarom niet? Ik vond het geweldig, en ik weet zeker dat jij dat ook vond.'

Dat kon ze niet ontkennen, maar... 'Er zijn consequenties aan verbonden.'

'Je kunt Vegas niet de hele tijd tegen me gebruiken.'

'Doe ik ook niet.'

Hij richtte zich weer op zijn tas. 'Dat doe je wel, en het wordt wat vermoeiend.'

'Het is niet iets waar je zomaar overheen stapt.'

'Het is niet iets waar jíj zomaar overheen stapt, omdat je het niet wilt. Jij blijft je vastklampen aan het verleden. Jij blijft me dat nadragen.' Hij ritste zijn tas dicht en draaide zich vervolgens naar haar om. 'En ik moet toegeven, ik heb veel dingen fout gedaan, maar ik dacht dat we dat inmiddels achter ons hadden gelaten.'

Maar hoe kon ze zoiets achter zich laten? Ze had zich wel omgedraaid, en de draad weer opgepakt, maar het was er nog steeds. Het deed geen pijn meer, maar zoiets kon ze niet zomaar vergeten, alsof het niet gebeurd was. De kleine jongen die nu in bad zat, herinnerde haar daar constant aan.

'Maar nu zie ik in dat je mij de rest van mijn leven dat wat er gebeurd is in Vegas wilt nadragen. Zeg maar tegen Conner dat ik hem over een paar dagen bel.' Hij liep het huis uit en Autumn staarde hem na. Had hij gelijk? Wilde ze hem dat wat haar was overkomen blijven verwijten? Tot ver in de toekomst?

Nee. Zo'n vrouw was ze niet, maar ze was evenmin het type mens dat makkelijk vergiffenis schonk. Niet dat hij daar ooit om had gevraagd.

De dinsdag na Moclips haalde Natalie Conner op bij school en bracht hem naar het stadion om met Sam te oefenen. Tegen vijven bracht de assistente hem naar huis. Een paar dagen later kwam ze hem, en zijn rugzakje, weer ophalen, omdat hij het weekend zou doorbrengen bij zijn vader.

Die vrijdagavond ontmoette Autumn de zusjes Ross in een bruidsboetiek in de stad, waar Bo wat jurken zou passen. Chelsea wachtte nog steeds tot haar borstverkleiningsoperatie voorbij zou zijn, maar wilde haar zus graag van advies dienen. De ene jurk was te pofferig, de andere te gewoontjes. Ze discussieerden overal over en Bo had al wel tien jurken gepast, toen ze de paskamer uit stapte in een mouwloze jurk met een hoge taille en een lange sleep.

'O, Bo,' zuchtte Chelsea. 'Deze staat je prachtig.'

En dat was ook zo. Hij was perfect voor een vrouw met haar bouw. Er zaten baleinen in het bovenlijf, zodat haar grote borsten ondersteund werden, en door het model leek haar lichaam langer.

Die avond keek Autumn thuis op haar vaste telefoon of Conner daar gebeld had. Maar dat had hij niet en ze ging naar bed met een vreemd gevoel van heimwee. De volgende dag moest ze allemaal leveranciers bellen in verband met een intiem kerstfeestje waarvoor ze was ingehuurd op een landgoed in Medina. De gastvrouw wilde bladen met koude en warme hapjes rond laten gaan, een uur voordat de gasten aan tafel gingen voor het diner. Ze waren eerst uitgegaan van vier man bedienend personeel, maar Autumn had er toch zes ingehuurd. Ze was in het verleden wel eens in verlegenheid gebracht doordat iemand op het laatste moment niet kwam opdagen en het was altijd beter om extra voorzichtig te zijn.

Altijd en overal.

Tegen de tijd dat Natalie op zondagmiddag Conner kwam afleveren, was het duidelijk dat Sam haar ontliep. De zaken tussen hen stonden er weer net zo voor als vóór het huwelijk van de Savages, toen ze niet met elkaar spraken. Dat vond ze niet leuk. Ze had gehoopt dat ze vrienden konden blijven. Dat zou alles wel makkelijker maken, maar misschien was helemaal geen contact het beste. Vrienden zijn met Sam betekende met hem in bed belanden. En dat was niet zo best. Of eigenlijk, juist wel. Maar dan wel zo goed, dat het niet best was voor haar. Al zou ze niet snel weer een Elvis-huwelijk afsluiten en een tatoeage laten zetten met zijn naam op haar pols, ze kon wellicht, heel waarschijnlijk, haar verstand verliezen. Daarom wilde ze het net zo aanpakken als bij zakelijke kwesties. Extra voorzichtig.

Altijd en overal.

Dus hoorde ze pas 14 december weer wat van Sam. Het was op een maandag en iets na het middaguur, toen hij belde om haar te vertellen dat hij niet langer geblesseerd was en binnenkort een week weg zou zijn. Toen ze zijn stem hoorde merkte ze dat ze hem had gemist. Meer dan zou moeten.

'Wanneer ga je weg?'

'Morgenochtend.'

Ze had altijd geweten dat hij vaak op stap moest. Om te ijshockeyen. Het was zijn werk, maar toch was ze een beetje teleurgesteld. Vanwege Conner natuurlijk. 'O.'

'Dus wil jij Conner zeggen dat Nat hem op komt halen op de...' hij keek zwijgend in zijn agenda '... de tweeëntwintigste na school.'

Hij wilde al ophangen. 'Sam?'

'Ja.'

Ze pakte een balpen en drukte met haar duim op het knopje. 'Waarom doen we weer zo tegen elkaar?'

'Hoe, zo?'

'Zo, dat je assistente Conner weer aflevert. Ik dacht dat we vrienden waren geworden.'

'Wil je vrienden met me zijn?'

Klik, klik. Was dat onmogelijk? Was hij zo boos, had hij ineens zo'n hekel aan haar dat hij haar niet meer wilde zien? 'Ja.'

'Vrienden zoals vóórdat we seks met elkaar hadden op de vloer of erna?'

Haar duim liet het knopje los. 'Ervoor.'

'Dan ben ik niet geïnteresseerd.'

'Waarom niet?'

'Omdat ik geen vrienden met je wil zijn.'

'O.' Ze was teleurgesteld maar probeerde het niet te laten blijken. Het was vast het beste, maar ineens wilde ze niet meer wat het beste was. Ze wilde niet dat Sam haar haatte en zij hem. Maar ze had geen keus. 'Oké.'

'Ik wil je minnaar zijn. Ik kan niet doen alsof ik niet meer wil. Ik wil bij je zijn, Autumn. Ik wil je helemaal naakt zien en je benen over mijn schouders gooien.'

Ze liet haar pen vallen.

'Ik wil dat je de volgende dag nog merkt dat je met me hebt gevreeën.'

Ze stond op en toen moest ze op de een of andere manier buiten zichzelf zijn geraakt, want anders kon ze niet verklaren wat ze vervolgens tegen hem zei: 'Ik heb nu twee uur tot mijn volgende afspraak en ik draag geen slipje.'

Ze kon hem letterlijk horen slikken aan de andere kant van de lijn, voordat hij met een donkere, schorre stem uitbracht: 'Ben je thuis?'

'Ik ben op kantoor.' Ze gaf hem het adres van haar kantoor

en hij was er binnen twintig minuten. Terwijl ze op hem wachtte, trok ze onder haar stippeltjesjurk haar slipje uit. Dit legde ze snel in een la tussen de punaises en paperclips.

'Doe de deur achter je op slot,' zei ze tegen hem zodra hij haar kantoor binnen kwam lopen. Ze pakte de telefoon op en gaf een mededeling door aan Shiloh. 'Ik ben in bespreking en kan niet gestoord worden.'

'Was dat de vader van Conner die ik net binnen zag lopen?'

'Ik weet niet wie je bedoelt.' Ze hing op, terwijl Sam de deur op slot draaide en met zijn rug tegen de deur op haar wachtte. Wachtte tot zij aanstalten maakte.

En dat deed ze. Ze stond op en maakte haar ceintuur los. 'Jij bent er snel.'

Hij wachtte dan wel tot zij aanstalten maakte, maar nu was zijn geduld op. Hij trok zijn shirt over zijn hoofd en kwam op haar af lopen. 'Het kan zijn dat ik een paar keer door rood ben gereden.'

Haar jurk viel van haar schouders en was niet meer dan wat wit met blauwe stof aan haar voeten. Ze stapte eruit, met alleen een beha en een wit onderjurkje aan. Ze reikte naar zijn gulp, maar hij pakte haar hand vast.

'Vertel me wat je wilt, Autumn. Dat weet ik nooit zeker bij jou.'

'Ik wil jou.' Ze zocht zijn omfloerste blik. Een blik die haar huid deed tintelen. 'Net als laatst.'

'Twee keer klaarkomen?'

'Ja.'

'En dan?'

'Ik wil je minnares zijn.'

'Voor hoe lang?' Hij liet haar hand vallen. 'Tot je boos op me wordt en me weer de deur uit schopt?'

'Ik wil niet boos op je zijn en je schoppen.'

Ze deed een voor een de knopen van zijn gulp open en liet vervolgens haar hand bij zijn boxershort naar binnen glijden.

En voor het geval dat hij bang was dat de geschiedenis zich zou herhalen, voegde ze eraan toe: 'Je hoeft ook niet bang te zijn dat ik weer verliefd op je word.' Ze vouwde haar hand om zijn stijve penis en de adem stokte hem in de keel.

Hij sloot zijn ogen en streelde haar wangen met zijn vingertoppen. 'En wat als ik verliefd word op jou?'

Ze drukte haar gezicht in zijn handpalm. 'Dat overkomt jou niet.'

15

De man van mijn dromen...

vindt mij ook 's ochtends vroeg lekker

'Hoe was het op je werk vandaag?'

Autumn nam een hapje van haar stuk diepvriespizza en legde de rest weer op haar bord. Ze keek over de tafel naar Sam en Conner, die naast hem zat. Toen ze rond halfzes thuis was gekomen, had ze hen samen aangetroffen, spelend met een plastic golfsetje en kijkend naar *SpongeBob*. Sam had aangeboden te 'koken', waarna hij een biologische diepvriespizza had bedekt met verse tomaten, geitenkaas en spinazie.

'Interessant.' Ze depte haar mond schoon met een papieren servetje. Zoals hij had afgesproken, had hij haar benen over zijn schouders gelegd en haar tweemaal een orgasme bezorgd. 'Hoe was je lunch vandaag?'

'Zo lekker dat ik hetzelfde als toetje wil.'

Conner glimlachte. 'IJs?'

'Inderdaad.'

Na het eten hielp Sam Conner met zijn spelling, terwijl er een wedstrijd tussen de Chinooks en de Boston Bruins op de televisie opstond. De twee mannen zaten op de grond aan de salontafel en Autumn lag achter ze op de bank. Ze zou eigenlijk wat werk moeten doen, maar ze keek veel liever naar Sam die bezig was met een pittig klusje: Conner helpen met zijn huiswerk.

Op een gegeven moment sprong Sam op en schreeuwde tegen de tv: 'Dat meen je gvd niet.'

'Kleine potjes,' waarschuwde ze hem.

'Wat?' Hij keek over zijn schouder. 'Ik zei gvd.'

'Wat betekent gvd, papa?'

Autumn tilde een wenkbrauw op.

Hij keek naar Conner en ging weer zitten. 'Gadverdee, maar dat kun je maar beter niet zeggen.'

Een paar keer raakte hij haar been aan en een keer streek hij over haar ontblote enkel.

'Wanneer ga je weer weg, pap?' vroeg Conner, die zijn potlood van zijn papier optilde.

'Morgenochtend.'

'O.' Conner fronste zijn wenkbrauwen en strekte zijn vingers. 'En wanneer kom je weer terug?'

'Zaterdag, maar dan ga ik dinsdag weer weg.'

'Je moet je vingers niet zo ver buigen,' zei Autumn tegen hun zoon.

Deze pakte zijn potlood weer op. 'Dan mis je mijn kerstspel op school.'

'Maar ik ben wel thuis met Kerstmis. En je moeder kan het toch filmen voor me.'

Op het eerste gezicht leek dit een gewone gezinsscène. Net als in Moclips. Vader, moeder en kind, maar Autumn kreeg weer hetzelfde ongemakkelijke onderbuikgevoel. Dat dit mooie plaatje niet blijvend zou zijn. Dat het op een zeker moment een illusie zou blijken.

Ze was niet langer bang dat Sam zijn zoon in de steek zou laten en weer volop zou gaan feesten als een populaire sportheld. Hij was werkelijk veranderd en deed echt zijn best om een goede vader te zijn voor Conner. Maar dat maakte hen nog niet tot een gezin. Dat zou het nooit worden en ze was bang dat Conner het niet zou begrijpen. Ze was bang dat hij zou hopen dat het zou worden wat het nooit kón worden.

Maar vooralsnog voelde hij zich prima. Hij had het al heel lang niet gehad over zijn verhuisplannen voor Sam.

'Je schrijft je H te schuin,' vertelde Sam aan Conner. Daarna keek hij weer naar het scherm en sprong weer op. 'Verdomme, let op die puck, Logan. Rustig aan en let op die puck. Geef nou door!'

'Kleine potjes, papa.'

Hij keek naar Conner. 'Wat zei ik dan?'

'Verdomme.'

'O, ik geloof niet dat dat zo erg is.'

Om negen uur bracht Sam zijn zoon naar bed, terwijl Autumn naar de keuken liep om de telefoon te beantwoorden.

'Ha zus.'

Ze liep naar de schuifdeur. 'Hoi Vince.'

'Heb je het druk?'

Het was duidelijk niet het goede moment voor een bezoekje. 'Ja, ik leg net Conner in bed,' loog ze. 'En daarna kruip ik er zelf ook maar in.' Met Sam.

'Om negen uur al?'

'Ja. Het was een drukke dag.' Ze keek uit over haar donkere veranda en tuin. 'Wat is er?'

'Ik heb vrij en wilde alleen weten wat Conner voor kerst wilde.'

Glimlachend antwoordde ze: 'Nou, het enige wat hij me vertelde is dat hij graag van de Kerstman net zo'n Harley wilde als jij hebt.'

Vince lachte en het was een geluid dat ze niet vaak genoeg kon horen.

'Dus heb ik hem verteld dat hij daar nog niet groot genoeg voor was en hij antwoordde dat ik dan achterop moest zodat ik de motor met mijn voeten op de grond overeind kon houden.'

'Dat doen we later wel, maar heeft hij tot die tijd nog andere wensen?'

Al zou hij het nooit toegeven aan zichzelf, Vince was eenzaam. Waarom zou een volwassen vent van vijfendertig anders bellen met zijn zus om negen uur 's avonds? 'Hij vindt die raceauto's van lego erg mooi.'

'Dat klinkt beter. Moet je hem weer delen dit jaar met die idioot?'

Die idioot kwam op dat moment net de keuken binnenlopen. Autumn draaide zich vliegensvlug om en legde haar vinger tegen haar lippen. 'Ja, ik geloof dat hij 's ochtends bij Sam is, dit jaar.'

'Ik vraag me af hoe duur het zou zijn om hem te laten ombrengen.'

'Vince, zoiets mag je nooit zeggen.' Ze keek naar Sam, die er nogal strijdlustig uitzag met zijn armen over elkaar. 'Ik moet hangen, anders heeft Conner zijn pyjama achterstevoren aan.'

'Geef hem een kus.'

'Zal ik doen.' Ze liep de keuken weer in. 'Tot gauw,' zei ze nog, en ze hing op.

'Was dat je broer?'

'Ja.'

'Je hebt niet gezegd dat ik er was.'

'Nee.' Ze schudde haar hoofd en draaide zich naar hem om. 'Vince heeft zo'n hekel aan jou en ik heb geen zin daar nu mee te moeten dealen.'

'Ik had een zus en die had ook een man waaraan ik zo'n hekel had.' Hij liep op haar af en pakte haar hand. 'Ik begrijp je broer wel. Ik mag hem niet, maar ik begrijp hem wel.'

Terwijl zij haar broer soms niet eens begreep.

'Ik begrijp waarom hij niet wil dat ik bij jou ben. Ik geloof hem als hij zegt dat hij dat niet laat gebeuren.'

Haar mond viel open. 'Wat? Heeft Vince dat gezegd? Wanneer?'

'Dat doet er niet toe.' Hij schudde zijn hoofd met een vastberaden uitdrukking op zijn gezicht. 'Het enige wat telt is dat jij gelooft dat ik jouw broer niet tussen mijzelf en mijn gezin laat komen.'

Ze deed een stap naar achteren. 'Tussen jou en Conner.'

'Wat?'

'Tussen jou en Conner laten komen.'

'Inderdaad, dat zei ik.'

Nee, dat had hij niet gezegd. Want het ging hem helemaal niet om zijn gezin. Het ging om zijn tijd met Conner en seks met haar. Het ging niet over verliefd worden of verlangen naar dingen die nooit zouden gebeuren. Het ging niet over een prachtige bruiloft en 'ze leefden nog lang en gelukkig'.

Ze liep naar de woonkamer, haar hoofd tollend van al haar gedachten. Het ging ook niet over samen eten en Conner die huiswerk deed met zijn vader. Wat was ze in vredesnaam aan het doen? En wat zou er gebeuren als Vince ontdekte dat ze met Sam had gevreeën? Dan zou zijn toch al korte lontje helemaal afbranden. Zelf was ze zo in de war dat ze er niet helder over kon nadenken. 'Waarom had je zo'n hekel aan de man van je zus?' vroeg ze.

'Omdat het een manipulatieve klootzak was.'

Ze liep naar het raam aan de voorkant en keek neer op Sams rode pick-up op de oprit. Als ze echt een gezin waren, had deze wel in de garage gestaan. Vlak naast haar Subaru. 'Wat is er dan gebeurd?'

Hij bleef zo lang zwijgen, dat ze dacht dat hij nooit antwoord zou geven. Ze keek om. Hij stond in het midden van de kamer; een grote, brede man met een diepe frons boven zijn blauwe ogen. 'Hij heeft haar vermoord.' Hij wendde zijn blik af. 'Toen ze eindelijk al haar moed had verzameld en bij hem wegging, is hij haar achternagekomen en heeft hij haar doodgeschoten.'

Haar hart kromp ineen en ze draaide zich langzaam om. Haar eigen verwarde gedachten was ze op slag vergeten. 'Sam.'

'Ik was aan de andere kant van het land en genoot van het leven. Ik was in Toronto toen...' Hij schokschouderde en keek haar aan. 'Toen mijn leven ophield.'

Zonder er verder bij na te denken liep ze op hem af. 'Wanneer gebeurde dat?'

'Dertien juni.'

Die datum kwam Autumn bekend voor en ze herinnerde zich dat hij jaren geleden in Las Vegas iets had gezegd over zijn overleden zus.

'Ze was nog zo jong en slim en mooi, en ze had haar hele leven nog voor zich. Ze wilde onderwijzeres worden.' Hij zweeg even en haalde weer een schouder op. 'In plaats daarvan moesten we haar begrafenis organiseren en haar spullen uitzoeken.'

Spontaan sloeg Autumn haar armen om hem heen en legde haar wang tegen zijn borstkas. 'Ik weet hoe het voelt als je iemands spullen moet uitzoeken en in dozen stoppen. Wat ontzettend naar.'

Hij hield zich stokstijf stil, alsof hij van steen was gemaakt, maar dan met een warme huid. 'Ze was mijn kleine zusje en ik had voor haar moeten zorgen. Onze vader was overleden toen ze pas tien was en ik was verantwoordelijk voor haar. Ik hielp haar met haar huiswerk en kocht haar jurk voor haar schoolfeest. Ik moest haar beschermen en dat heb ik niet goed gedaan.'

Dit had ze nog nooit gehoord. Ze wist dat zijn zus was overleden, maar deze details kende ze niet. 'Het was jouw schuld niet, Sam.'

'Dat weet ik inmiddels wel, maar ik heb me er zo lang schuldig over gevoeld en ben zo lang boos geweest.' Hij streek met zijn hand over haar hoofd en liet zijn vingers door haar rode haren gaan. Ze voelde dat hij zich ontspande. 'Ik ben nog steeds heel verdrietig om Ella's dood. Ik word er ook nog steeds boos om, maar ik reageer het tegenwoordig niet meer af op mezelf of op iemand anders.'

Ze luisterde naar zijn kloppende hart en draaide haar gezicht om zodat ze een kus kon drukken op zijn borstkas. Ze had altijd gedacht dat Sam te oppervlakkig was. Dat hij alleen maar was geïnteresseerd in kortstondige pleziertjes, en dat was hij natuurlijk ook, maar er ging meer diepgang schuil achter zijn blauwe ogen. Iets wat hij heel diep verborg. De jongen die noodgedwongen in zijn vaders voetsporen had moeten treden en de gedisciplineerde man die zo hard had moeten werken om zijn doel te bereiken. Beiden gingen schuil achter dezelfde charmante glimlach.

'De jaren daarna,' ging hij verder, 'heb ik heel wat roekeloze stunts uitgehaald. Jou kwam ik tegen in die periode.'

Ze keek op naar zijn gezicht, naar zijn al te strakke kaaklijn.

'Er zijn dingen gebeurd waar ik spijt van heb. Waar ik me voor schaam. En waarschijnlijk zou ik me voor nog veel meer dingen moeten schamen.' Hij glimlachte schaapachtig. 'Maar wat er in Vegas is gebeurd spijt me heel erg.'

En dat speet haar ook. Het vreemde was dat het een stuk minder was dan een paar maanden geleden.

'Het spijt me niet dat ik jou ben tegengekomen, of dat Conner in mijn leven kwam. Maar ik vind het wel erg dat ik met je getrouwd ben tijdens een plechtigheid die me grotendeels is ontgaan. Het spijt me ook dat ik je pijn heb gedaan. Dat ik me niet als een man heb gedragen. Dat ik jou achterliet in dat hotel zonder een woord te zeggen. Met alleen een boterbriefje en een knuffelhond. Dat spijt me heel erg. Daar heb ik veel wroeging en schaamtegevoelens over gehad.' Hij legde zijn voorhoofd tegen het hare. 'Het spijt me, Autumn. Het spijt me dat ik je achterliet in Caesars.'

Voor het eerst sinds ze hem kende, had hij die drie belangrijke woorden uitgesproken. Voor het eerst sinds ze over hem heen was, voelde ze haar hart een sprongetje maken. Ze liet haar handen zakken en deed een stap achteruit. Die drie woorden waarop ze zo lang had gewacht zouden haar zorgvuldig opgebouwde nieuwe leven in gevaar kunnen brengen. 'Nee.' Nee, laat het me niet vergeten. Nee, probeer het niet goed te maken. Nee, ik wil niet weer verliefd op je worden. 'Nee, ik wil niet weer aan je gehecht raken.'

'Je bent al zo aan me gehecht.' Er verscheen een glimlachje om zijn mond. 'Ik heb het idee dat je tijdens de lunch in jouw kantoor al hebt laten zien hoezeer je aan me gehecht bent geraakt.'

'Dat was seks. Niet meer dan dat.' Ze schudde haar hoofd en stak bezwerend een hand op. 'Dat had niets met hechting te maken.'

Hij hield zijn hoofd schuin om haar diep in haar ogen te kijken. De glimlach was verdwenen. 'Denk je niet dat het tijd wordt me te vergeven voor wat er gebeurd is in Las Vegas?'

Zou ze dat ooit kunnen? 'Ik weet het niet. Ik ben niet zo goed in vergeven en vergeten.' En als ze al zou vergeven en vergeten, dan zou ze het toch niet nog een keer laten gebeuren? Áls het al gebeurde. Sam was tenslotte een ijshockeyheld. Hij leidde een leven in de schijnwerpers en zij niet. 'Dat was een tijd in mijn leven waar ik liever niet over nadenk.' Al was dat soms onmogelijk.

'Wil je mij erover vertellen?'

'Waarom?'

'Omdat het lijkt alsof je er nog steeds mee zit en ik je daarmee wil helpen.' Hij reikte naar haar hand. 'Ik heb me altijd afgevraagd hoe dat voor je moet zijn geweest.'

Ze deed nog een pas naar achteren en hij liet zijn hand vallen. Had hij zich dat afgevraagd? Had hij zich dat afgevraagd maar nooit de moeite genomen om haar ernaar te vragen? 'Ik was doodsbang, Sam.' Ze streek haar haren achter haar oren. 'Ik was bang en zwanger van een kerel die ik niet eens kende.

Het had de gelukkigste tijd van mijn leven moeten zijn, maar dat was het niet. Elk kind heeft ouders nodig die dolblij zijn. Maar dat had Conner niet. Terwijl andere zwangere vrouwen met hun partners naar zwangerschapsgym gingen, lag ik in een scheiding. Wat kan ik er nog meer over zeggen?' Heel veel kennelijk, want de rest rolde er zomaar uit. 'Mijn moeder was een paar maanden eerder overleden, en Vince zat ergens in Irak of Afghanistan of Zuid-Korea. Ik had mijn vader al tien jaar niet meer gezien en ik was helemaal alleen. Zo ziek als een hond en helemaal alleen. Er was helemaal niemand om me te helpen. Ik wist niet hoe ik mezelf en mijn pasgeboren baby moest onderhouden. Jij bent een man, dus zulke angsten zul jij nooit kunnen begrijpen.' Ze liep naar de koffietafel en verzamelde Conners schoolwerk. 'Ik begreep niet wat ik verkeerd had gedaan. Ik begreep niet hoe ik mezelf in die positie had kunnen manoeuvreren.' Ze rommelde wat met zijn potloden. 'En ik begreep vooral niet waarom je met me was getrouwd en me vervolgens liet zitten. Het was echt een rottijd in mijn leven en ik was...' ze legde de potloden op Conners vellen papier '... ik was bang.'

Sam keek naar Autumn terwijl ze bezig was met Conners spulletjes. Van de emoties had ze een blos gekregen en er waren rimpels verschenen op haar voorhoofd. Hij had haar echt pijn gedaan. Dat had hij natuurlijk wel geweten. Hij had alleen nooit geweten wat hij daaraan kon doen. Tot dit moment.

'Ik begrijp er eerlijk gezegd ook niets van.' Maar heel langzaam begon het hem te dagen. Dat hij zich meteen tot haar aangetrokken had gevoeld. Dat het zo intens was geweest. Hij begon langzaam te begrijpen dat hij echt gevallen was voor een meisje dat hij in een club was tegengekomen. Een meisje dat hij niet kende en in een tijd in zijn leven die alleen maar bestond uit chaos. En dat zijn hart wel een beter moment had kunnen uitkiezen om voor iemand te vallen.

Elke coach die hem ooit had getraind, elke aanvoerder met

wie hij ooit had gespeeld, had het hem verteld: 'Jij leert het ook nooit in één keer. Je moet het altijd twee keer voor je kiezen krijgen voordat je iets inziet.' En dus zag hij nu pas wat hij al meteen had moeten zien in Pure. Dat zij een stralend licht was dat hij moest vangen en nooit meer loslaten. Als ze dat tenminste toeliet.

'Tja, misschien kan het je wat troosten,' zei hij, 'maar ik heb het altijd in mijn broek gedaan voor jou.'

Ze keek naar hem vanuit haar ooghoeken. 'Ja, ja.'

'Echt waar. Jij bent altijd zo zeker van jezelf en je laat je niet zomaar iets wijsmaken. Dat is nogal intimiderend.' Dit keer liet ze hem haar handen vastpakken. 'Je bent een geweldige moeder en je hebt nog een eigen zaak ook. Terwijl je makkelijk achterover zou kunnen leunen en van de alimentatie voor Conner leven. Dat zouden andere vrouwen misschien doen, maar jij niet. Jij werkt keihard.' Dat bewonderde hij enorm in haar. 'Je mag echt trots zijn op jezelf.'

'Vind je dat ik een goede moeder ben?'

'Natuurlijk. Ik had geen betere moeder kunnen wensen voor mijn zoon.' Hij glimlachte om de spanning te breken. 'En dat zeg ik niet alleen maar om je uit de kleren te krijgen.'

Ze beet op haar onderlip. 'Dankjewel.'

'Nee, jij bedankt.' En toen bedankte hij haar op de enige manier die hij kon bedenken. Hij nam haar mee naar haar kamer, waar hij haar uitkleedde en zacht op het bed legde en haar hele lichaam bedekte met kussen. Daarna bedreef hij de liefde met haar en toen hij bij haar naar binnen gleed voelde het alsof hij na een heel lange periode weer thuiskwam. Naar een plek waar hij altijd wilde blijven.

Hij pakte haar hoofd met beide handen vast en fluisterde in haar oor: 'Laat me de liefde met je bedrijven, Autumn.'

'Ja,' zei ze en ze bewoog haar bekken ritmisch mee met het zijne. 'Doorgaan, Sam!'

Ze hadden het alle twee over iets anders en voor het eerst in zijn leven begreep hij het verschil tussen de liefde bedrijven en de liefde bedrijven. Voor het eerst in zijn leven wilde Sam meer van een vrouw dan zij van hem verlangde.

Later lagen ze samen in haar bed, nog nagloeiend en verstrengeld in elkaar. Ze lagen lepeltje lepeltje en hij streek met zijn hand over haar arm.

'Je hebt mijn naam bedekt met twee vleugels.' Hij tilde haar hand op en kuste haar pols. 'Betekent dat dat je mij een engel vindt?'

Ze lachte. 'Een engel met een B ervoor.'

'Wanneer heb je die tattoo eroverheen laten zetten?'

'Een paar weken na de geboorte van Conner.'

'Au.' Het leek hem werkelijk pijn te doen. 'Zo snel al? Ik heb tenminste nog een tijdje gewacht.'

Ze keek over haar schouder. 'Hoelang?'

'Een paar maanden maar.'

Ze draaide zich op haar rug. In het zachte licht van haar slaapkamer keek ze hem met haar beeldschone groene ogen aan. 'Elke persoon die ik ken die ooit iemands naam heeft laten tatoeëren ergens op zijn lichaam, heeft er later spijt van gekregen.'

'Ja, het was niet een van mijn beste dronken ideeën.' Glimlachend legde hij zijn hand op haar blote buik. 'Net als die trouwerij in die Elvis-kapel en het Cher-concert.'

Ze lachte en hij vond het heerlijk haar oprechte plezier te horen. 'Cher was toch niet zo erg?'

'Dat zeg jij.'

'Wat weet jij er nou van? Je hebt erdoorheen geslapen en we gingen nog eerder weg ook.'

Misschien kon hij zich daarom het concert niet meer herinneren. Hij had altijd gedacht dat het lag aan te veel drank en aan zijn goede mentale voorbereiding. 'Nou, gelukkig heeft Cher sindsdien wel vijf afscheidstournees gehad. Barbra trouwens ook.'

Ze grinnikte. 'Bedoel je dat je graag naar een Barbra Streisand-concert wilt?'

Zeker niet. Liever een schop in zijn ballen. Wacht even... 'Wat zou daartegenover staan?'

'Een Woman in Love-T-shirt. Dat kun je bewaren in dezelfde la als het Cher-Believe-T-shirt waarin je getrouwd bent.' Ze draaide zich helemaal naar hem toe, met een lachend gezicht. 'Of je draagt het als je gaat stappen met je vrienden.'

Dat deed hij de laatste tijd niet veel meer en hij miste het eerlijk gezegd niet. Hij was veel liever hier, bij zijn gezin, in Autumns bed in haar drive-inwoning met het oude behang en de vieze vloerbedekking.

Zijn gezin. Hij wist niet meer precies wanneer hij ze zo was gaan zien. In Moclips misschien. Maar het voelde goed.

'Dan zullen mijn vrienden zich helemaal rot schrikken en me naar een afkickcentrum sturen. Misschien kunnen jij en ik en Conner beter langs de kastelen in Europa trekken deze zomer.'

Ze fronste haar wenkbrauwen. 'Die oude stenen gebouwen?'

'Tuurlijk.' Hij wilde liever naar warme, zachte stranden zodat hij Autumn in bikini kon zien, maar wat kon het hem schelen? 'Als jij en Conner dat graag willen.'

'Wil jij niet naar Cancún deze zomer, met je maten?'

'Ik breng liever tijd door met jou en Conner dan dat ik met mijn maten op een boot zit vol meiden in bikini's.' Hè, waar kwam dat nou ineens vandaan? 'Wie kijkt er nou graag naar meisjes in bikini's?'

'Jij.'

Hij liet zijn hand via haar buik naar haar heupen glijden. 'Ik kijk liever naar jou in bikini. Die mooie blanke huid die ingesmeerd moet worden...'

'Daar begonnen onze problemen mee, in Vegas.'

'Dat weet ik nog. Ik weet nog hoe mooi je was.' Plagerig beet hij in haar schouder. Haar huid smaakte zout en zoet tegelijk. 'Nu vind ik je nog mooier. Zelfs 's ochtends vroeg.'

'Je weet niet eens hoe ik eruitzie in de ochtend.'

'Jawel hoor. Je zag er verschrikkelijk sexy uit in die pyjama met die teckel erop in Moclips.'

Ze lachte alsof hij een grapje maakte. 'Daar ga je weer, je probeert me zover te krijgen dat ik verliefd word op je.'

'En wat als ik op jou verliefd word?' Hij verschoof zijn arm en legde zijn hand om haar borst.

Ze keek hem ernstig aan. 'Dat doe je niet.'

Hij was niet blij met de manier waarop ze dat zei. Alsof dat onmogelijk was. Alsof hij niet in staat was om van een vrouw te houden. Alsof hij niet van haar kon houden.

16

De man van mijn dromen...

ziet alles

Zelfs voordat Autumn haar ogen opendeed, wist ze al dat hij weg was. Natuurlijk was hij al weg. Hij had een wedstrijd in New Jersey en hij zou pas eind deze week terugkomen. Ze tastte naar de plek in het kussen waar zijn hoofd had gelegen.

En wat als ik op jou verliefd word? Het was niet de eerste keer geweest dat hij dat woord gebruikte. Hij had het eerder, in haar kantoor, ook al gebruikt. De eerste keer dacht ze dat hij het zei omdat zij met haar hand in zijn broek zat. En de tweede keer omdat hij met zijn hand haar borst omvatte. Tijdens een vrijpartij kon je een man niet vertrouwen en konden ze je van alles wijsmaken.

Autumn stond op en zwaaide haar benen over de rand van het bed. Snel trok ze een joggingbroek en een T-shirt aan, anders zou Conner haar in haar blootje in bed zien liggen.

Vijf jaar geleden, toen Sam met haar was getrouwd, was het woord 'liefde' niet over zijn lippen gekomen en ze was er gewoon van uitgegaan dat hij van haar hield. Maar het had haar niets dan ellende opgeleverd.

Ze wierp een blik op haar wekkerradio en liep vervolgens naar Conners kamer. Deze lag op zijn zij met zijn ledematen alle kanten op en zijn ogen open. 'Opstaan, luiwammes.' Conner had volgende week kerstvakantie, maar dat betekende niet dat hij zou uitslapen. En dat betekende weer dat zíj ook niet zou kunnen uitslapen.

Hij ging rechtop zitten. Hij had een nieuwe dekbedhoes, met zeilboten erop, en een nieuwe pyjama, met stoere werkmannen erop. Ze vroeg zich af hoelang hij deze nog leuk zou vinden. 'Ga je hartenpannenkoekjes bakken?' vroeg hij.

'Ja hoor,' glimlachte ze. Hij was gelukkig nog steeds haar eigen kleine jongen. Tenminste, voor zolang als het duurde. 'Natuurlijk.'

De vijf daaropvolgende dagen verviel Autumn in haar oude, vertrouwde routines. Alleen voelde het niet zo normaal als anders. Zonder Sam. En ze vond het vreemd dat ze zo snel aan hem gewend was geraakt. Overdag probeerde ze niet aan hem te denken, maar 's avonds, als hij belde, dan lukte het haar amper de warme gevoelens in haar hart en lijf die hij bij haar opriep te negeren. Zodra ze zijn stem hoorde, lichtte haar gezicht al op, al probeerde ze nog zo hard de glimlach van haar gezicht te poetsen.

Vrijdagavond kwam hij weer thuis. Bij haar thuis, welteverstaan, alsof ze een gezin waren. 'Hoe was je dag vandaag, schat?' vroeg hij, terwijl hij bij haar in bed stapte. Ze vertelde hem over de zusjes Ross en hun laatste wensen voor hun bruiloft in juli. En ze vertelde over Chelseas aanstaande borstverkleiningsoperatie.

'Aha, daarom neemt Mark een paar weken vrij.' Hij tilde haar hand op en bestudeerde haar vingers. 'Al begrijp ik niet waarom ze zoiets zou doen.'

'Omdat ze er last van heeft, rugpijn en zo.'

'Zo heb ik er nog nooit over nagedacht.' Hij keek haar aan,

met een ernstige blik in zijn blauwe ogen. 'Jij zou zoiets toch nooit doen?'

Maar zij had geen dubbel D, dus hoefde ze daar ook nooit over na te denken. 'Nee.'

'Gelukkig. Ik vind je mooi zoals je bent.' Als hij dat soort lieve dingen zei, vergat ze bijna dat hij een verwende sportman was die de meeste tijd doorbracht in kleedkamers.

'Ik heb een heel gekke kleine teen,' biechtte ze op.

'Dat geeft niets, schatje. Jouw tieten maken alles goed. Jouw tieten zijn perfect. En dat zeg ik niet omdat ik een viespeuk ben, maar gewoon omdat ik er oog voor heb.'

Ze moest hard lachen, vooral omdat hij het serieus meende.

Twee avonden later ging ze samen met Conner naar de wedstrijd tegen de Carolina Hurricanes. Ze droegen allebei een Chinooks-shirt en kochten hotdogs en blikjes cola en probeerden niet in elkaar te krimpen als Sam een beuk kreeg of iemand anders in de mangel nam. Hij schaatste volop, passte regelmatig de puck of sloeg hem zo keihard dat Autumn het zwarte rubberen schijfje af en toe gewoon kwijt was. Het viel haar op dat hij veel praatte op het ijs en ze wist niet zeker of ze wilde weten wat hij allemaal zei. Vooral niet toen hij daarna vier minuten op het strafbankje doorbracht.

'Die speler...' Conner wees op een speler van de tegenpartij, 'zit de hele tijd in papa's zone. Dat vindt hij vast niet goed.'

Autumn had werkelijk geen idee waar haar zoon het over had, totdat Sam deze speler zo hard in de boarding drukte dat het plexiglas ervan heen en weer ging. Autumns adem stokte in haar keel toen hij de puck te pakken kreeg en hem over het ijs zwiepte. Hij keek op, het zweet droop van zijn neus. Een tel lang keek hij recht in haar ogen en op zijn gezicht verscheen een brede grijns.

Ineens wist ze hoe de speler van Carolina zich voelde. Net als hij werd ook zij door Sam aan alle kanten opgejaagd. Net als hij werd ook zij tegen de boarding gedrukt, al vond zij het fijn en wilde ze meer.

De paniek sloeg haar ineens om het hart. Ze moest eruit stappen nu het nog kon. Ze vertrouwde Sam niet, en ze vertrouwde zichzelf niet. Het ging haar veel te snel, net als zes jaar geleden. En dit keer zou ze als het voorbij was niet de enige zijn die eronder zou lijden.

En toch leek het, toen hij die avond bij haar thuis kwam, alsof hij erbij hoorde. Hij zei welterusten tegen Conner en liep naar de keuken. 'Heb je doperwten in de vriezer?' vroeg hij, terwijl hij de deur opendeed. Hij droeg een zwarte joggingbroek, een blauwe Chinooks-trui, en had een rode veeg over zijn wang.

'Alleen gemengde groenten.'

'Dat is ook goed.' Hij haalde de zak tevoorschijn en schoof deze onder de band van zijn broek. 'Ze hebben net een nieuwe jongen uit Rusland gehaald.'

Ze glimlachte. Het was prettig dat hij dat soort dingen over zijn dag vertelde en vroeg hoe haar dag was geweest.

'Maar hij is nog jong, hoor,' ging Sam verder. 'Hij lijkt mij nogal onverantwoordelijk, egoïstisch en roekeloos.'

Dat klonk haar in de oren als een typische ijshockeyer en ze keek hem vragend aan.

Hij grinnikte. 'Ik ben tegenwoordig niet meer zo roekeloos.'

'Nou, één van de drie, dat is dan een...' ze zocht naar het juiste woord '... aardige score.'

Hij grijnsde schuldbewust. 'Met de andere twee eigenschappen ben ik nog bezig.'

Ze leunde met haar bilpartij tegen het aanrecht en vouwde haar armen over elkaar. 'Dan moet je iets harder je best doen.'

'Ik doe al heel hard mijn best. Ik dacht dat je dat wel had gezien.'

'Een beetje.'

'Misschien moet je eens je waardering laten blijken.' Hij

pakte haar handen vast en sloeg haar armen om zijn middel. 'Ik weet wel een toepasselijk blijk van waardering.'

En zij ook. Die nacht gaf ze hem heel wat blijken van waardering, maar de volgende ochtend was hij verdwenen. Ze hadden besloten dat het beter zou zijn als Sam er niet zou zijn als Conner wakker werd. Hij vond het geen probleem als Conner zijn beide ouders vaker samen zou zien, maar hij had kennelijk geen oog voor de toekomst. Voor de dag waarop hij er natuurlijk niet meer zo vaak zou zijn. Maar Autumn des te meer. Ze dacht voortdurend aan die onvermijdelijke dag waarop hij haar in de steek zou laten.

'Ik heb een tekening gemaakt,' vertelde Conner haar die ochtend aan de ontbijttafel. Terwijl zij bezig was met zijn ontbijt holde hij weg om de tekening te halen. Hij had inmiddels kerstvakantie. Ze had die middag een evenement georganiseerd voor een plaatselijke liefdadigheidsinstelling en normaal gesproken zou ze Conner dan naar de BSO brengen, maar Sam wilde nog wat met hem doen voordat hij die avond naar Chicago zou vertrekken. Ze verwachtte hem tegen elven, na zijn ochtendtraining.

Conner kwam weer aanhollen en legde zijn tekening op de tafel. 'Kijk eens, mam.'

Autumn schonk zichzelf eerst een kop koffie in en ging naast Conner zitten. Op het papier dat naast zijn bakje cornflakes lag, had hij een tekening gemaakt van haarzelf en Sam en hijzelf ertussenin. Alle figuurtjes hielden elkaars hand vast en hadden een enorme glimlach op hun gezicht. Voor het eerst had hij hen drieën als een gezin getekend. 'Dit ben jij en dat is papa en dat ben ik.'

Ze nam net een slok koffie, maar haar maag kromp ineen.

Ze slikte met moeite haar koffie door. 'Een mooie tekening, hoor. Wat een leuke roze rok heb ik aan. Maar je weet toch dat je vader alleen af en toe langskomt om jou te zien? Toch? Hij woont hier niet.'

'Maar als-ie dat wil, kan het wel.'

'Hij heeft toch een eigen appartement?'

'Maar hij kan toch ook hier wonen? De papa van Josh F. heeft ook twee huizen.'

'Maar Conner, niet alle vaders wonen in hetzelfde huis als hun kinderen. Niet alle families zijn zoals die van Josh. Sommige kinderen hebben twee papa's,' zei ze vlug, om het gesprek een andere wending te geven. 'Of juist twee mama's.'

Conner schepte wat cornflakes in zijn mond. 'Maar papa kan hier toch gewoon komen wonen als hij dat wil, mam. Hij heeft een grote truck, hoor.' Alsof het gewoon een kwestie was van zijn truck inpakken en wegwezen. 'En dan kunnen jullie een broertje voor me maken.'

Ze verslikte zich bijna. 'Wat? Wil je een broertje dan?'

Conner knikte. 'Josh F. heeft er ook een. Dus moet papa hier komen wonen om een broertje te maken.'

'Ik zou er niet op gaan zitten wachten, Conner.' Ineens wilde hij zijn beide ouders bij elkaar én nog een broertje op de koop toe?

'Alsjeblieft, mama?'

'Niet met je mond vol praten,' zei ze automatisch. Ze voelde zich ineens niet goed. Eén ding was zeker: Conner kreeg geen broertje.

Ze schoof haar koffie opzij, ze had nu echt last van haar maag. Er was een tijd geweest dat ze hetzelfde wenste als Conner. In Las Vegas natuurlijk, maar ook op de dag dat ze de scheidingspapieren had ondertekend. En die avond dat ze ontdekte dat ze zwanger was, evenals de ochtend waarop ze hun zoon gebaard had. Toen hield ze nog van Sam. Het had heel lang geduurd voordat ze daaroverheen was geraakt, maar ergens was ze weer helemaal opnieuw verliefd op hem geworden. Alleen was het dit keer nog erger. Dit keer was het een diepere, gemakkelijke liefde. Alsof ze vrienden waren én minnaars. Nu kende ze hem tenminste; dat maakte het nog erger dan de eerste keer. De eerste keer was ze verliefd geworden op een knappe, leuke vreemdeling. Dit keer was ze gevallen voor een knappe, leuke man. Een echte man.

Ze stond op en liep naar de slaapkamer. Even later stond ze onder de douche alsof het een dag als alle andere was. Alsof haar gedachten niet door haar hoofd tolden en haar hart geen overuren maakte. Ze kleedde zich in een zwarte wollen broek en een kasjmier truitje, bezet met pareltjes. Haar handen beefden toen ze haar haren naar achteren kamde en vastzette in een paardenstaart.

Ze hield van hem en in haar hart gloorde een heel klein sprankje hoop dat hij misschien ook van haar hield. Daar had hij twee keer een grapje over gemaakt, maar daar was het bij gebleven. Een grapje. Net als toen.

Alleen was ze dit keer geen bange vijfentwintigjarige. Dit keer wist ze hoe het zou aflopen.

Het geluid van Conners favoriete film tetterde Sam tegemoet toen deze naar Autumns kantoor in het souterrain liep. Hij wilde met haar over Kerstmis spreken en hoe ze deze feestdag dit jaar samen zouden vieren.

Hij bleef enige tijd in de deuropening staan kijken naar haar profiel. Haar rode paardenstaart zwaaide over een schouder en langs haar blanke hals toen ze haar hoofd omdraaide om een map in haar tas te doen. Ineens moest hij wat wegslikken. Hij wist zich nog te herinneren dat er een tijd was dat hij haar helemaal niet zo mooi vond. Omdat hij niet eens aan haar durfde te denken. Hij had zelfs opzettelijk vrouwen uitgekozen die precies het tegenovergestelde van Autumn waren, zodat hij niet aan haar herinnerd zou worden en aan de reden dat hij in Vegas voor haar gevallen was. Hij was zeker vijftig kilo zwaarder dan zij, maar zij kon hem met gemak aan.

'Hoe laat ben je weer thuis?' vroeg hij.

Ze keek op, maar wendde haar blik direct weer af. 'Laat. Jullie kunnen waarschijnlijk beter naar jouw huis gaan.'

Er was iets niet in orde. Er was iets veranderd. Hij kon het merken aan haar stilte. 'Ik ben wel een week weg,' bracht hij haar in herinnering.

Ze draaide zich om en pakte een pen van het bureau. 'Conner zal het fijn vinden als je 's avonds belt.'

Hij schraapte zijn keel om de brok in zijn keel te verwijderen. 'Zul jij het ook fijn vinden als ik bel?'

Ze trok een la open, maar antwoordde hem niet.

Hij liep het kantoor binnen en raakte haar aan. 'Wat is er aan de hand, Autumn?'

Ze keek hem aan en toen zag hij het. In haar groene ogen. De blik die hij gehoopt had nooit meer te zien. Pijn en onzekerheid en onwil. Net als de eerste keer dat ze Conner in zijn armen had gelegd. 'Conner is in de war,' legde ze uit en ze deed een stap achteruit, alsof ze meer ruimte wilde creëren tussen haarzelf en hem. 'Ik denk dat het beter is als we elkaar niet meer zo vaak zien.'

Dit had weinig te maken met Conner. Hij voelde de frustratie fysiek opborrelen en wilde haar door elkaar schudden. Daarom liet hij haar los en liet zijn hand vallen. 'Je kunt niet de ene keer "ja" zeggen en de volgende keer "nee". Je kunt me niet de ene keer vasthouden en de volgende keer laten vallen.' Hij deed ook een stap achteruit. Om zichzelf te beschermen tegen de pijn die hem overrompelde. 'Je hoeft niet naar me te kijken alsof ik elk moment je hart kan breken.'

'En jij kunt van mij niet verwachten dat ik dat niet doe.'

Er was iets veranderd in de periode tussen de tijd dat hij vannacht was weggegaan en dit moment. Wat het was, was niet van belang. 'Ik zal je nooit meer pijn doen, Autumn. Dat beloof ik je.'

'Zo'n belofte kun je niet maken.'

Hij stak zijn hand uit. 'Liefje, je moet me vertrouwen.'

Ze schudde haar hoofd. 'Ik weet niet of ik dat kan.'

'Dit is nog vanwege Las Vegas.' Hij liet zijn hand vallen. 'Na al die jaren.'

'Maar het is gebeurd, Sam.'

'Dat klopt. Het is gebeurd, maar we waren toen totaal verschillende mensen.' Hij wees op zichzelf. 'Ik was een heel ander mens. Ik vraag je ook niet te vergeten wat er toen is gebeurd. Dat kunnen we volgens mij allebei niet. Maar als je er geen punt achter kunt zetten, hoe kunnen we dan ooit verder met ons leven?' Hoe konden ze dan ooit samenleven? En dat was wat hij het liefste zou willen. Nog liever dan de Stanley Cup winnen, wilde hij bij zijn gezin zijn.

Ze schudde haar hoofd en de pijn in haar ogen maakte hem tegelijkertijd kwaad en verdrietig. 'Ik weet het niet.' Ze pakte haar tas op en liep naar de deur. 'Ik moet gaan.'

Sam keek machteloos toe terwijl Autumn de deur uit stapte en het was een van de moeilijkste dingen die hij ooit had moeten doen. Boven de film uit waar Conner naar keek, klonk het geluid van de garagedeur die achter haar dichtsloeg. Hij hield van haar. Hij wilde zijn leven met haar delen, maar hij wist niet of dit ooit zou gaan gebeuren en hij wist al helemaal niet hoe hij het voor elkaar moest krijgen.

Hij liep de trap op, langs Conner die op de bank lag met de afstandsbediening in zijn hand. 'Kun je die tv wat zachter zetten?' vroeg hij terwijl hij naar de keuken liep.

Het geluid werd al zachter toen hij de deur van de koelkast opendeed. 'Dank je.' Zijn hele leven had hij geknokt voor alles. Hij knokte hard voor alles en won meestal. Hij was in dat opzicht een vasthouder, maar hij was er niet zeker van of hij van Autumn kon winnen. Ze was behoorlijk vasthoudend, zo koppig als wat, en hij wist niet of hij genoeg vechtlust in zich had om haar van gedachten te doen veranderen.

Hij pakte een fles water en draaide de dop eraf. De telefoon die aan de muur hing ging over en uiteindelijk nam het antwoordapparaat het over. Misschien moest hij inderdaad gewoon vertrekken. Hij wilde zijn toekomst met haar delen, maar misschien was ze te getraumatiseerd om daar ooit overheen te komen. Misschien moest hij gewoon snel wegwezen. Anders ging hij er nog aan onderdoor.

De telefoon rinkelde weer. Hij was kwaad. Als hij niet zoveel zelfbeheersing had zou hij nu graag iemand in elkaar slaan. En als hij niet net was hersteld van een blessure had hij nu met liefde met zijn kop tegen de muur geramd. De telefoon bleef maar overgaan, bleef hinderlijk rinkelen op de achtergrond. Als het niet snel ophield zou hij zijn zelfbeheersing inderdaad verliezen. Hij liep naar het toestel toe. Hij keek op de display wie het kon zijn. Normaal gesproken zou hij de hoorn hebben opgenomen en hem er weer op hebben gesmeten, maar nu nam hij op.

'Hallo?'

'U hebt een collect call,' klonk een stem op een bandje, 'van... Vince... gedetineerde van de Clark County-gevangenis. Wilt u de kosten voor het gesprek betalen?'

17

De man van mijn dromen...

is op onverwachte momenten zo lief

'Denk je dat je met het betalen van mijn borgsom kunt scoren bij mijn zus?'

Sam draaide zich om naar Vince, die aan de andere kant van zijn pick-uptruck zat met één dichtgeslagen oog en een bult op zijn voorhoofd. Hij was er niet van overtuigd dat hij ooit nog punten zou scoren bij Autumn. Ze was een heel koppige, onvermurwbare dame. 'Ik ga het niet eens aan Autumn vertellen. Ze hoeft zich geen zorgen te maken om jou.'

'Ik betaal het je terug.'

Sam moest afremmen voor een rood stoplicht. 'Dat weet ik wel.'

Vince was aangeklaagd voor geweldpleging. Hij had kennelijk een of andere biker geslagen. Sam had niets tegen een vechtpartij, maar hij had net zo'n hekel aan Vince als Vince aan hem. 'Het was alleen niet verstandig het in je eentje tegen die hele bar op te nemen.'

Vince gromde. 'En dat zegt de man die elke avond een heel ijshockeyteam tegen het ijs smakt.'

'Dat is iets heel anders. Dat is mijn werk. Ik vecht niet voor niets.' Niet meer, tenminste. Het licht sprong op groen en hij drukte het gaspedaal in. 'Ik heb een heel goede advocaat. Ik zal je zijn kaartje geven.'

'Ik heb geen hulp nodig.'

'Dat weet ik wel, maar je gaat het toch aannemen.' Hij was moe. Moe van het vechten tegen het verleden. Hij kon met geen mogelijkheid winnen van Autumn. Het was waarschijnlijk beter dat hij zich daar nu al op instelde. Voordat hij een heel grote ring kocht en zichzelf voor gek zette. 'Ik wil niet dat je haar van streek maakt.'

'Ik? Da's een goeie. En dat van de man die haar zwanger maakte en haar vervolgens achterliet in een hotel.'

Hij keek weer naar de ex-Navy SEAL. De man die volgens velen een held was. 'We weten allemaal wat er zes jaar geleden is gebeurd. Autumn en ik doen ons best er een punt achter te zetten,' loog hij.

Vince lachte. 'Weet je zeker dat Autumn er een punt achter wil zetten? Ik ken mijn zus. Zij is een echte Haven, en wij kunnen niet vergeten en vergeven.'

Ja, daar was hij zelf al achter gekomen. Had de boodschap luid en duidelijk ontvangen. 'Vertel eens, kikvorsman, heb je ooit wel eens zoveel spijt gehad van iets dat het je nog jarenlang blijft achtervolgen, misschien wel je hele leven lang?'

Vince was even stil, zei toen: 'Een paar keer.'

Hoezeer hij het ook haatte om te moeten toegeven, op dat moment zag Sam zichzelf deels weerspiegeld in Vince. 'Ik heb enorm spijt van wat ik Autumn heb aangedaan en ik doe er echt alles aan om het goed te maken.' Hij nam gas terug om de volgende afslag te kunnen nemen.

'O.' Vince haalde een zonnebril tevoorschijn uit zijn borstzak en zette hem op zijn pijnlijke gezicht. 'En, wil dat een beetje lukken?'

Helemaal niet. Na die ochtend wist hij ook niet zeker of het wel zou lukken. Hij had haar gezegd dat hij haar nooit meer pijn wilde doen, maar ze had hem niet op zijn woord geloofd. Ze had hem niet vertrouwd en hoe meer hij erover nadacht, des te kwader werd hij daarom.

'Ik moet je wel bedanken voor het betalen van mijn borgsom,' zei Vince moeizaam, alsof het hem grote moeite kostte de woorden uit te spreken.

Nu was het Sams beurt om een afkeurend geluid te maken. 'Doe vooral geen moeite.'

Vince sloeg zijn armen over elkaar. 'Maar je moet echt niet denken dat we nu quitte staan. Ik kan je nog steeds met gemak aan.'

Sam glimlachte. 'Dat mocht je willen. Jij mag dan wel honderd manieren kennen om iemand te vermoorden, ik ken er wel honderd om iemand te laten smeken dat hij al dood is.'

Vince grinnikte. 'Als je niet zo'n ongelooflijke eikel was, dan zou ik je best aardig kunnen vinden.'

Sam belde niet. Hij belde niet op de avond voor hij vertrok, en ook niet de twee dagen erna. Toen hij eindelijk op de derde dag belde, vroeg hij naar Conner. Alleen het horen van zijn stem deed Autumn opfleuren, al zat ze een tel later alweer in de put. Zelfs ademhalen deed haar pijn. Toen hij klaar was met het gesprekje met zijn zoon, hing hij op. Het was duidelijk; hij wilde haar niet spreken. En ook de volgende dag, toen hij opbelde voor zijn zoon, wilde hij haar niet aan de lijn.

Het was beter zo, maakte ze zichzelf wijs. Beter voor Conner en voor haarzelf. De tranen brandden achter haar oogleden, en ze kon ze niet langer tegenhouden. Ze had nooit gedacht dat haar hart, dat ze zo zorgvuldig weer gelijmd had, nog een keer gebroken kon worden. En zelfs op een manier die erger was. Ze voelde zich ellendig en wist niet wat ze eraan kon doen.

Later die dag kwam Vince langs bij haar kantoor in zijn

zwarte truck. Ze was niet in de stemming voor haar broer, maar misschien ging hij met haar lunchen in de stad zodat ze haar liefdesverdriet wat kon vergeten. Of misschien had hij een geweldig kerstcadeau voor haar gekocht, waar ze enorm van zou opknappen.

'Wauw, jij ziet er slecht uit,' waren zijn eerste woorden toen hij binnenliep.

Autumn snoot haar neus. 'Dank je.' Ze wees op zijn blauwe oog. 'Jij ook. Wat is er gebeurd?'

Maar hij antwoordde haar niet direct. 'Waarom moet je huilen?'

Ze schudde haar hoofd. Als hij een geheim kon bewaren, dan kon zij het ook. 'Ik wil er niet over praten.'

Normaal gesproken zou hij hebben aangedrongen tot ze het hem vertelde. Dit keer echter, stelde hij een vraag: 'Is Sam in de stad?'

Sam? Autumn kon zich niet herinneren dat hij Sam ooit anders dan 'die idioot' had genoemd. Er was iets aan de hand. Misschien was Vince wel heel hard gevallen en had hij behalve een blauw oog ook een hersenbeschadiging opgelopen. 'Die zit in LA, hoezo?'

'Ik wil hem graag even spreken. Wanneer komt hij terug?'

'Morgenavond.'

'Dat is te laat. Dan ben ik er niet meer.'

'Hoezo niet?' Ze stond op van haar bureau. 'Waar ga je naartoe?'

'Ik ga weg uit de stad.'

'Nee!' Haar mond viel open. 'Waarom?' Waarom ging alles in haar leven ineens de verkeerde kant op?

'Ik moet iets doen.'

'Wat dan?' Ze liep om haar bureau heen.

'Daar kan ik niets over zeggen.'

'Ben je op de vlucht voor de politie?'

'Nee.'

'Voor een vriendinnetje dan?'

'Nee.'

'Een vriendje?'

'Nee!'

Ze sloeg haar handen voor haar mond. Bezorgdheid om haar broer deed haar even haar eigen zorgen vergeten. 'Ik ben je zus. Je kunt me alles vertellen en ik zal altijd van je houden. Wat er ook aan de hand is.'

'Ik hou ook van jou, maar soms zijn er gewoon dingen die je beter niet kunt weten.' Hij maakte een afwerend gebaar met zijn hand. 'Ik kan er toch niet over praten, dus je hoeft er niet naar te vragen.'

Soms werd ze er gek van als hij zo geheimzinnig deed. 'Wanneer kom je weer terug?'

'Snel.' Hij haalde een dikke envelop tevoorschijn. 'Deze moet je aan Sam geven.'

De envelop bleek gevuld met bankbiljetten en haar mond viel opnieuw open van verbazing. 'Hoezo heeft Sam jou zoveel geld geleend?'

'Wil je hem bedanken daarvoor?'

'Wat heb je gedaan?' Ze staarde naar de envelop in haar hand en vroeg zich af waarom haar broer zoveel geld nodig had gehad. Was hij soms zijn appartement uit gezet? Of had hij gegokt en verloren? Had hij soms iemand ingeschakeld voor een louche klusje? Nee, Vince zou niemand anders opzadelen met zijn eigen karweitjes.

'Sam heeft maandag mijn borgsom betaald.'

'Wat?' Dat hij in de gevangenis was beland, was nog niet eens bij haar opgekomen. Waarom moest hij een borgsom betalen? 'Wat is er dan gebeurd? Is het nu in orde?' Ze wist niet waar ze moest beginnen met haar vragen. Ademloos luisterde ze naar Vince' verhaal over een vechtpartij met een paar bikers en zijn daaropvolgende arrestatie.

'Waarom ben je niet weggelopen?'

Hij fronste zijn voorhoofd. 'Ik loop nooit weg.'

'Maar dit is al drie dagen geleden gebeurd. Waarom hebben jij of Sam me dat niet eerder verteld?' Oké, Sam praatte niet meer met haar. 'Waarom heb je me niets verteld?'

'Sam wil niet dat jij het te weten komt. Ik geloof dat hij echt van je houdt en dat hij niet wil dat jij je zorgen maakt om mij.'

Ze wist niet zo zeker of Sam wel van haar hield. Niet na hun laatste gesprek. Ze was er niet zo zeker van als haar broer.

'Ik wil ook niet dat jij je zorgen maakt om mij.'

Ze keek naar haar grote, sterke, koppige broer. Ze voelde een brok in haar keel en haar ogen prikten weer. Ze wilde het hem niet nog moeilijker maken. 'Wat moet ik nou zonder mijn grote broer?'

'Niet huilen.' Hij pakte haar stevig vast. 'Ik ga niet voor altijd weg.' Hij hield haar van zich af. 'Ik heb het idee dat Sam wat minder een idioot is dan ik dacht.' Hij veegde de tranen van haar gezicht. 'Hij zal goed voor jou en Conner zorgen.'

Nu begon ze zich pas echt zorgen te maken om Vince. 'Vind je Sam nu ineens aardig?'

'Echt niet, maar veel belangrijker is de vraag of jíj Sam aardig vindt.'

Natuurlijk vond ze Sam aardig. Ze hield van hem. Ze kon er niets aan doen. Ze hield van zijn stemgeluid en van zijn geur op haar kussen. Ze hield van zijn spierkracht en zijn enorme ego, maar ook van het feit dat daarachter een man met een warm hart schuilging. Ze knikte.

'Dan moet je eens goed nadenken of je hem niet kunt vergeven, want soms is het voor iemand nodig te horen dat je hem vergeeft, dan kan hij zichzelf eindelijk gaan vergeven.'

Ze keek diep in de groene, bezorgde ogen van haar broer en vroeg zich af of hij het over zichzelf had of over Sam.

Sam liep zijn appartement binnen en wist meteen dat er iets was, nog voordat hij de lamp aandeed. Het was drie uur 's nachts en

Conners jasje lag over een kruk, terwijl diens slaapkamerdeur openstond. Hij tuurde naar binnen en zag zijn zoon opgekruld liggen slapen.

Sam was doodop en had overal pijn. Hij had de slechtste serie wedstrijden van zijn hele loopbaan gespeeld, alleen maar omdat hij aan niets anders kon denken dan aan Autumn. Hij was nu te moe om nog te kunnen nadenken, maar hij wist vrijwel zeker dat hij niet aan de beurt was om op Conner te passen. Tenzij Autumn dringend oppas nodig had. De deur van Natalies kamer was dicht en hij liep zijn eigen slaapkamer binnen en knipte het licht aan. In het midden van zijn bed, onder zijn donkerblauwe dekbed, lag Autumn opgekruld te slapen, met haar rode haar uitwaaierend over zijn kussen. Als hij niet zeker wist dat hij wakker was, had hij gedacht dat hij droomde.

'Autumn?' Ze werd wakker en haar groene ogen gingen langzaam open. Er verscheen een glimlach om haar mondhoeken.

Hij liet zijn tas op de vloer vallen. 'Wat doe je hier?'

'Ik wacht op jou.'

'Waarom? Wat is er? Is er wat gebeurd?'

'Niets. Ik wilde je gewoon graag zien en aangezien jij je best doet mij te ontwijken...'

Hij keek om zich heen. 'Hoe ben je hier binnengekomen?'

'Ik heb zo mijn methodes, net als jij.' Ze rekte zich uit en het leek alsof ze een wit ijshockeyshirt droeg. 'En ben je nou niet blij dat je niet aan komt zetten met een andere vrouw?'

'Er is geen andere vrouw.'

'Weet ik.' Ze ging rechtop zitten en het dekbed zakte naar beneden. Ze droeg verdomme het shirt van Pittsburgh dat ze met Halloween droeg. 'Vince is weg.'

Hij trok zijn jasje uit. 'Hoezo?'

'Hij zei dat hij iets moest doen. Ik maak me zorgen.'

'Het is een grote jongen.' Hadden ze het nu echt over Vince? 'Hij loopt niet in zeven sloten tegelijk.'

'Waarom heb jij zijn borgsom betaald?' Ze zwaaide haar

benen over de rand van het bed. 'Je hebt een hekel aan Vince.'

'Maar ik hou van jou.'

'En ik hou ook van jou.'

Hij kreeg een benauwd gevoel op zijn borst, alsof hij een paar ribben had gebroken. Alsof iemand hem in een hoekje had gedreven en hem een stomp tegen zijn bovenlijf had gegeven. Hij wees naar haar shirt. 'Waarom draag je dan het shirt van Crosby?'

'Omdat jij zwoer dat je het van mijn lijf zou rukken als ik het weer zou dragen.'

Hij grijnsde. 'Wil je dat dan graag?'

Ze knikte en sloeg haar armen om zijn nek.

'Wat wil je nog meer, Autumn?'

'Jij en ik samen, met Conner. Ik wil dat we een gezin zijn.' Hij hapte naar adem. Ze knoopte zijn overhemd open. 'Ik wil er altijd voor je zijn als jij thuiskomt. Dan wil ik dat je vertelt hoe je dag was. En dat wil ik voor de rest van mijn leven.' Ze drukte een kus in zijn hals.

'Als jij dat wilt, voor de rest van je leven, dan kun je het krijgen.' Hij pakte haar hand vast en kuste de binnenkant van haar pols. 'Ik wil ook graag dat je er voor mij bent als ik thuiskom. En ik wil ook dat je me vertelt hoe jouw dag was. Ik hou van je en ik zal voor de rest van mijn leven van je houden.' Hij sloot zijn ogen en haalde diep adem. Hij wilde niet ontroerd zijn. Hij wilde niet dat de vrouw die van hem hield hem zou zien huilen als een mietje. 'Jij en Conner zijn het belangrijkste in mijn leven.'

'Nee, dat is nog niet alles.' Ze veegde zijn haar weg van zijn voorhoofd. 'Ik hou van jou, Sam. Ik ben vijf jaar geleden als een blok voor je gevallen en toen brak je mijn hart. Het duurde heel lang voordat ik dat kon vergeten. Maar nu ben ik weer voor je gevallen. Alleen is de liefde nu dieper en heviger dan toen. Je hebt mijn vergiffenis niet nodig voor wat er in het verleden is gebeurd. Het is zoals je zelf zei; toen waren we anders.

Maar als jij het nodig hebt, als jij het graag wil, dan vergeef ik je bij dezen.'

Hij legde zijn gezicht tegen haar hals en snoof dankbaar de geur van haar warme huid op. Hij besefte nu pas hoelang hij had gewacht op die woorden. Hij wist niet dat hij ze zo graag had willen horen, tot nu. Hij streek met zijn handen over haar rug en liet ze naar beneden glijden tot hij haar twee blote billen tegenkwam. 'Het lijkt wel alsof je weer je slipje bent vergeten.'

'Oeps. Dat gebeurt vrouwen vast vaker bij jou in de buurt.'

'Nu niet meer.' Hij liet zijn handen nu over haar blote rug gaan. 'Jij bent de enige vrouw die ik nog in mijn buurt wil hebben. De enige vrouw die ik zonder slipje wil zien. De enige vrouw die ik nodig heb.'

Ze liet zich naar achteren zakken en keek hem diep in zijn ogen. Haar groene ogen straalden. Ze glimlachte. 'En een paar maanden geleden was ik niet eens het type vrouw waarmee je uitging.'

'Nee.' Hij legde zijn voorhoofd tegen het hare en streelde haar mond met zijn lippen. 'Maar jij bent wel het type vrouw waarmee ik trouw. En met een beetje mazzel, ben jij het type vrouw waarmee ik twee keer mag trouwen.'

Nawoord

De man van mijn dromen...

doet alles de tweede keer pas goed

De ondergaande zon hing laag boven de parelwitte stranden van Lahaina Beach op Maui. Het oranjerode licht versterkte de kleur van Autumns krullen en streek langs Sams vierkante kaaklijn. Autumn was gekleed in een eenvoudige crèmewitte zijden jurk en droeg een slinger van witte orchideeën die Sam haar die dag had gegeven. Ze had rozen in haar haren en een zacht briesje bewoog de sluier op haar hoofd. Sam en Conner droegen beiden een witte smoking met witte orchideeën als corsage en witte strikjes.

Met betrekking tot haar eigen bruiloft had Autumn gekozen voor een kleine, intieme setting. Sams moeder en Vince stonden ter rechterzijde van de bruid. Bo en Chelsea Ross en hun echtgenoten, die net terug waren van hun huwelijksreizen, en ook Ty en Faith Savage, met hun kleine dochter, die lag te slapen op haar vaders arm, keken toe terwijl Sam Autumns hand beetpakte en naar zijn lippen bracht. Hij kuste haar hand en glimlachte naar haar, voordat hij de belofte uitsprak die hij speciaal voor haar had geschreven.

'Ik ben een ijshockeyer,' zo begon hij. 'Ik ben geen romanticus, daarom heb ik Conner gevraagd wat ik vandaag tegen je moest zeggen. Hij stelde voor een paar klop-klopmoppen te vertellen.' Iedereen moest lachen. 'Maar hij wilde ook dat ik je zei dat je de liefste mama bent van de hele wereld. En dat is waar, al is dat niet de enige reden waarom ik zoveel van je hou. Als jij een ruimte binnenkomt, voel ik mijn hart oplichten. Jij brengt licht in mijn leven.' Hij zweeg even en keek haar ernstig aan. 'Autumn, ik hou van je. Ik kan me een leven zonder jou niet voorstellen. Daar wil ik niet eens aan denken.'

Autumn keek Sam liefdevol aan. De kleuren van de ondergaande zon gaven zijn wangen hier een veeg oranje en daar een smeer lavendel. 'Ik hou van jou, Sam. Jij hebt mij weer heel gemaakt. Je hebt me geleerd dat vergiffenis hetzelfde is als liefde. Ik dacht altijd dat de man van mijn dromen moest voldoen aan een hele waslijst vol verwachtingen.' Ze schudde haar hoofd. Haar sluier bewoog zich over haar ontblote schouder. 'Maar ik zat ernaast. Liefde kent geen lijstjes.' Er drupte een traan op haar orchideeën. 'Jij bent de man die de adem in mijn keel doet stokken, die me vlinders in mijn buik geeft. De man die me 's nachts wakker houdt, omdat ik niet kan ophouden met naar hem te kijken. En elke keer als ik naar jou kijk, dan weet ik dat ik voor altijd en eeuwig naar je wil blijven kijken.'

Sam veegde een traan weg van haar wang met zijn duim en bracht zijn gezicht naar dat van haar.

'Zover zijn we nog niet,' waarschuwde de dominee hem.

Sam grinnikte. 'Opschieten dan maar. Ik heb weinig geduld en Conner heeft me verteld dat hij een broertje wil.'